Manual ilustrado de
EQUITACIÓN

Manual ilustrado de
EQUITACIÓN

Curso de iniciación · Sally Gordon

BLUME EQUITACION

Título original: *The Rider's Handbook*

Traducción de Cristóbal Santacruz

Director de edición: Godofredo González
Director de producción: Ramón Sureda

Primera edición española 1985

ISBN: 84-87535-30-5
Depósito legal: B-25567-90

Impreso en España por Grafos, S.A., Barcelona

Sumario

Introducción

No es difícil comprender por qué la equitación, como motivo de recreo y de placer, haya alcanzado un tan gran nivel de popularidad. Contrariamente a lo que ocurre con muchos deportes, éste no exige unas aptitudes atléticas naturales o una dedicación única; asimismo, tampoco es necesario aprender a montar desde niño para llegar a ser un buen jinete. Para mucha gente, la equitación aventaja a deportes tales como el squash, el tenis o el hockey, ya que está interrelacionado con un animal vivo, sujeto a cambios de humor y sentimientos, con el cual se puede llegar a mantener una relación estrecha y satisfactoria. Un pasatiempo que antes se restringía casi exclusivamente a los ricos, puede, actualmente, permitírselo casi cualquier bolsillo. En todo el mundo se puede ahora practicarlo en localidades urbanas, suburbanas y rurales. Cualquiera, sin tener en cuenta la edad, la altura, el peso o el sexo, podrá aprender a montar, siempre que la persona sea capaz de subirse a una silla y que posea la suficiente determinación como para hacerse con los rudimentos del proceso de aprendizaje.

Una vez dicho que cualquier persona puede llegar a aprender a montar, está claro, también, que no todo el mundo querrá hacerlo. Nunca se ha de obligar a nadie a montar en contra de su voluntad. Incluso para aquellos entusiastas que desean iniciarse, existen puntos que merecen una especial atención. Las causas que justifican el atractivo de la equitación, poseen también sus peligros y dificultades. Al igual que sucede con las personas, los caballos son seres con reacciones a veces imprevistas. La percepción del color, las demostraciones de mal humor, el ánimo exaltado o la pura maldad, son partes integrantes de cualquier ser vivo; pero si llegan a manifestarse cuando se cabalga a lo largo de una carretera concurrida, por ejemplo, el jinete tendrá entre sus manos una situación extremadamente peligrosa. También aquellos caballos que hayan sido mal entrenados o que hayan recibido malos tratos tienden a experimentar animosidad hacia la raza humana en general y pueden llegar a ser muy peligrosos en manos de un jinete principiante.

En la equitación siempre caben las posibilidades de peligro, pero éstas podrán reducirse, en gran medida, si se asegura una enseñanza y una guía lo mejor posibles mientras se esté aprendiendo. Por esta razón, es de gran importancia la elección de la escuela de equitación y merece la pena mirar todas las que existan en la zona antes de decidirse definitivamente por una. Si fuera posible, déjese aconsejar por expertos, pero si no encontrara a ninguno, déjese entonces guiar por su propio sentido común. Las cuadras y corrales tienen que estar limpios y bien cuidados; los mozos de cuadra o el personal debe ser amable y tener también un aspecto limpio y cuidado. Los caballos tienen que tener un buen aspecto, estar bien alimentados y bien atendidos y, por último la dirección de las cuadras debe mostrarse interesada en sus peticiones y estar dispuesta a ayudarlo.

Derecha: La equitación es una actividad para los ratos de ocio y, también, un deporte para jinetes de todas las edades. Ya elija entrar en el mundo de la competición o simplemente disfrutar un día de campo, siempre le proporcionará ratos de placer.

El lenguaje de la equitación

La equitación es una actividad cuyo proceso de aprendizaje nunca acaba. Desde el primer día que monte sobre un caballo, hasta el día en que cuelgue definitivamente sus ropas de montar, se dará cuenta de que constantemente ha estado descubriendo cosas nuevas, nuevos aspectos del caballo o de su equipo, nuevas formas de la técnica de la equitación o nuevas facetas dentro de la gestión de las cuadras. Como siempre suele ocurrir, hay mucho que aprender y recuerde, al comenzar, que es tanto, que de hecho llegará inevitablemente a sentir que nunca podrá asimilar ni la mitad de la información recibida. Aquí podrá ayudarse con cierta preparación. Merece la pena aprender los nombres de algunos detalles elementales que se relacionan con los caballos o con la equitación, como por ejemplo, el nombre de la ropa que se utiliza para montar, los puntos básicos del caballo y las partes de la montura del animal, incluso antes de su primera clase práctica.

Su equipo de equitación

Para las primeras lecciones no es necesario comprar el equipo completo de equitación. La ropa de montar es cara y más vale que, antes de hacer tan gran inversión, se asegure de que continuará perseverando en este deporte. Tal como se muestra aquí, no importa mucho que los principiantes se vistan de manera informal.

Sombrero duro. Un detalle esencial en el equipo de equitación es un sombrero duro y es mejor llevarlo puesto desde la primera vez que se siente sobre el lomo de un caballo. Procure llevar siempre atado el barboquejo. Si alguna vez llegara a golpearlo en una caída, lleve el sombrero a revisar a un guarnicionero para asegurarse de que la corona de protección no se ha perjudicado.

Impermeable. Cualquier chaqueta cómoda e impermeable es apta para la equitación. Asegúrese de que no le quede demasiado ajustada en los brazos, pues si no, sus movimientos se verán restringidos; pero, a su vez, tampoco elija una demasiado ancha o voluminosa. En este último caso, su profesor no siempre podrá ver si va o no sentado correctamente.

Jersey de cuello vuelto o camisa. Cualquiera de estos dos tipos de ropa sirven. Elija aquel que sea más apropiado con el tiempo.

Vaqueros. Deberán ser resistentes y cómodos. Si son demasiado anchos en las piernas, formarán pliegues contra la silla que pueden llegar a ser muy molestos. También pueden llevarse pantalones largos siempre que tengan un trozo de elástico que los sujete por debajo del pie para que no se arruguen sobre sus piernas.

Zapatos. Lo mejor son zapatos de cuero resistente y de cordones. No deben tener hebillas u otro tipo de adornos que se puedan enganchar en los estribos. Los tacones tienen que ser bajos y la suela tiene que extenderse por toda la longitud del calzado.

Una vez que se esté seguro de querer aprender a montar en serio, es preferible que, al menos, se

En las ocasiones formales se necesita un equipo de equitación correcto, de todas formas, siempre estará sujeto a variaciones de acuerdo con cada ocasión. **Arriba:** El equipo que se ilustra es el correcto para una cacería y algunos tipos de clases de exhibición. **Derecha:** A medida que se van haciendo progresos, es conveniente invertir en una vestimenta mejor, la cual ha de ser confortable y dar una apariencia más elegante al jinete.

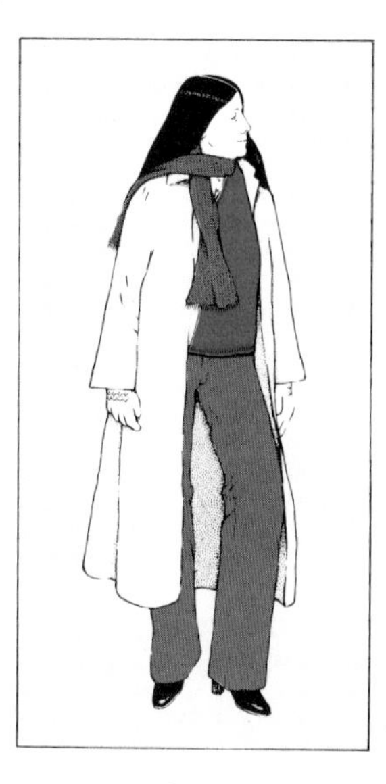

Izquierda: Para un principiante, no es necesario tener todo el equipo completo. De todas formas, un sombrero duro es algo esencial. **Derecha:** El dibujo muestra una vestimenta inapropiada para montar. La ropa suelta le será incómoda al jinete y además puede distraer al caballo que le verá ondear por el rabillo del ojo. Las botas de agua, los zapatos o botas de tacones altos o las hebillas decorativas, pueden ser muy bonitos, pero son muy peligrosos pues se pueden escurrir o enganchar en los estribos. Igualmente, los guantes de lana húmedos, se escurrirán por las riendas. Un jinete jamás debería montar sin un sombrero duro.

compre parte del equipo correcto. No solamente tendrá un aspecto más profesional, sino que además, mayor comodidad.

Chaqueta de montar. Este tipo de chaqueta está especialmente diseñada para la equitación. Su corte le proporcionará un espacio suficiente para mover brazos y hombros. Asimismo, deja caer la prenda elegantemente sobre la parte trasera de la silla.

Camisa y corbata. Servirá cualquier camisa y corbata, aunque, convencionalmente, se omiten los colores demasiado vivos o chillones y los estampados. Por lo general, se puede llevar también un jersey de cuello vuelto debajo de la chaqueta.

Pantalones largos de montar para bota corta. Existen pantalones diseñados especialmente para la equitación. Son ceñidos hasta los tobillos, lo que protejerá sus piernas de las rozaduras con los aciones.

Bota corta. Estas botas llegan hasta el tobillo y, o bien poseen bordes elásticos o bien están sujetas por una correa. Están diseñadas para llevarlas con pantalones largos de montar (o vaqueros), pero no con otro tipo de pantalones.

Guantes. La opinión de los expertos difiere, entre si los jinetes deberían o no llevar siempre guantes. Cuando hace frío son realmente útiles. Recuerde, de todas formas, que tienen que ser de un material que no sea resbaladizo, como por ejemplo el hilo. Los guantes de lana no son muy buenos, pues con la lluvia resbalarán por las riendas o incluso cuando éstas estén sólo algo sudadas. Los guantes han de ser cómodos y nunca demasiado gruesos, pues esto reduce el contacto directo con las riendas.

En ocasiones de mayor formalidad, como por ejemplo una cacería o una competición, es mejor llevar el equipo de etiqueta que corresponda. Existen una serie de variaciones a partir de este modelo básico, dependiendo siempre de su elección y de cuál sea la actividad a realizar.

EL NUDO DE LA CORBATA

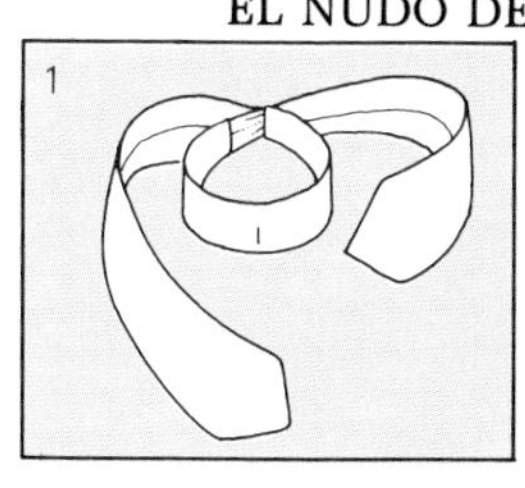

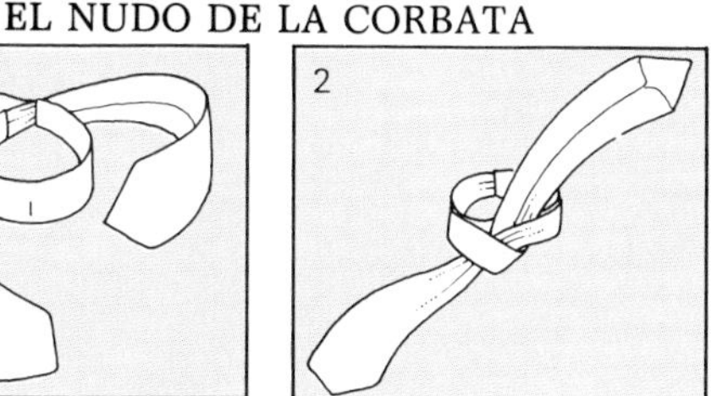

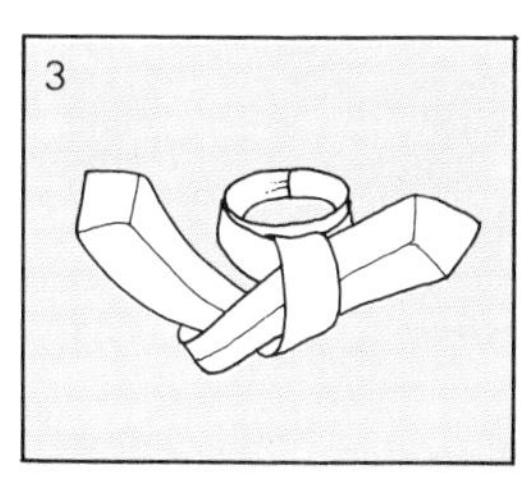

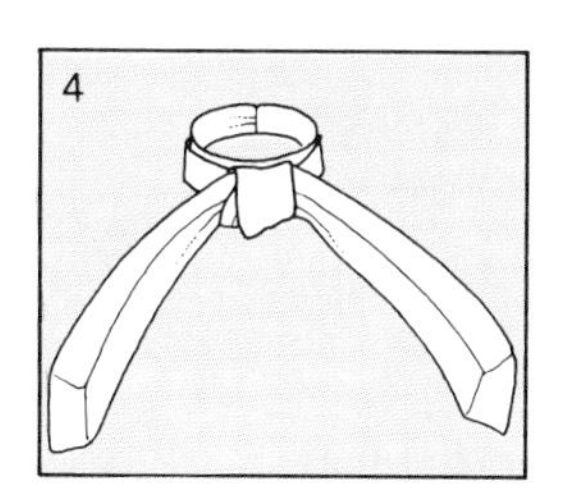

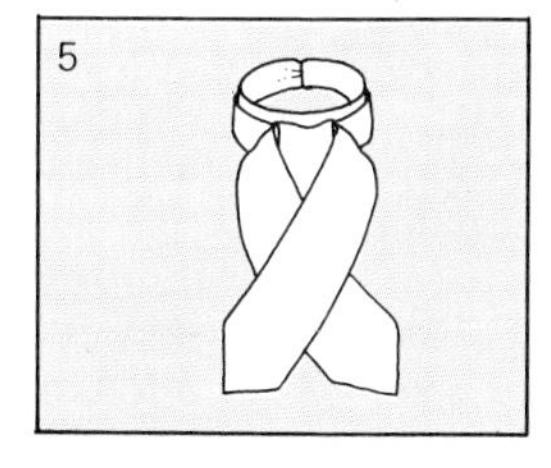

Arriba: El *stock* es una corbata de diseño especial, generalmente de color blanco, y que se lleva con una camisa sin cuello en ocasiones de protocolo. Se hace un nudo especial que aunque, en un principio, pueda parecer complicado, es fácil de aprender.

Es importante elegir un tamaño apropiado de caballo para su propia estatura. **Arriba izquierda:** Un buen ejemplo de un jinete montando un caballo de poca estatura. **Arriba derecha:** En este caso el caballo es demasiado grande para el jinete. **Abajo:** En este caso los jinetes montan caballos de un tamaño adecuado. **Derecha:** Un caballo de 17 palmos junto a un pony de 12.2 palmos de altura. Aparte de las diferencias del tamaño del cuerpo, existen otras, como el tamaño de la cabeza, orejas y hocico.

Casco de montar Bombín. El bombín es un sombrero algo más formal que el corriente sombrero duro, pero sirve exactamente para el mismo fin. Lo llevan tanto los hombres como las mujeres.

Chaqueta negra. Tiene un diseño y corte muy similar al de la chaqueta «tweed» pero es algo más elegante.

Plastrón Es una corbata de diseño especial que suele ser blanca y que se lleva con una camisa sin cuello. Se hace el nudo apropiado y se asegura con un alfiler plano y dorado (como un alfiler de corbata normal).

Guantes. En ocasiones de etiqueta siempre habría que llevar guantes limpios y de hilo.

Calzón corto de montar para bota de caña larga. Como los pantalones largos de montar, los breeches están especialmente diseñados para la equitación. Se llevan siempre con botas de caña alta, por lo que no es necesario que lleguen hasta el tobillo.

Botas de montar. Las botas de montar, al contrario de lo que ocurre con los botines, llegan hasta la rodilla. Antes, todas eran de cuero puro, pero actualmente pueden conseguirse botas especiales de montar hechas de «goma». Son adecuadas en muchas ocasiones y tienen la ventaja de ser bastante más baratas que las de cuero.

Fusta y espuelas. Un jinete vestido de etiqueta casi siempre lleva una fusta y espuelas. Las fustas pueden adquirirse de varios diseños; lo más aconsejable es que sean rígidas y no demasiado largas o flexibles. Las espuelas deberán ser preferentemente despuntadas.

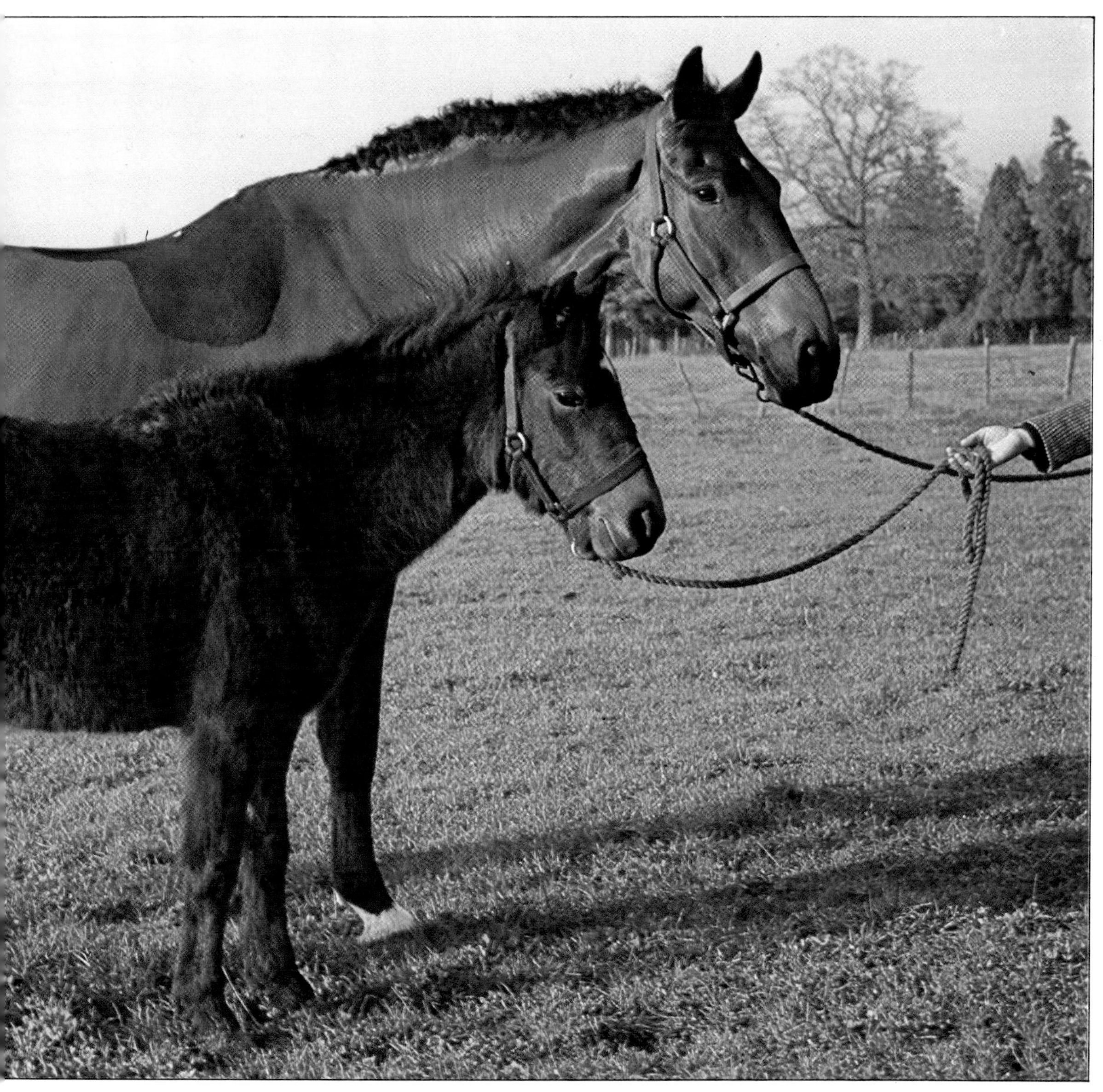

Un caballo o un pony

Una de las preguntas que (la mayoría de los principiantes) se hacen al iniciarse en la equitación, es la de saber cuándo un caballo es un caballo, cuándo es un pony y cómo pueden saber cuál de los dos están montando. La respuesta es muy simple. El factor principal que diferencia a un pony de un caballo es la altura. Ambos, ponies y caballos, se miden por «palmos», contando que un palmo mide 10 cm. La medida se toma desde el suelo hasta la cruz del caballo; asegúrese de que el animal se encuentre sobre el nivel del suelo y use un palo de medición especial. Si la medida es de 14,2 palmos o inferior (147 cm), el animal será clasificado como pony. Si el animal mide 14,3 palmos (149,8 cm), se tratará de un caballo.

A pesar de que la altura es el factor determinante para saber si el animal que usted montará es un caballo o un pony, existen además otros aspectos que diferencian a ambas variantes. Lo más característico es la cabeza; los ponies, por lo general, tienen cabezas más pequeñas que los caballos (incluso en relación a su tamaño), con finas orejas compactas, hocicos pequeños y con frecuencia, tienen una expresión en la cara más traviesa. De todas formas, estas características del pony sólo se reconocerán con la experiencia y tampoco son aspectos tan claros como para que se puedan adoptar para una definición precisa.

La mayoría de los niños y los adolescentes pueden aprender a montar en un pony. No es fácil definir exactamente el tamaño conveniente de un pony

La ilustración muestra los diferentes puntos del caballo. En general, se adopta como acuerdo común que los puntos más importantes son las piernas y las pezuñas, ya que el caballo dependerá de éstas para su locomoción, además de para poder sobrevivir. Es por ello que la conformación de las patas ha de ser lo más correcta posible. De hecho, éste es el haber más valioso que un caballo pueda tener.

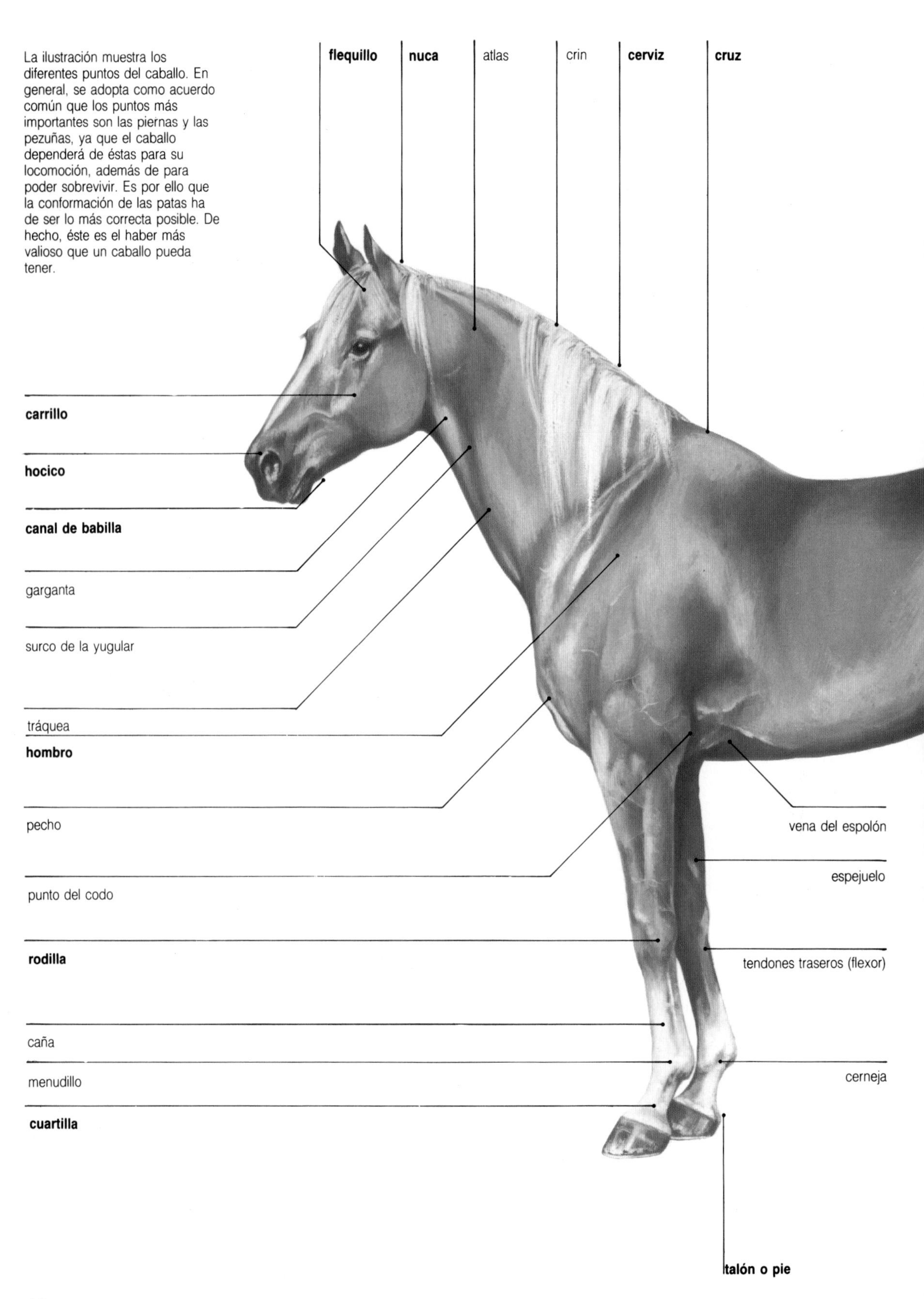

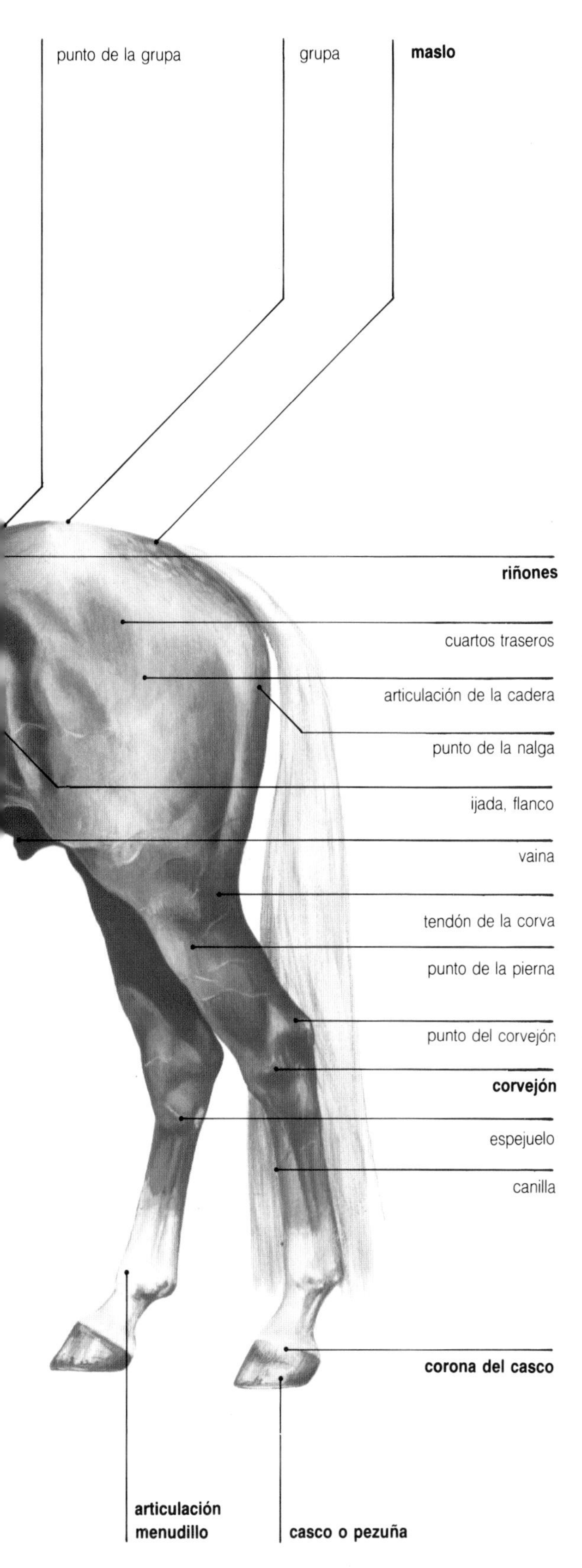

para la altura determinada de una persona. También entran a formar parte otros factores, como el peso, si el pony es más grueso o más delgado etc. De todas formas, como regla general, se puede considerar que el animal tiene el tamaño apropiado, si, estando usted de pie al lado del animal, sus ojos están a la misma altura que la cruz del animal.

También conviene saber que siempre es mejor aprender a montar en un pony o caballo más bien grande (sin exagerar), que en uno demasiado pequeño. Por lo general, cuanto más grande sea el animal, más grandes serán sus pasos, lo que hará más suave su montura. Los ponies pequeños suelen tener un movimiento de pasos cortos y algo saltarines, bastante incómodo para un principiante de la equitación. También los ponies pequeños parecen tener más manías que sus parientes mayores, por lo que pueden tener reacciones imprevistas cuando llevan encima a un recién iniciado. Por último, es muy difícil conseguir una postura buena y correcta sobre un pony, que, por ser tan pequeño a uno le cuelgan las piernas prácticamente hasta el suelo. Asimismo, es igualmente difícil, por supuesto, montar un caballo o pony que de tan anchos que tenga sus lomos, apenas se puedan poner las piernas sobre los mismos.

Puntos del caballo

Los nombres que reciben las diferentes partes del caballo se conocen técnicamente como puntos del caballo. Varía la importancia de los mismos, pero existen algunos puntos básicos que convendría memorizarlos desde un principio, pues su profesor puede referirse a ellos desde la primera lección.

Una razón convincente para tener un buen conocimiento de los puntos de un caballo es que puede determinar, en un sentido amplio, la actitud del jinete frente al caballo. Así, por ejemplo, el conocimiento sobre la musculatura básica del animal permitirá que el jinete pueda percibir, casi de inmediato, cualquier daño que haya sufrido el caballo o debilidad que lo aqueje, lo cual, si lo pasa por alto una persona de menor conocimientos en tal sentido, puede provocar que el animal tarde semanas e incluso meses en recuperarse. Un conocimiento básico de los puntos del caballo permitirá también al dueño eventual de uno poder apreciar y determinar las capacidades del mismo.

El equipo o montura del caballo

Aparte de los puntos básicos del caballo, es conveniente que sepa también las partes que componen el equipo básico que se pone al caballo para montarlo. Existen dos términos principales: las bridas y la silla. Las primeras se ponen en la cabeza del caballo y son el principal medio de control que el jinete podrá ejercer sobre el caballo. La silla se ajusta sobre el lomo del animal.

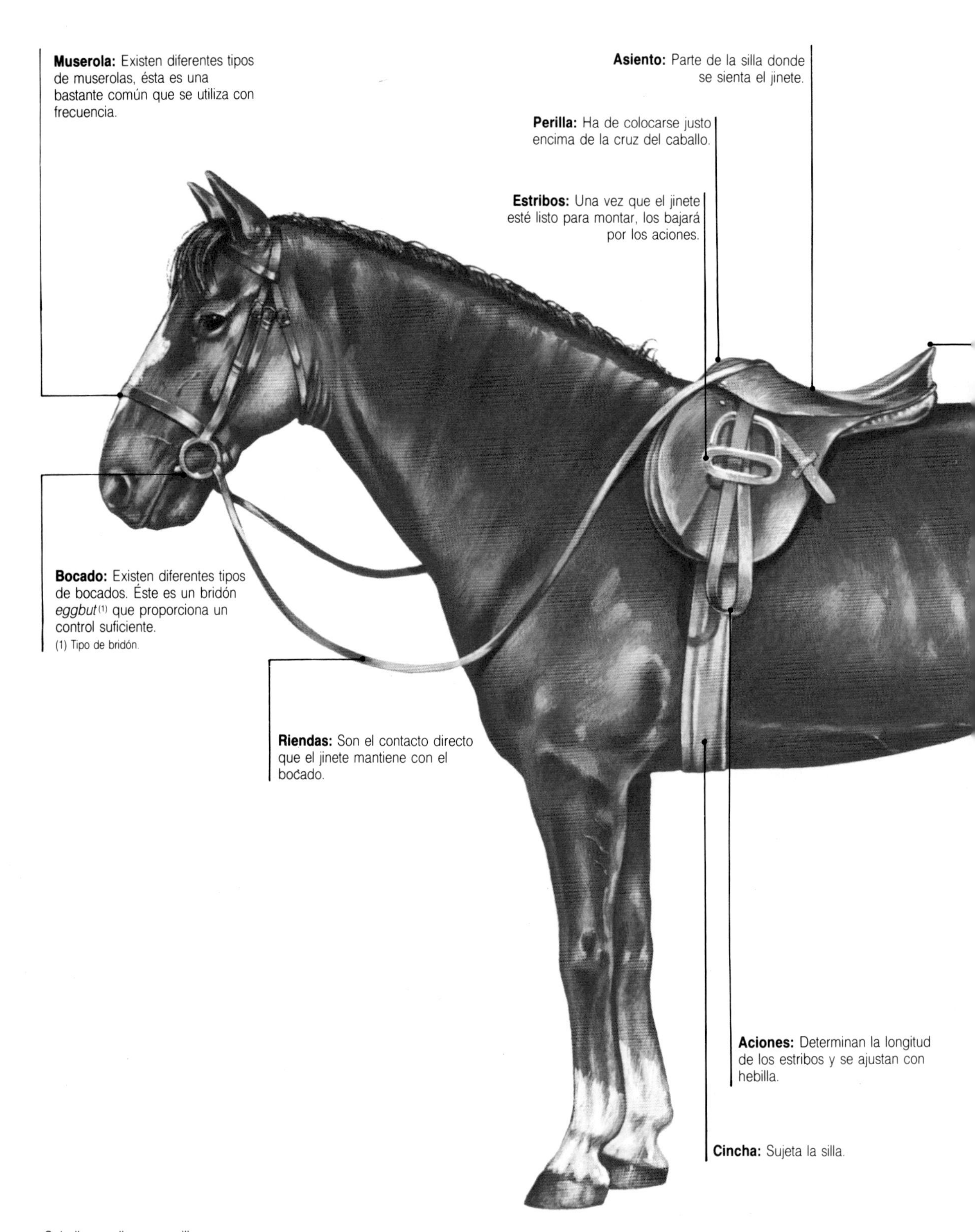

Caballo que lleva una silla y unas bridas perfectamente ajustadas. Los puntos mencionados son los que un jinete aprendiz debería saber.

Derecha: La silla se coloca sobre el lomo del caballo de tal manera que el punto más profundo de la misma esté sobre la parte más baja de la espina dorsal del animal. El peso de la silla tiene que recaer uniformemente encima de las partes carnosas a ambos lados de la columna vertebral.

Arzón trasero: El punto más alto de la parte trasera de la silla. El jinete ha de ir sentado delante de este punto.

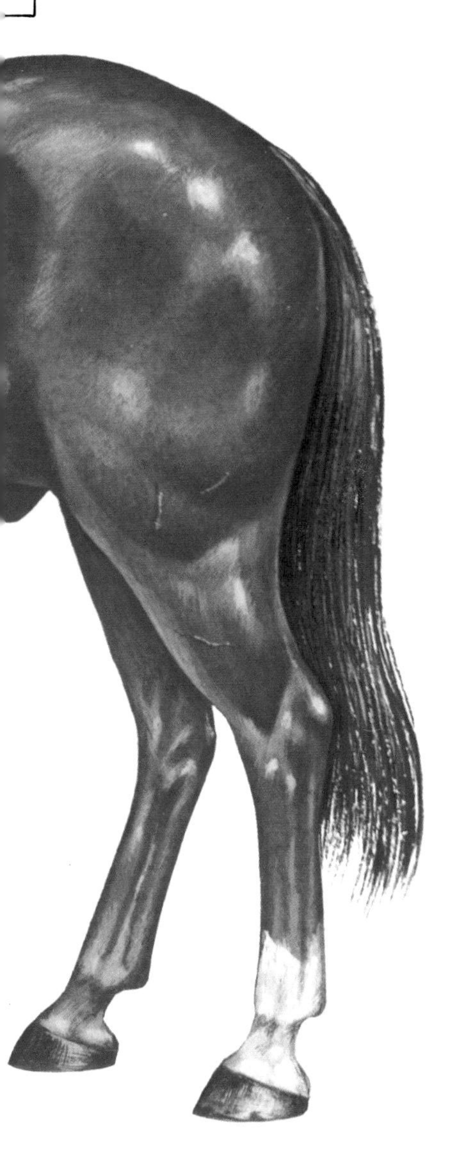

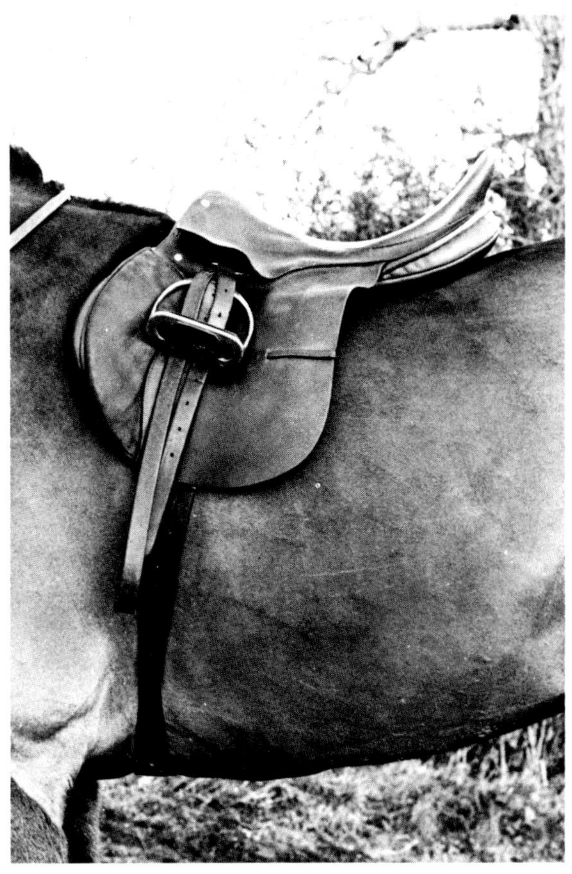

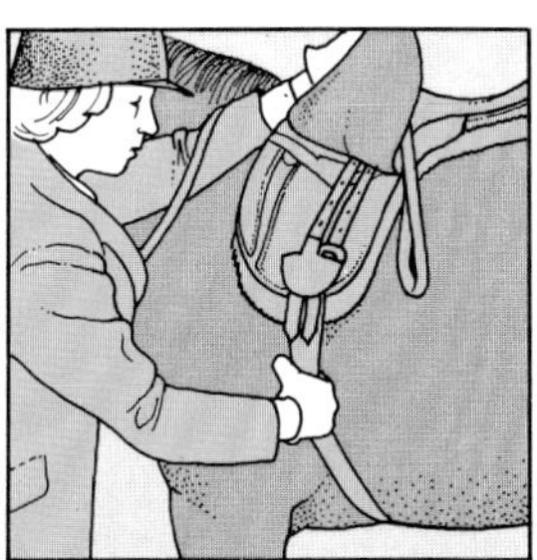

La cincha se ajustará de tal forma, que quepa un hueco de ancho entre la misma y el animal.

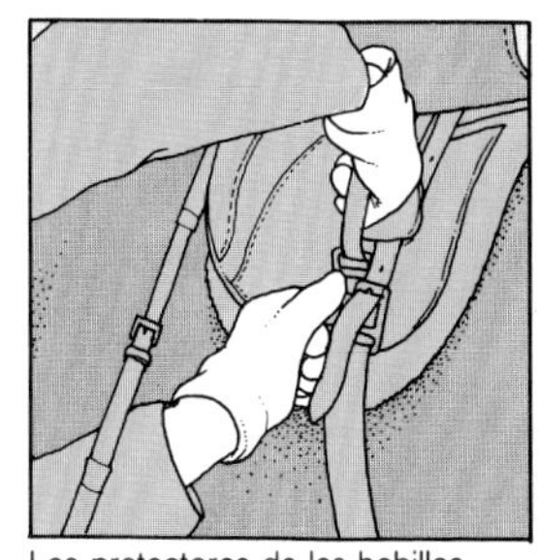

Los protectores de las hebillas sirven para que éstas no perjudiquen la silla.

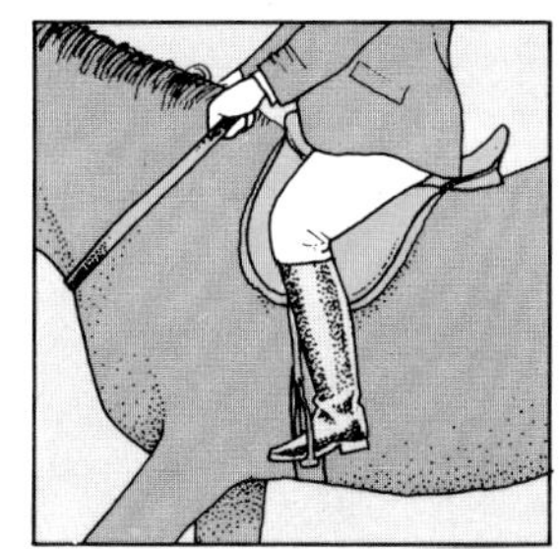

Una correa al cuello del animal sirve para que el jinete aprendiz no haga daño con las riendas al caballo.

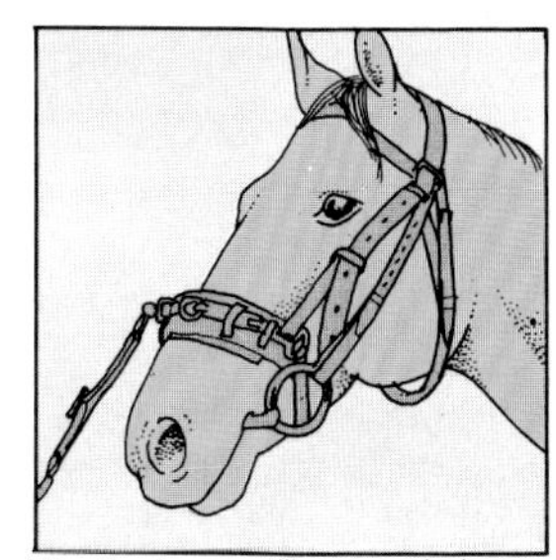

El cabestro se utiliza cuando hay que guiar al caballo durante su primera clase.

La primera clase

Cuando empiece a montar a caballo, trate de establecer y mantener una constancia regular en las clases. Si solamente pudiera montar una vez a la semana, haga un curso de seis lecciones de media hora de duración. En un principio, esto será suficiente para adquirir el sentimiento inicial de lo que es la equitación; posteriormente podrá alargar sus clases hasta una hora.

Cuanto mayor sea la frecuencia de sus clases, mayor será el progreso, por lo que siempre es mejor tener una clase de media hora de duración cada semana, que una de una hora cada quince días. Ade-

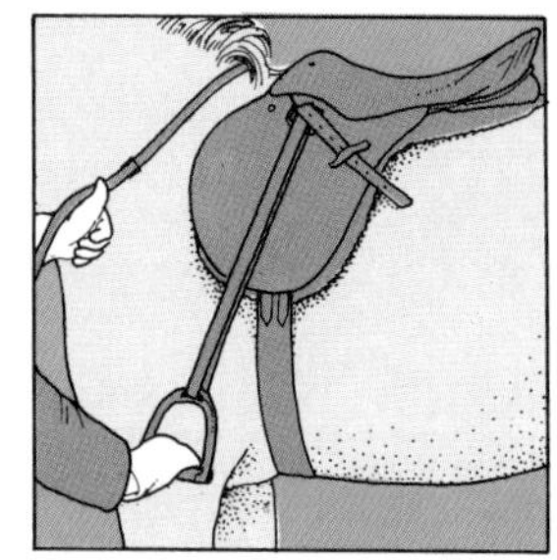

Para conseguir el largo adecuado, el estribo se baja por el ación.

Abajo: Es muy importante darse a conocer al caballo que va a montar. El hecho de establecer una relación amistosa con él desde un principio servirá para que crezca la confianza entre ambos. Tómese tiempo al comienzo y final de cada clase para hablar al caballo y darle algunas palmadas.

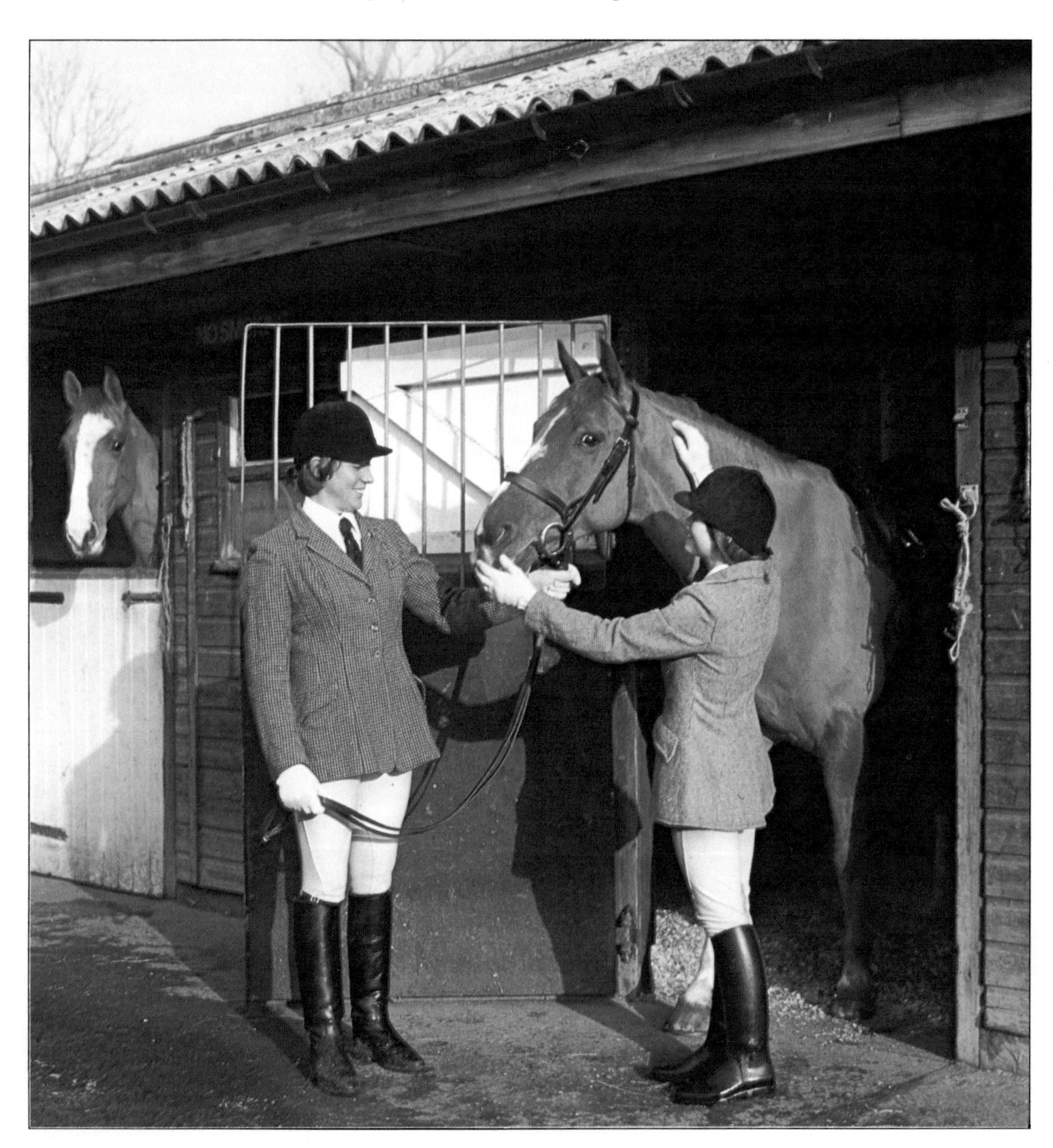

más, se dará cuenta que en un principio es demasiado agotador montar una hora completa. Si se ha esforzado mucho durante las primeras semanas, sus músculos estarán doloridos y tendrá una sensación de adormecimiento en las piernas poco después de la media hora de ejercicio. La mayor parte de la técnica de la equitación depende de un desarrollo adecuado de los músculos del jinete y hasta que no haya conseguido esto, no podrá darse cuenta de que se está convirtiendo en un jinete.

El día que empiece su primera clase conocerá el caballo que, en caso de que no le convenga otro mejor, montará durante las primeras semanas. Intente, por ello, establecer una relación amistosa desde un comienzo; preséntese a él antes de montarlo. Una vez que lo haya sacado de la cuadra, acérquese tranquilamente, siempre por la parte delantera para que el caballo le pueda ver con claridad. Averigüe el nombre del caballo y háblele reposadamente, a la vez que le da palmaditas en el cuello. Si se siente algo nervioso, trate de dominarse, o al menos no deje que se le note. Los caballos son animales sensibles y con gran facilidad pueden sentir miedo o no sentirse a gusto con una persona que los pone a su vez nerviosos a ellos. Por lo general, son animales afables, más bien amigos que enemigos de los seres humanos. Recuerde siempre, que los caballos son seres vivos, con el mismo tipo de sentimientos, gustos y aversiones que nosotros; por consiguiente, establezca con ellos el trato adecuado.

Observe cómo el mozo conduce al caballo hacia el picadero o «paddock» donde vaya a tener su primera clase, pues muy pronto tendrá que hacerlo usted mismo. Durante las primeras lecciones, su profesor o un ayudante, guiará el caballo con una rienda especial (rienda guía) que va atada al bocado; las riendas estarán entonces sujetas uniformemente alrededor del cuello del animal. Si una de las dos cuelga demasiado hacia el suelo, para el caballo es una señal de que debe ponerse a trotar. Su guía andará despacio al lado del hombro del caballo (nunca enfrente para no tirar del animal) y sujetará, cerca del bocado, la rienda guía en su mano derecha. En la mano izquierda llevará enrollado lo que sobre de rienda para que no haya peligro de que el animal tropiece. Si el caballo no quisiera moverse, golpéelo

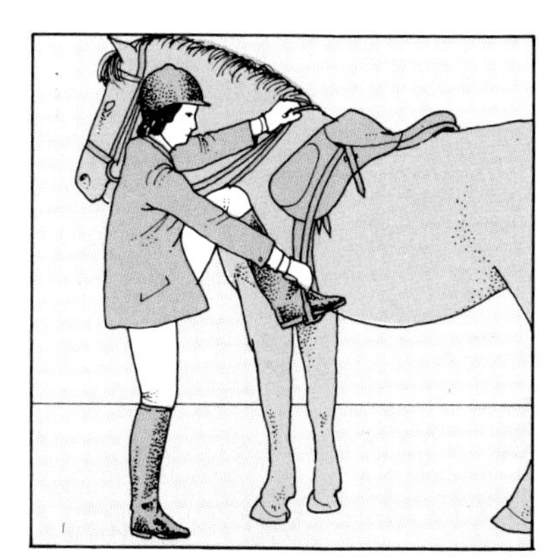

Montar: Con el cuerpo mirando hacia la cola del caballo, meta el pie izquierdo en el estribo.

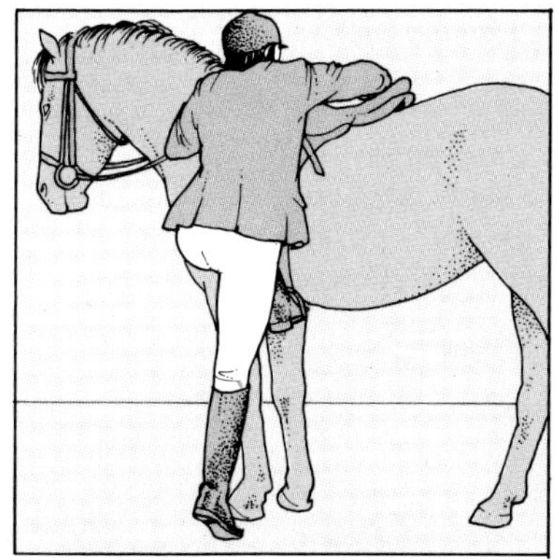

Ponga la mano y el brazo derecho a través de la silla y gire su cuerpo hacia el costado del caballo.

Errores al montar:

Un error bastante común es meter el pie equivocado en el estribo.

Suba de un salto el pie derecho y gire la parte superior de su cuerpo hacia delante.

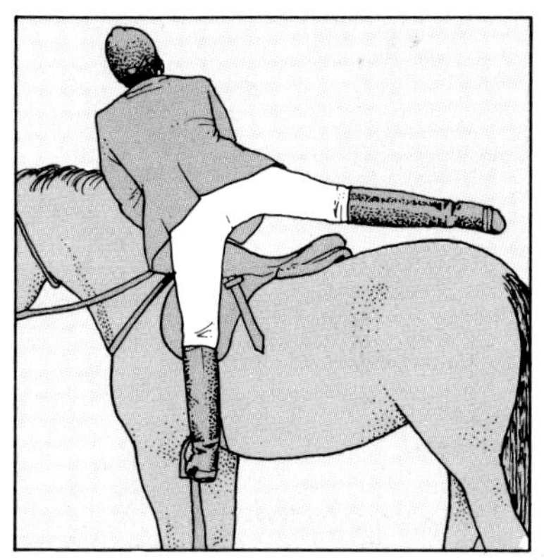

Suba pasando la pierna derecha por encima de la silla y meta el pie en el estribo.

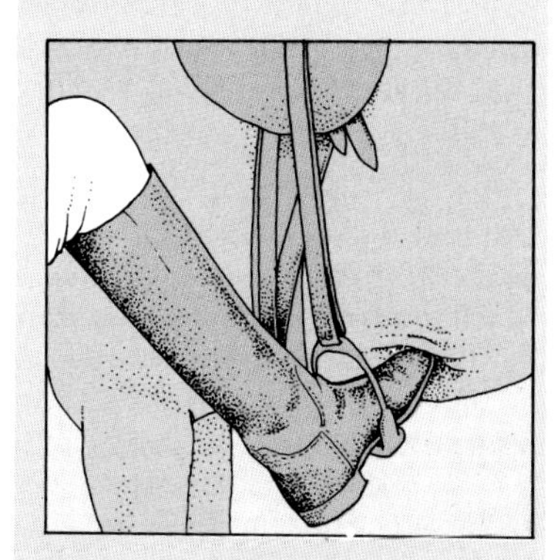

Cuando monte, trate de no clavarle al caballo la punta del pie.

ligeramente en un costado, cerca de la silla. Normalmente, será suficiente darle sólo una palmada. Es contraproducente ponerse delante del caballo y empezar a tirar del bocado pues, probablemente, se echará hacia atrás tratando de evitar los golpes que el bocado dará contra sus dientes.

Montar el caballo

Una vez dentro del picadero, puede que aumente en gran medida su nerviosismo o aprehensión ante la idea de subirse al caballo. No hace falta que se preocupe por ello, siempre que piense razonadamente lo que está haciendo, tal y como se muestra en la secuencia de ilustraciones (pág. 17).

El primer paso es sujetar las riendas. Aunque el ayudante esté sujetando la cabeza del caballo, Ud. tiene que acostumbrarse a coger las riendas con la suficiente firmeza para que el caballo no se mueva hacia delante. Cójalas con la mano izquierda, junto con un trozo de melena si ello le proporcionara mayor seguridad, y colóquese junto al hombro del caballo mirando hacia la cola. Agarre el estribo con la mano derecha, vuélvalo hacia usted y meta el pie izquierdo dentro. Dé un salto hacia delante y quédese mirando la silla. Después, con la mano derecha cruzada sobre la silla, levante de un salto la pierna derecha. Pásela por encima de la silla, procurando no darle un golpe al caballo, y siéntese con suavidad. Meta entonces el pie derecho en su estribo correspondiente. Los aciones no deben estar retorcidos pues si no le harán daño en las piernas y esto puede ser peligroso. Asimismo, tendrá que ajustar el largo de los estribos. Es imposible decir con exactitud cuál es el largo correcto, ya que variará a medida que se vaya sentando más profundamente sobre la silla y encuentre entonces el largo adecuado. Como guía, y siempre partiendo de la base de que este largo le sea confortable, deje caer las piernas derechas y ajuste los aciones de tal manera que el pie del estribo quede a la altura de su tobillo. Ambos aciones tienen que colgar a la misma altura; si sus piernas quedan desequilibradas no podrá sentarse derecho, ni tampoco tener un balanceo equitativo sobre la silla.

Postura sobre la silla

Sobre la manera de adoptar la postura correcta en la silla hay dos cosas que se han de decir en seguida. La primera es, que resulta de primordial importancia sentarse siempre correctamente, solamente así podrá llegar a ser un buen jinete, y la segunda es, que no podrá llegar a sentirse cómodo hasta que no se haya acostumbrado a ella. No se trata de una postura «natural», digamos, ya que por ejemplo no es igual que sentarse sobre una silla normal. Así, por el contrario, tendrá que aprenderla y trabajarla du-

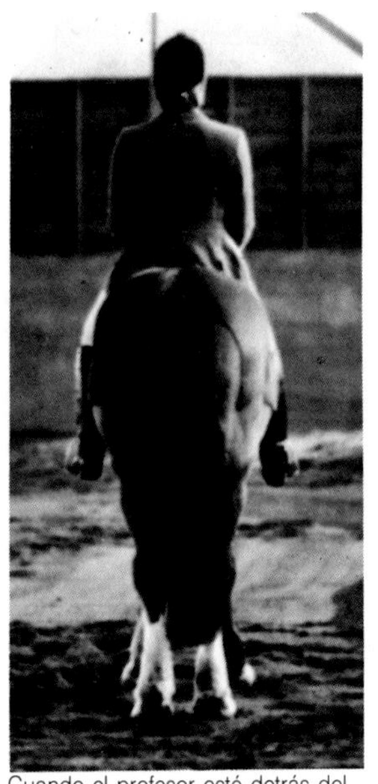

Cuando el profesor esté detrás del caballo, podrá decirle si tiene el peso del cuerpo repartido uniformemente.

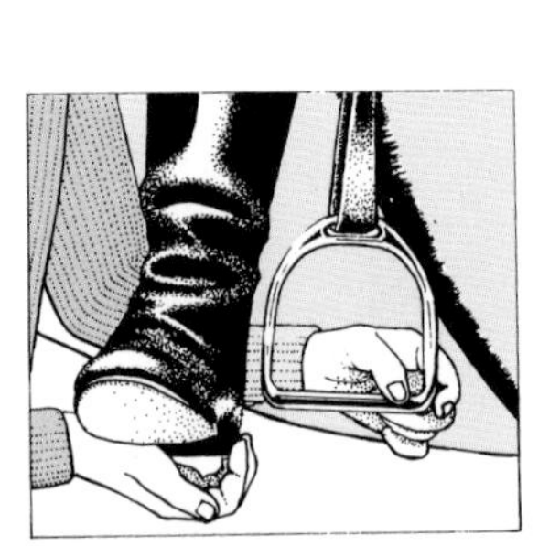

La parte superior del estribo tendría que estar a la misma altura de su tobillo.

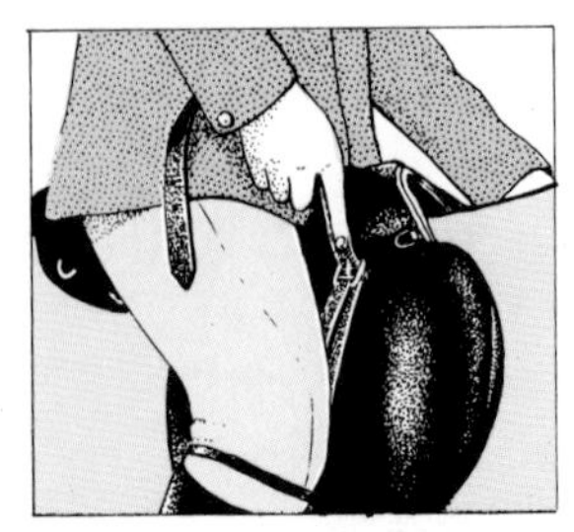

Para ajustar el largo de los aciones, utilice las hebillas de la silla.

La postura sobre la silla es probablemente el aspecto más difícil e importante durante el proceso de aprendizaje. Al principio, tendrá que hacer un esfuerzo consciente para cumplir todos los requisitos mencionados abajo; con el tiempo los realizará automáticamente y podrá entonces dedicar su concentración a otros aspectos de la equitación.

Hombros: Se echan hacia atrás de tal forma que queden perpendiculares con los hombros del caballo y en línea recta con sus caderas.

Ha de estar en posición recta sin echar los riñones hacia delante.

Asiento: Siéntese con una ligera profundidad sobre la silla de tal forma que el peso recaiga sobre los huesos del trasero y no sobre la parte carnosa de las nalgas.

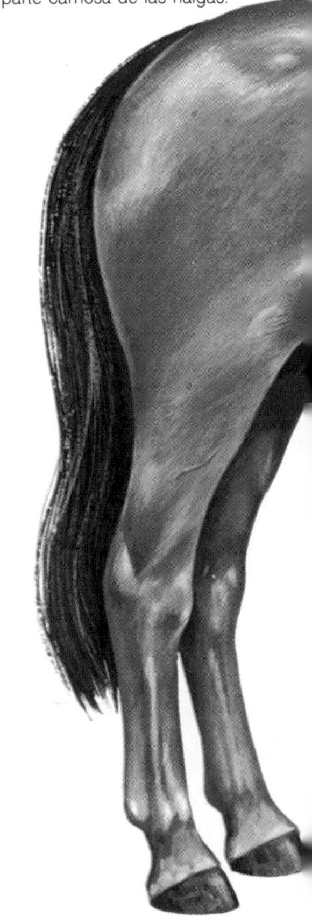

Cabeza: Se mantiene alta y derecha. Mentalmente, presione el cuello hacia atrás y mire derecho entre las dos orejas del caballo continuamente.

Cuando empiece a montar cójase a la perilla mejor que a las riendas para evitar tirar demasiado de las mismas.

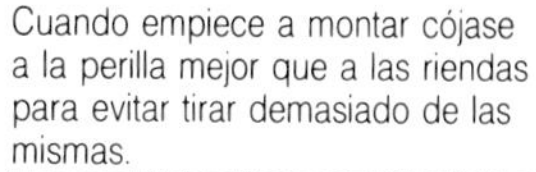

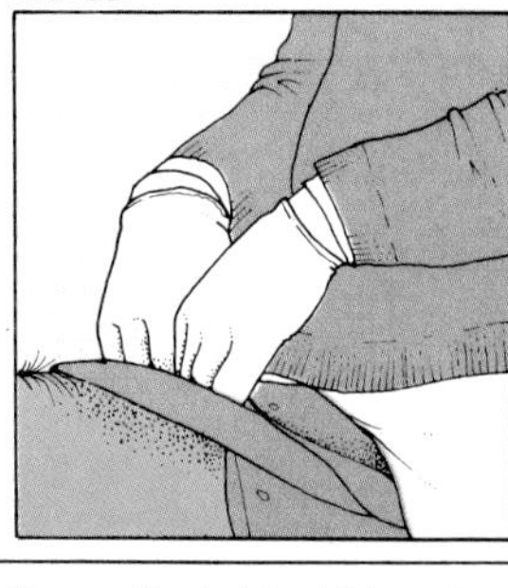

Manos: Al principio, déjelas sobre la perilla, ya que simplemente se trata de un ejercicio de posición.

Piernas: Deje colgar las piernas con naturalidad, de tal forma que la parte interna de la pantorrilla descanse contra la silla. Las rodillas tendrían que estar relajadas y flexibles

Errores en la postura

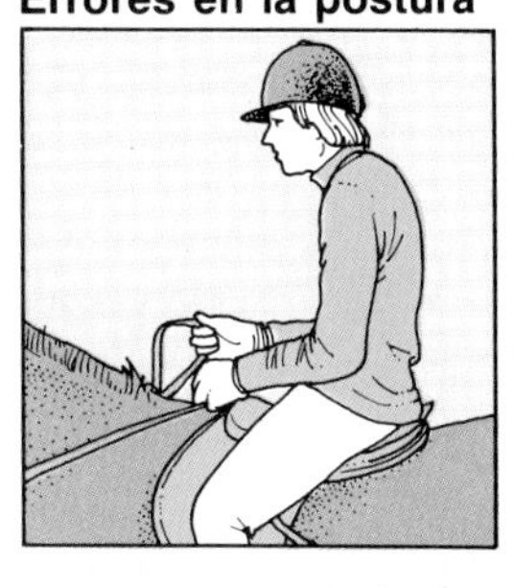

Arriba izquierda: La ilustración muestra una postura incorrecta, con la espalda torcida, los hombros echados hacia delante y el jinete mirando hacia el suelo.
Arriba derecha: Jinete mal sentado sobre la silla y con los muslos echados hacia delante. **Derecha:** El jinete apunta incorrectamente con los dedos del pie hacia fuera mientras hace presión con la parte trasera de sus piernas.

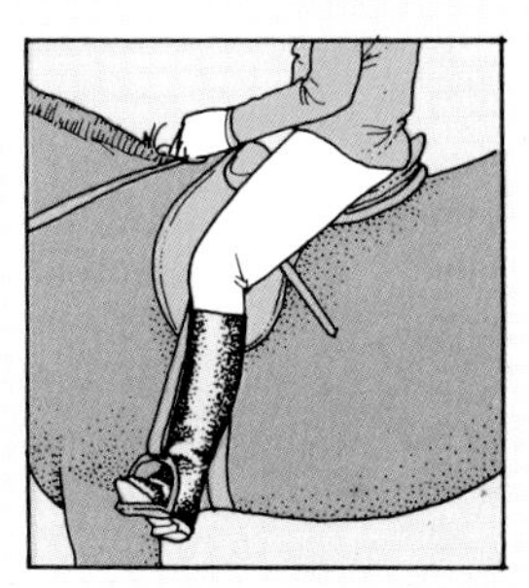

Pies: El metatarso de cada pie tiene que estar perpendicular a los estribos. Los pies apuntarán hacia delante, con la punta levantada.

rante muchas lecciones, ya que la tendencia es siempre moverse un poco para sentirse más cómodo.

Una vez que haya aprendido a sentarse correctamente y ante la incomodidad que haya podido causarle, le costará creer que esta postura haya sido concebida para que obtenga la mayor facilidad de movimiento, eficiencia y control posibles.

Cuando desee que el caballo reduzca el paso o se pare, tendrá que comunicárselo. De forma clara le ha de disuadir, o restringir, de su movimiento hacia adelante; esto se realiza adelantando las piernas y después tirando levemente de las riendas para oponerle resistencia. Dicho de otra manera, con las piernas lleva el caballo hacia las manos. No tire fuerte de las riendas echándose hacia atrás. Tense los músculos de la espalda y junte las manos, con lo cual dejará de seguir el movimiento del caballo. Lo ha de realizar suavemente, como si estuviera estrujando una esponja.

Del paso al trote

Si durante la primera lección siente que ha adquirido confianza y se siente cómodo, es probable que su profesor le sugiera dar algunos pasos al trote. Es bastante diferente que ir al paso. Se trata de un paso a dos tiempos, es decir, el caballo mueve las patas opuestas en diagonal juntas y salta de un par de diagonales al otro. Como es un paso más fuerte y saltarín, prepárese, hasta que se acostumbre, a botar por toda la silla.

A medida que vaya haciendo progresos aprenderá a seguir este paso levantándose y sentándose en la silla al mismo ritmo. De todas formas, la primera vez agárrese firmemente a la perilla con ambas manos. Para pedirle al caballo que se ponga a trotar, apriete la parte interior de sus piernas contra sus costados y después trate de mantener su balanceo al ritmo que va el caballo. Si quiere que el caballo vuelva al paso, intente sentarse muy recto en la silla (esto le ayudará a mantener el equilibrio mientras el caballo reduce velocidad) y transmita su deseo apretando las piernas contra sus costados y tensando los músculos de la espalda.

Desmontar

El último paso de toda lección es desmontar del caballo. Para ello, saque ambos pies de los estribos y ponga las dos riendas en su mano izquierda. Ponga la mano derecha sobre la perilla o a un lado del pescuezo y pase la pierna derecha por encima de la parte trasera de la silla. Lo más suavemente que pueda, déjese caer al suelo doblando las rodillas para frenar el golpe. Tenga cuidado, pues incluso después de sólo media hora de haber montado a caballo, se tarda un segundo o dos en recobrar el movimiento usual de los músculos y puede sentir los primeros

Cuando un caballo anda, mueve consecutivamente sus patas en una secuencia rítmica. No existe ningún punto de suspensión, por lo que se pueden escuchar cuatro golpes de casco.

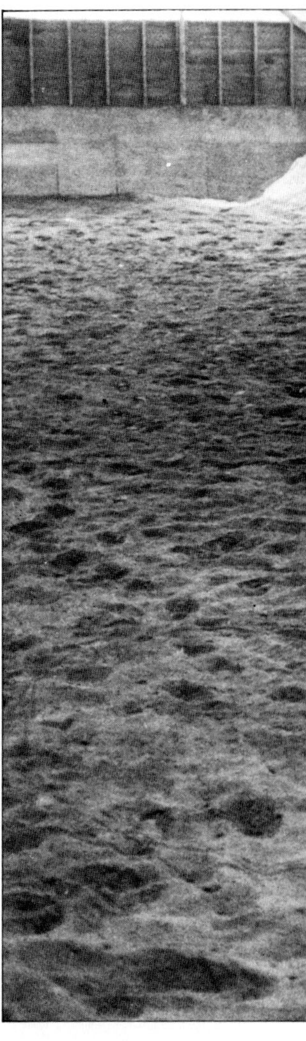

pasos algo torpes. Es bastante común que la gente sienta como si estuviera sentada en el suelo.

Agradezca al caballo el paseo dándole unas palmadas. Luego, con las riendas enrolladas alrededor del brazo para que el caballo no se pueda marchar, suba los estribos por el ación lo más cerca posible de la silla, de tal forma que se queden en la parte más alta de la misma. Con esto evitará que golpeen al caballo mientras anda. Pase las riendas por encima de la cabeza del caballo y, junto con la rienda guía, llévelo hacia la cuadra.

Si va sentado lo suficientemente derecho y con la cabeza alta, sentirá que va más tieso que una escoba, con la cabeza y los hombros forzados hacia atrás. Si pudiera verse a sí mismo, se daría cuenta que esto no es cierto; en cualquier caso, la importancia de mantener la cabeza alta tampoco ha de ser demasiado exagerada. La cabeza es la parte independiente del cuerpo más pesada y su posición determina en gran medida la posición adoptada por el

Durante su primera clase el profesor, o bien controlará el caballo desde una rienda guía **(arriba)**, o bien le pedirá a un ayudante que lleve su caballo **(derecha)**. En cualquiera de los dos casos, esto le dará libertad para concentrarse en mantener la posición correcta sin tener que preocuparse en controlar la montura. Sus movimientos no requerirán de un esfuerzo consciente por su parte. Concéntrese, entonces, en mantener el peso sobre los huesos traseros, la espalda derecha, las piernas relajadas debajo suyo y la cabeza derecha con los ojos mirando a través de las orejas del caballo.

resto del cuerpo. Si usted mira hacia abajo, automáticamente su peso se moverá hacia adelante. El caballo ya lleva dos tercios de su peso total sobre su cuarto delantero, por lo que la **última** cosa que desearía es cargar, además, con su peso extra sobre este área del cuerpo.

El peso de su cuerpo tiene que recaer sobre el trasero y estar distribuido equitativamente sobre la silla, de tal forma que usted y el caballo se puedan balancear libremente. Su asiento se mantiene por equilibrio, no por asimiento. Si se agarra con sus muslos y rodillas, impedirá automáticamente la libertad de movimiento del caballo y levantará su asiento de la silla. Intente, mediante el pensamiento y el esfuerzo, relajar las rodillas y caderas.

Sus piernas han de caer derechas, de tal forma que exista una línea recta imaginaria desde los hombros y caderas hasta los talones. Esto no se obtiene doblando exageradamente las rodillas, pues en ese caso la parte baja de las piernas estaría forzada hacia atrás, sino llevando esta parte de la pierna directamente debajo suyo. Por último, cabe recordar que el peso de las piernas ha de recaer sobre los talones. La tendencia suele ser entonces sacar demasiado hacia adelante la punta del pie. La consecuencia, es que apretará al caballo con la parte trasera de las piernas. En vez de pensar que ha de llevar el talón hacia abajo, piense en levantar la punta del pie apuntando directamente hacia delante.

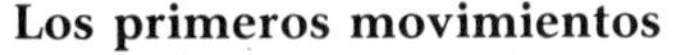

Los primeros movimientos

Generalmente, antes de que aprenda a sujetar las riendas, su profesor le pedirá al ayudante que conduzca al caballo, para que, paulatinamente, pueda Ud. ir adquiriendo el sentido del movimiento. Con

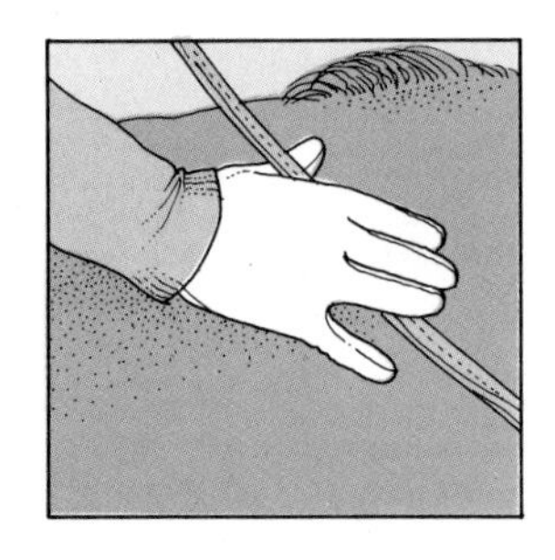

Ponga los dedos sobre la rienda, presionando con el pulgar contra los dedos índice y medio.

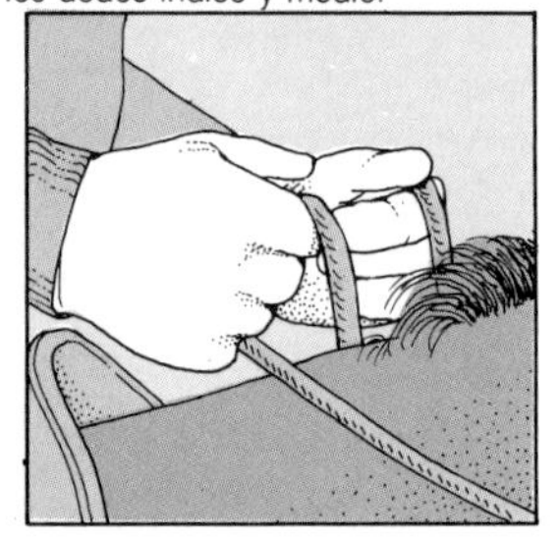

Cierre la mano de tal forma que la rienda pase por el dedo medio y salga entre el pulgar y el índice.

Derecha: Riendas sujetas correctamente. **Abajo:** La parte final de las riendas cae sobre el pescuezo del caballo.

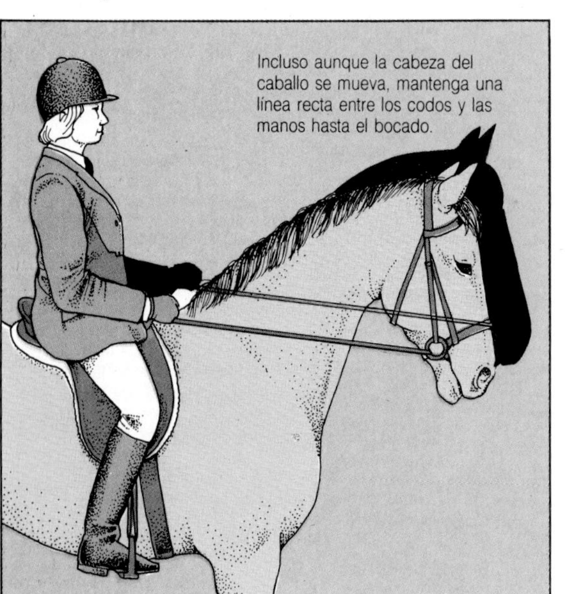

Incluso aunque la cabeza del caballo se mueva, mantenga una línea recta entre los codos y las manos hasta el bocado.

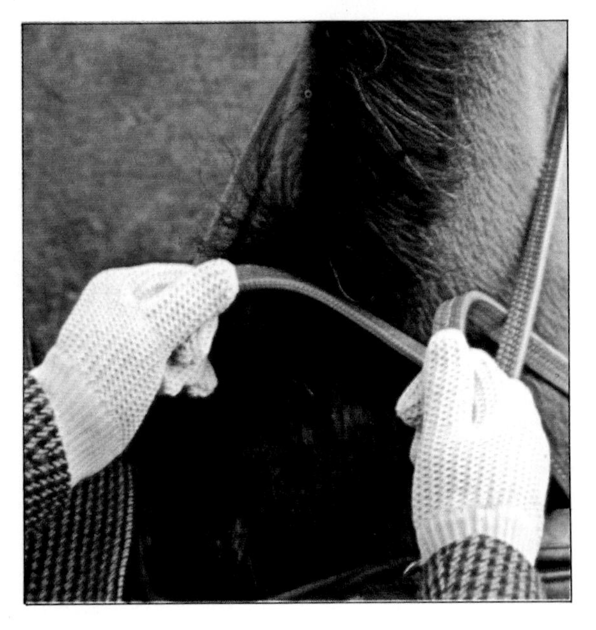

las manos puestas en la perilla, apriete la parte interior de sus piernas contra los costados del caballo; esto alentará al animal a ponerse en movimiento.

La forma de andar de un caballo es levantando y bajando cada pie por separado, por lo que se puede sentir cuatro golpes diferentes de cascos. El resultado es un paso de agradable movimiento rítmico u oscilante y, dado que su propósito en todo momento es el de moverse a la par con el caballo, tiene que dejar oscilar su cuerpo suavemente con dicho movimiento. No se trata de un movimiento consciente. Si a la vez va pensando en ello, es bastante probable que oscile exageradamente. Es mejor que se concentre en guardar la postura correcta sobre la silla. Manténgase sentado sobre el trasero, con la espalda derecha y la cabeza levantada, de tal manera que pueda mirar a través de las orejas del caballo, y deje caer sus piernas con ligereza.

Incluso ahora, que ya está sentado sobre una silla, el caballo será guiado por su profesor o un ayu-

Errores al sujetar las riendas:

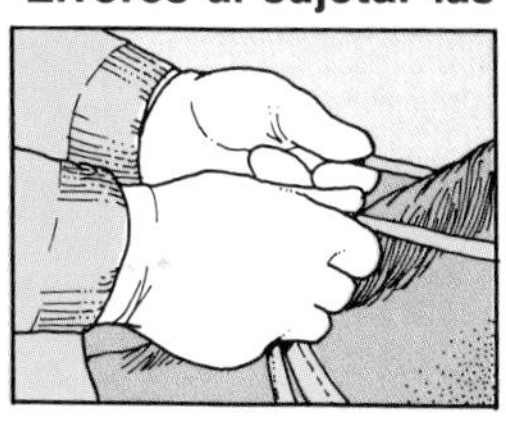

Coger las riendas «al revés» por encima de las manos.

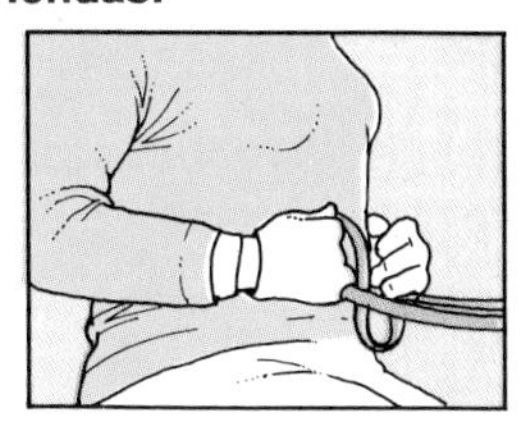

Manos puestas demasiado hacia atrás contra el estómago.

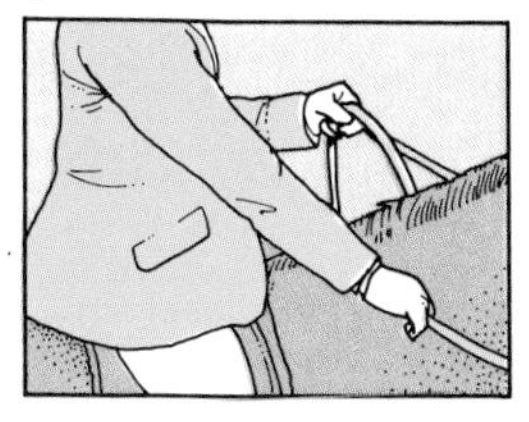

Colocar una mano más alta que la otra.

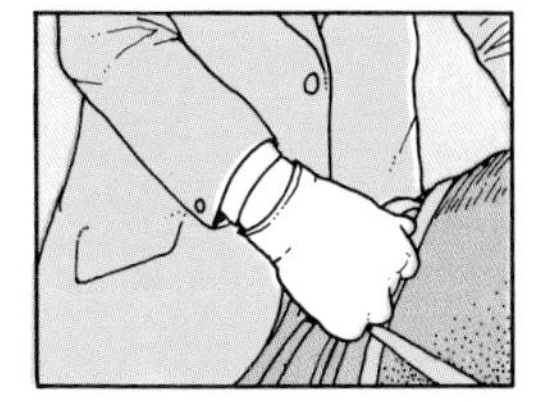

Sujetar las riendas demasiado hacia abajo.

dante. Esto quiere decir que él o ella estarán de pie en un lugar dado (el centro de un círculo) controlando el caballo desde el final de una larga rienda atada al bocado y haciéndolo girar en círculo. Esto le permitirá no tener que preocuparse aún del control directo del caballo. Podrá utilizar toda su concentración en lograr adquirir la postura correcta, pues es lo que más tiempo le absorverá al principio.

Sujetar las riendas

Aunque durante las primeras clases no necesite pensar en cómo controlar al caballo, conviene que aprenda ya a sujetar las riendas. Coja una rienda en cada mano, de tal forma que pasen entre el dedo meñique y el medio y que, al cerrar la mano, aparezcan entre el pulgar y el índice. Los pulgares apuntando hacia delante, sujetan las riendas contra el dedo índice.

Mantenga las manos delante suyo, a una distancia de unos 10 cm sobre la cruz del caballo, con los codos doblados contra el cuerpo. Tiene que formarse una línea recta desde el bocado, a través de las riendas, manos y brazos, hasta los codos. Lo conseguirá echando las manos hacia delante y manteniendo una distancia entre sí del ancho del bocado. Imagine que tuviera un libro enfrente, con los pulgares sobre las páginas. De hecho, montar a caballo es un poco como leer un libro —lo ideal es que siempre estuviera leyendo los encabezamientos.

Recuerde siempre que las riendas sirven para guiar al caballo y no para agarrarse a ellas por seguridad, mantener la postura o corregir el balanceo. Piense que son objetos delicados y que si tira demasiado de ellas, pueden romperse.

En cuanto el caballo se ponga andar (acuérdese de que ahora ya lo hará andar apretando la parte interior de sus piernas contra sus costados) tiene que tratar de seguir con las manos el movimiento de su cabeza. Si mantiene rígidas las manos, obviamente impedirá que mueva su cabeza o al menos no la podrá balancear a su gusto. El caballo necesita mover libremente su cabeza.

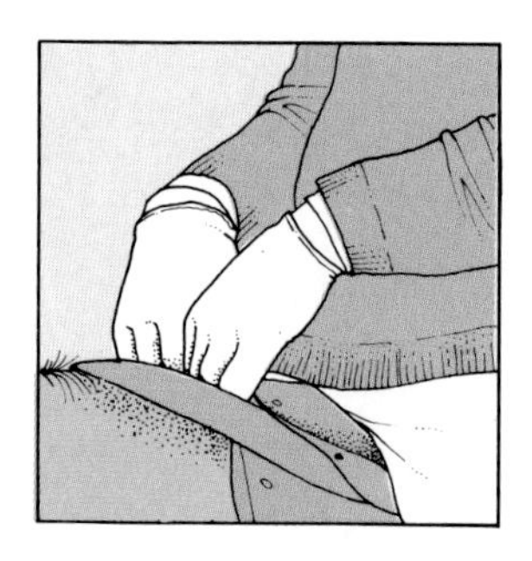

Si se siente inseguro en el trote, sujétese a la perilla.

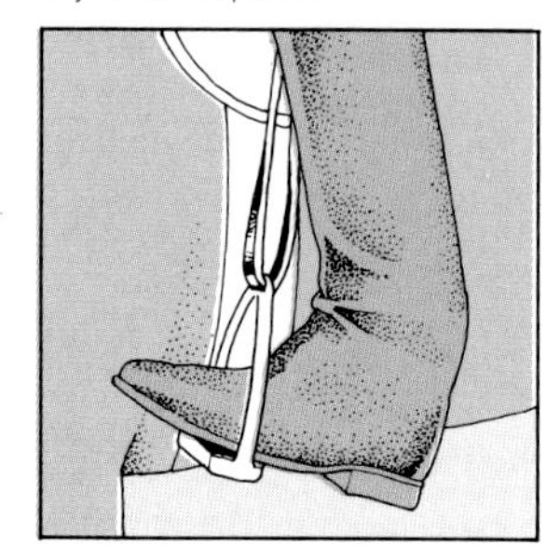

Al trotar, oprima con firmeza sus piernas contra los costados del caballo.

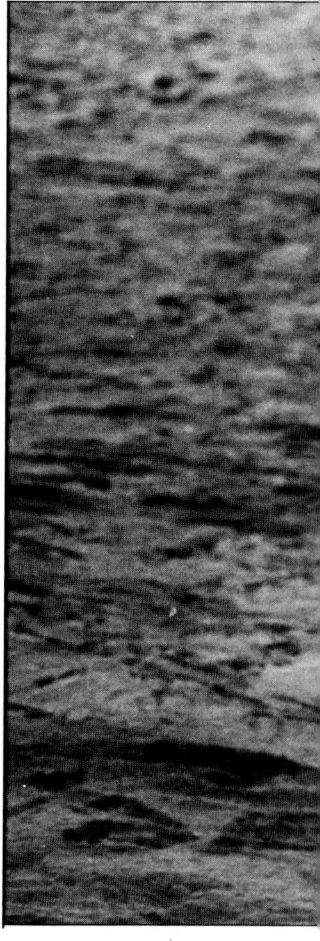

Derecha: Al trote, el jinete sólo oirá dos golpes de casco ya que el caballo mueve las patas opuestas en diagonal juntas. En un punto, las cuatro patas se levantarán juntas, justo cuando una diagonal se eleva antes que la otra haya vuelto a tocar el suelo. Es un paso mucho más vivo y el jinete puede seguir su ritmo natural sentado sobre la silla o levantándose ligeramente al compás. Los caballos, igual que muchas personas, tienden a favorecer un lado más que otro y permanecen en la diagonal izquierda, por ejemplo, durante períodos más prolongados. De todas formas, esto es perjudicial.

Errores en el trote y al desmontar

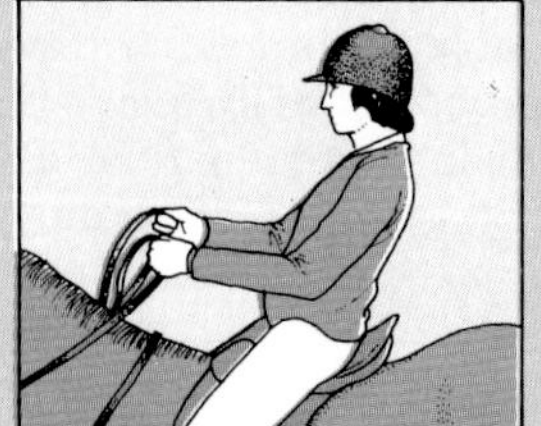

Al trote: Apoyarse contra la parte trasera de la silla.

Cuando el caballo reduce el paso del trote al paso, el jinete tiende a irse hacia delante.

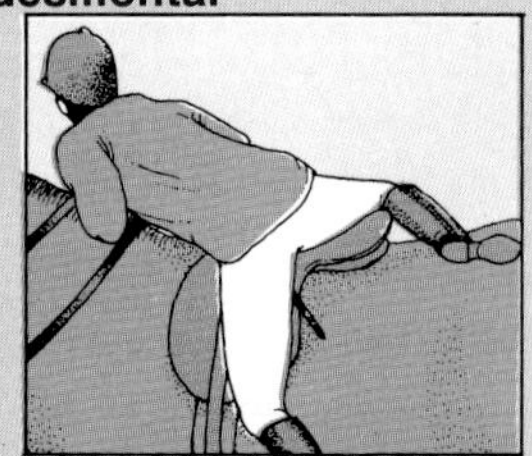

Al desmontar: Pasar la pierna derecha por delante de la silla.

Si no eleva suficientemente la pierna, chocará con el arzón trasero.

Desmontar: Apoyándose un poco hacia delante, saque ambos pies de los estribos.

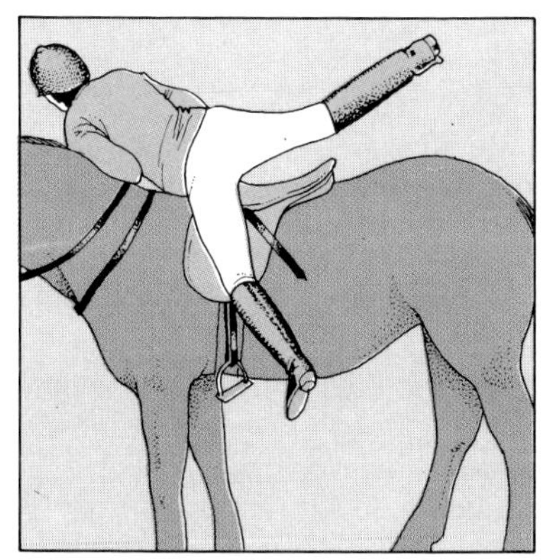

Apoyándose sobre el hombro izquierdo, levante la pierna derecha hacia atrás.

Sin soltar la silla, doble las rodillas al caer para evitar el golpe.

La segunda vuelta

Lista de repaso:

1) Antes de comenzar la segunda clase repase todos los puntos aprendidos en la primera.

2) Antes de montar, hable a su caballo dándole palmadas.

3) Antes de montar compruebe que la silla cincha esté lo suficientemente ajustada como para sujetar la silla.

4) Una vez que esté sobre la silla repase todos los puntos de su posición para asegurarse que está sentado correctamente.

5) Siéntese con la cabeza alta, el peso del cuerpo sobre los huesos del trasero y relaje las rodillas y caderas.

6) Las piernas deberían colgar en línea recta con el peso centrado en los tobillos.

La equitación es como muchos otros deportes; la segunda vez quc lo practique le parecerá que va hacia atrás en vez de hacer progresos. Puede que a usted no le ocurra, pero si así fuera, no se desanime, los grandes jinetes nunca se han hecho en una sola clase.

Antes de empezar la segunda clase, trate de repasar mentalmente todas las nociones que le han sido dadas en la primera. El aspecto principal es la postura. A pesar de que suene algo demasiado repetitivo, simplemente no podrá hacer progresos hasta que no haya conseguido una postura correcta y segura sobre la silla con el equilibrio y la flexibilidad necesarios.

Seguramente seguirá siendo ayudado con una rienda guía; saque el mayor provecho de ello para trabajar realmente en su postura. Estar derecho es lo más importante. Imagínese que hubiera alguien sobre el tejado de la escuela tirando de una cuerda atada al centro de su cabeza; estire, de verdad, el cuello y la espalda. Piense también en sacar la cabeza y el cuello de entre los hombros. No se preocupe si siente que está exagerando. Hasta que no experimente esta sensación, probablemente no irá sentado correctamente.

Asegúrese también de que lleva bien las riendas, es decir, lo suficientemente cortas, como para tener un ligero contacto con la boca del caballo, y no demasiado tensadas, como para que el caballo trate de evitar la presión que se le ejerce. Mientras el caballo anda, practique en acortar y alargar las riendas.

Por último, concéntrese en dar las señales correctas con sus piernas cuando desee que el caballo se ponga a andar o a ir más deprisa. Después, trate de relajarse sobre la silla con el movimiento, sin quedarse rezagado o dando tirones hacia atrás mientras el caballo anda. Cuando quiera reducir la velocidad, recuerde que se realiza a través de un suave tirón de las riendas y no bruscamente y con fuerza. En otras palabras, la postura de las manos no ha de cambiar.

Ejercicios de postura

Anteriormente ya se ha mencionado que la postura sobre la silla se mantiene constantemente por el equilibrio. Esto es muy importante, pues si usted aprieta los muslos y las rodillas, el caballo tensará automáticamente los músculos de su espalda y hombros. Este hecho, a su vez, reduce la libertad de sus movimientos, y usted se levantará de la silla. Como ayuda para conseguir un suave balanceo sobre la espalda del caballo, deje caer los brazos a los lados. Después, sin levantar los hombros, imagínese que llevara dos grandes bolsas de compra, una en cada mano, lo que lógicamente requiere que vaya balanceándose uniformemente.

EJERCICIOS DE POSICIÓN

Los ejercicios son importantes para conseguir y mantener la postura correcta sobre la silla. Posteriormente, los podrá realizar con el caballo al trote y parado.

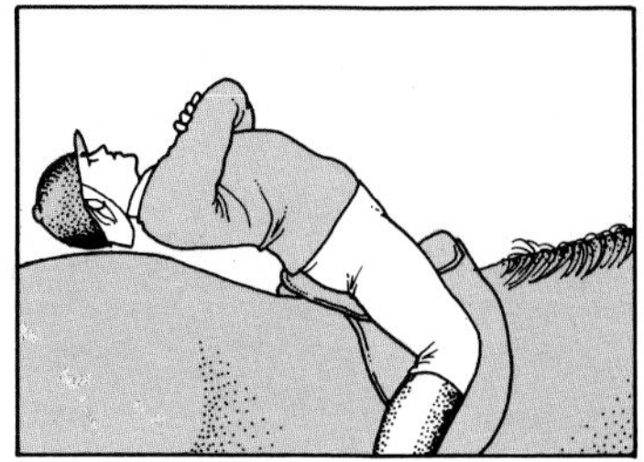

Cruce los brazos y eche el cuerpo hacia delante a partir de la cintura sin mover el resto del cuerpo. Levántese despacio y échese hacia atrás de la misma forma, con cuidado de que las piernas no se le vayan hacia delante.

Con una mano sobre la perilla haga girar, a partir del hombro, el otro hombro. Cuando levante el brazo, imagínese que quisiera sacar la cadera de su glena. No mueva para nada las piernas y manténgalas en la posición correcta. Repítalo con el otro brazo.

Con ambos brazos estirados a la altura de los hombros, gírese a partir de la cintura, primero hacia la derecha y luego hacia la izquierda, de tal forma que sus manos apunten hacia las orejas y la cola del caballo.

Izquierda: Un ejercicio excelente, tanto para disminuir la dependencia con los estribos, como para mejorar su coordinación general y confianza, es montar con las piernas estiradas hacia fuera. Eliminando el uso de las piernas se dará cuenta de cuánto las necesita.

Para mantener una postura equilibrada, todas las partes del cuerpo han de estar perfectamente relajadas y flexibles. A pesar de que la espalda tiene que estar derecha y los hombros un poco echados hacia atrás, ambos tendrían que estar relajados, al igual que las caderas y la pelvis. Tanto las rodillas, como las caderas y los hombros tienen que estar flexibles. Es esencial poder coordinar los movimientos del cuerpo, es decir, mover una parte del cuerpo en armonía con otra, pero a la vez tiene que ser capaz de mover una parte del cuerpo independientemente de las otras. Probablemente, al comenzar, lo encontrará muy difícil de realizar; cuando use sus piernas, sus manos automáticamente tirarán hacia arriba o le harán irse hacia atrás, pero si piensa en ello mientras lo practica, verá que con el tiempo se le irá haciendo más fácil.

Cada clase o sesión debería incluir algunos ejercicios necesarios para el desarrollo de la postura correcta sobre la silla. Le ayudarán a coordinar los movimientos de su cuerpo, así como a poder utilizar cada parte independientemente. Servirán también para hacerlo más flexible y reducir la rigidez del cuerpo, así como para desarrollar los músculos que se utilizan para montar.

Algunos de los ejercicios aquí ilustrados le ayudarán a aprender a mover independientemnte distintas partes del cuerpo. Siempre que el ayudante le siga guiando el caballo, los podrá realizar mientras pasea o cuando esté quieto.

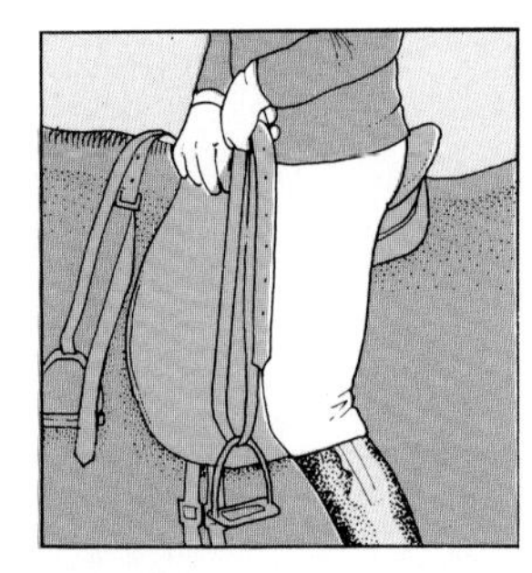

Para quitarse y cruzar los estribos saque ambos pies y baje la hebilla de la barra.

Cruce los aciones delante de la silla.

Derecha: Montar sin estribos es un ejercicio excelente. Recuerde que tiene que tratar de mantener las piernas en la posición usual.

Montar sin estribos

Desde casi al principio debería acostumbrarse a montar sin estribos. Esto le ayudará a mantener el equilibrio; también le enseñará a no apoyarse en los estribos para mantener la postura.

Con el caballo quieto, saque ambos pies de los estribos y cruce los aciones por delante de la silla, dejando cada estribo a un lado del cuello del caballo. Por lo general, el profesor le dirá que suelte y cruce los estribos. Pida al caballo que eche a andar de forma normal y durante algunos pasos deje caer sus piernas relajadamente, luego, devuelva las piernas a su posición correcta y levante la punta del pie dejando caer el peso sobre los tobillos nuevamente. Al principio, deje las manos sobre la perilla, pero a medida que se vaya afianzando vuelva a coger las riendas como lo haría normalmente. Ahora tendrá que tener aún más cuidado de no apoyarse en las riendas para mantener el equilibrio; si siente la tentación de hacerlo, agárrese a la correa del pescuezo.

Un buen ejercicio que puede realizar mientras monta sin estribos es hacer oscilar las piernas a partir de la rodilla hacia adelante y hacia atrás, a la vez o alternativamente. Si lo hace alternativamente, trate

EJERCICIOS FÁCILES SIN ESTRIBOS

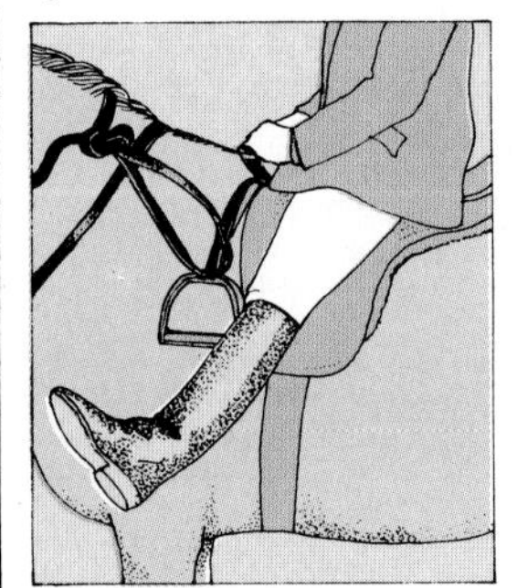

Balancee sus piernas hacia delante y hacia atrás a partir de la rodilla.

Con las piernas quietas, gire cada brazo a partir de los hombros.

de que, al mismo tiempo que una pierna va hacia atrás, la otra vaya hacia delante, cuidando de que las manos queden quietas y no reboten contra la silla. Este ejercicio es el más idóneo para, mediante él, aprender a flexibilizar sus rodillas.

Recuerde siempre que, como la mayoría de los ejercicios han sido pensados para desarrollar músculos, hay que repetir aquellos que sólo se ocupan del par pertinente. Por la misma razón, es muy importante montar igualmente con ambas riendas, pues en caso contrario, tanto usted como el caballo, terminarán sólo por querer ir hacia un sólo lado. Pronto podrá darse cuenta que muchos caballos de escuelas de equitación tienen preferencia por una misma dirección; esto se debe, en gran medida, a que

Errores con los estribos

Colgarse de las riendas para mantener el equilibrio.

Cambiar de postura mientras se realizan los ejercicios.

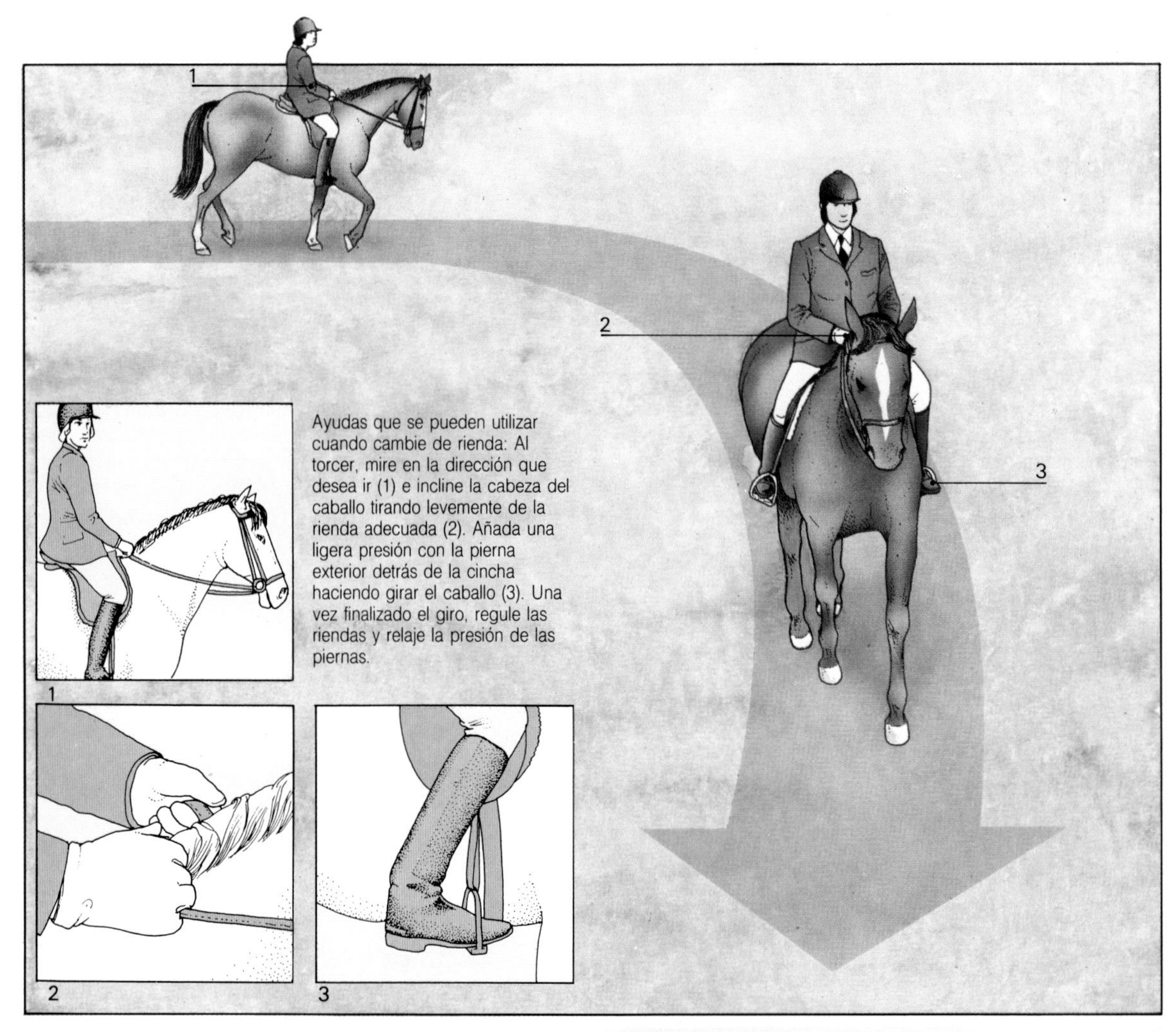

Ayudas que se pueden utilizar cuando cambie de rienda: Al torcer, mire en la dirección que desea ir (1) e incline la cabeza del caballo tirando levemente de la rienda adecuada (2). Añada una ligera presión con la pierna exterior detrás de la cincha haciendo girar el caballo (3). Una vez finalizado el giro, regule las riendas y relaje la presión de las piernas.

los monta mucha gente diferente y al final se vuelven más tercos a la hora de cambiar de rienda.

Cambiar de dirección

Cambiar de dirección es lo mismo que cambiar de rienda. Para cambiar de rienda, mire en la dirección que desee ir cuando se aproxime al punto de giro. Si se confunde al mirar de dirección, el caballo no sabrá por donde ir. Con una leve presión en la rienda correcta, haga girar a su caballo apretando su pierna exterior más levemente hacia atrás que lo normal contra el costado del animal. Una vez que haya girado, vuelva a colocar las riendas uniformemente y mire derecho entre las orejas del animal.

Una vez que haya llegado al otro extremo del «paddock», haga girar al caballo en la dirección contraria con las mismas señales. Si antes había girado hacia la derecha, esta vez, al llegar al final de la pista, querrá girar a la izquierda, o sea que incline la cabeza del caballo hacia la izquierda y apriete un poco su pierna derecha.

Errores al cambiar de dirección:

Tirar de la boca del caballo en la dirección que quiera que gire mientras mira sus manos.

Un error frecuente, es sacar la mano derecha hacia fuera en la dirección que se desea girar.

El trote largo

Llegado a este punto, ya tiene que sentirse lo suficientemente seguro sobre una silla como para aprender a levantarse al compás del trote. De su experiencia anterior se habrá dado cuenta que el trote es un paso saltarín, por ello, trate de evitar cualquier daño innecesario en la boca del caballo y sujétese a la correa del pescuezo antes de moverse.

Al principio es bueno practicar la técnica del trote largo mientras que el ayudante sujeta quieto el caballo. Suavemente, levántese y siéntese sobre la silla

Errores en el trote largo:

Los hombros y los codos echados hacia delante y las muñecas tensas limitarán su flexibilidad.

Si se levanta con la espalda torcida, los hombros se le irán hacia delante y la silla hacia atrás.

Si se levanta demasiado de la silla, caerá a destiempo.

y utilice las rodillas como ejes para levantarse antes de apoyarse en los estribos para que así hagan de soporte del peso del cuerpo. Pensando que dicha acción es un movimiento que va hacia delante y hacia atrás a partir de sus caderas, trate de evitar el levantarse demasiado. A la vez que se levanta y se sienta, cuente «un, dos» a la par, de la manera más regular y uniforme posible.

Esto, aunque pueda parecer fácil, es algo más difícil en la práctica; de todas formas, con el tiempo lo aprenderá. Por ello, si ve que durante algunas zancadas se levanta a tiempo con el movimiento y bota luego por doble en cada número, no se preocupe, pues quiere decir que ya está haciendo progresos. En las primeras clases, vaya al trote sólo por cortas distancias, por ejemplo hacia abajo del «paddock». Hasta que se haya habituado a ello, el trote es un paso muy cansador y si se agota, lo encontrará aún más difícil.

Montar por su cuenta

Lista de repaso:

1) Antes de bajar los estribos por los aciones, compruebe que la cincha de la silla esté bien ajustada.

2) Coja las riendas con la mano izquierda al montar para evitar que el caballo se mueva hacia delante.

3) Repase todo lo que ha aprendido y póngalo en práctica antes de dar una vuelta por el picadero. Concéntrese especialmente en el trote a la inglesa.

4) Recuerde que tiene que sentarse en la parte más profunda de la silla, con el peso de su cuerpo distribuido uniformemente sobre el lomo del caballo.

Tarde o temprano llegará el día en que su profesor prescinda del ayudante y usted deje de ser guiado alrededor del picadero. No hace falta que tenga ningún tipo de aprehensión; cuando llegue este momento usted y su caballo ya serán viejos amigos y el hecho de que lo monte sólo alrededor de la escuela no tiene porqué causarles problemas a ninguno de los dos.

Como de costumbre, pase los primeros minutos de la clase retomando y corrigiendo su postura. Estire sus piernas hacia abajo y colóquelas después lo más cerca que pueda de la silla. Con los beneficios que ya le ha dado la experiencia, trate ahora de desarrollar un nuevo ejercicio, el cual ha sido pensado para mantenerlo firme en la silla y que también le ayudará a desarrollar los músculos de los muslos y la flexibilidad de las caderas. Para este ejercicio necesitará perseverancia ya que es bastante difícil de lograr.

EJERCICIOS PARA HACER EN CASA

Aparte de los ejercicios que se pueden hacer sobre la silla para mejorar el tono físico y la coordinación en general, hay otros que se pueden hacer también en casa. **Izquierda:** Siéntese sobre una silla dura y, doblándose a partir de la cintura, toque con la mano derecha el pie izquierdo mientras estira el otro brazo hacia atrás. **Abajo:** Sentado nuevamente sobre una silla dura, estire los brazos horizontalmente. Gírelos hacia derecha e izquierda lo más lejos que pueda junto con la parte superior del cuerpo, sin mover la parte inferior.

Con los pies fuera de los estribos, apunte con los dedos del pie hacia el suelo haciendo un gran esfuerzo de estirar las piernas. Luego, manteniendolas derechas, ábralas y ciérrelas a partir de las caderas. No deje que la parte superior del cuerpo se vaya hacia delante y manténgalo quieto. Repita el ejercicio dos o tres veces.

Si las clases han sido en grupo y viera que los otros alumnos progresan en este punto más rápidamente que usted, no se desanime. Como cualquier otro deporte, la equitación se ha de trabajar paulatinamente y los progresos de cada persona son diferentes. No necesariamente aquellos que superan los primeros pasos serán posteriormente los mejores jinetes. Siga trabajando en la postura. Concéntrese también en adquirir la sensación de estar sobre el lomo del caballo. Es muy difícil enseñar una sensación, pues es algo que usted mismo tiene que aprender a reconocer; llegar a sentir si el caballo se mueve correctamente debajo suyo.

Si su profesor conduce al caballo, intente realizar el siguiente ejercicio mientras va al paso y al trote: Ponga ambas manos sobre la perilla y levante luego sus rodillas, de tal manera que el equilibrio sólo recaiga sobre el trasero. Es un excelente ejercicio de equilibrio; dado que el único punto de contacto con el caballo es el trasero es casi imposible sujetarse del todo. Practique también todos los ejercicios descritos anteriormente.

El arte del control

Una vez que empiece a dejar de montar con la rienda guía, tendrá que empezar a pensar más sobre cómo controlar el caballo. Cuando haya trabajado lo suficiente en la perfección de la postura, tendrá que hacerla efectiva también para que el caballo le obe-

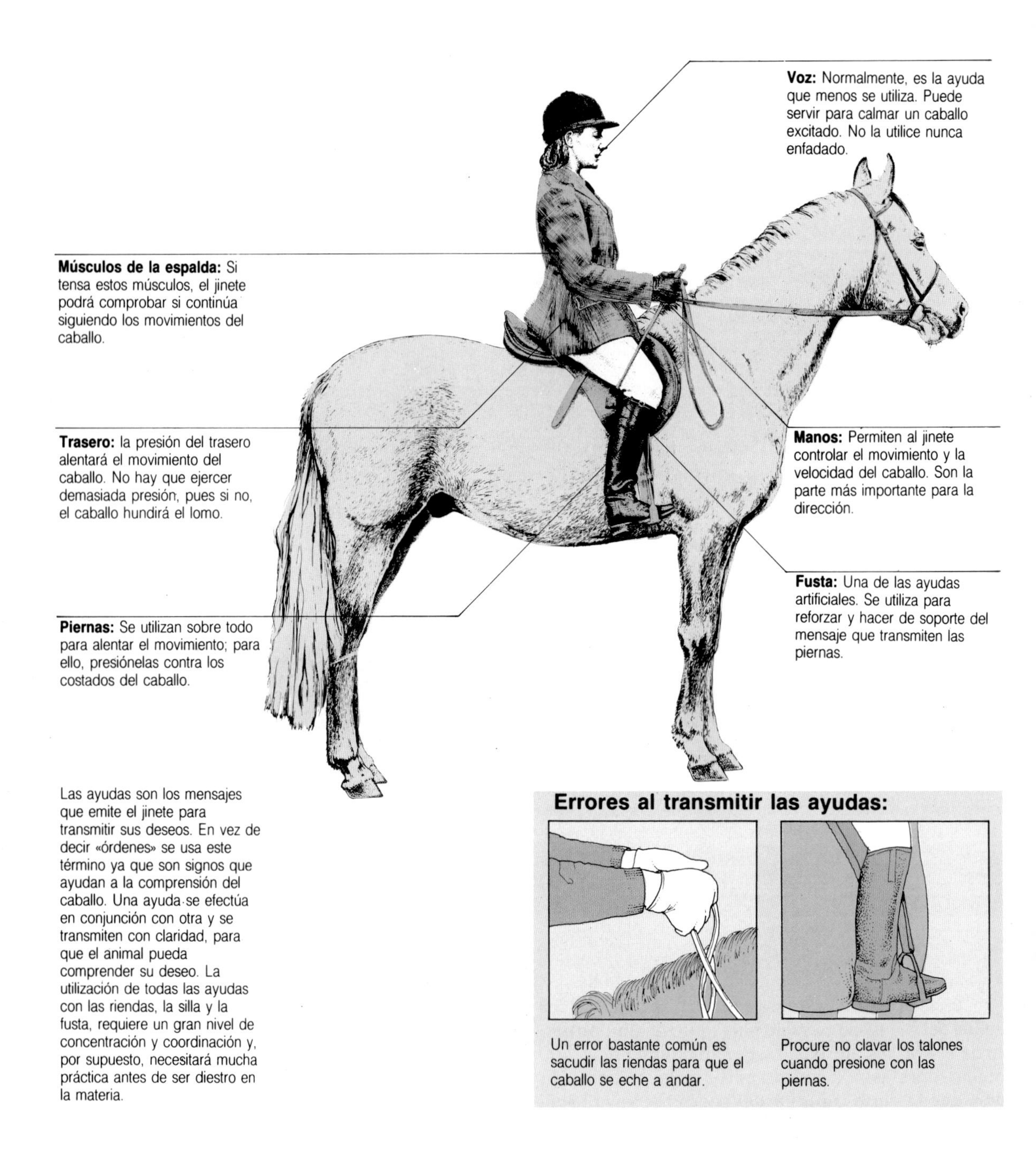

Las ayudas son los mensajes que emite el jinete para transmitir sus deseos. En vez de decir «órdenes» se usa este término ya que son signos que ayudan a la comprensión del caballo. Una ayuda se efectúa en conjunción con otra y se transmiten con claridad, para que el animal pueda comprender su deseo. La utilización de todas las ayudas con las riendas, la silla y la fusta, requiere un gran nivel de concentración y coordinación y, por supuesto, necesitará mucha práctica antes de ser diestro en la materia.

Errores al transmitir las ayudas:

Un error bastante común es sacudir las riendas para que el caballo se eche a andar.

Procure no clavar los talones cuando presione con las piernas.

dezca y trabaje para usted. El combinar la corrección de la postura con la efectividad de la misma suele transformarse en uno de los aspectos más difíciles del aprendizaje de la equitación.

Por ayudas entendemos las señales que se han inventado para ayudar al jinete a transmitir sus deseos al caballo. Se puede dividir en dos grupos, las naturales y las artificiales. Las ayudas naturales son aquellas que se transmiten con partes del cuerpo del jinete. Las manos y las piernas son las más importantes; en este grupo se incluyen también el cambiar ligeramente el peso del cuerpo o tensar los músculos. La voz cuenta también como una ayuda natural, aunque es mejor utilizarla poco y nunca enfadado. Las ayudas artificiales son todos los accesorios del equipo de un jinete, de los cuales pueda servirse para estimular o controlar al animal. Pueden ser por ejemplo una caña o fusta, las espuelas o cualquier pieza accesoria del equipo del caballo, como por ejemplo la gamarra que sirve para controlar al caballo.

Lo más importante sobre las ayudas, es acordar-

CÓMO UTILIZAR LA FUSTA:

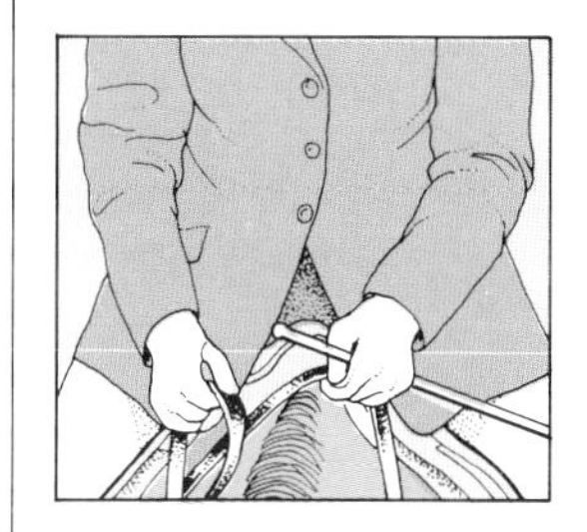

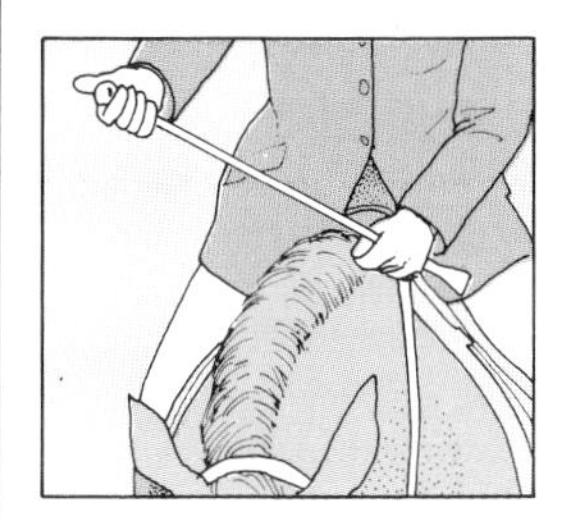

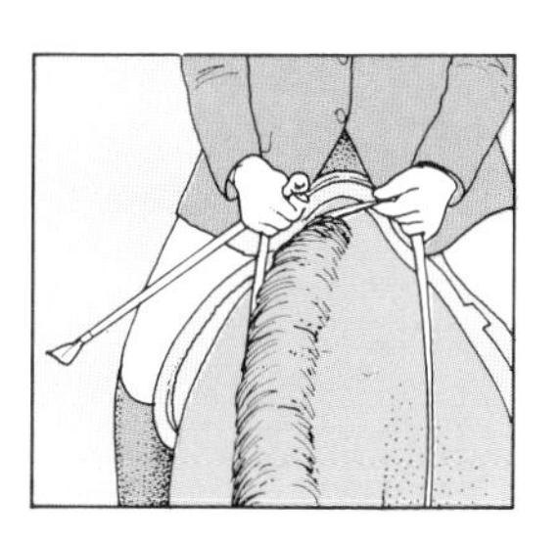

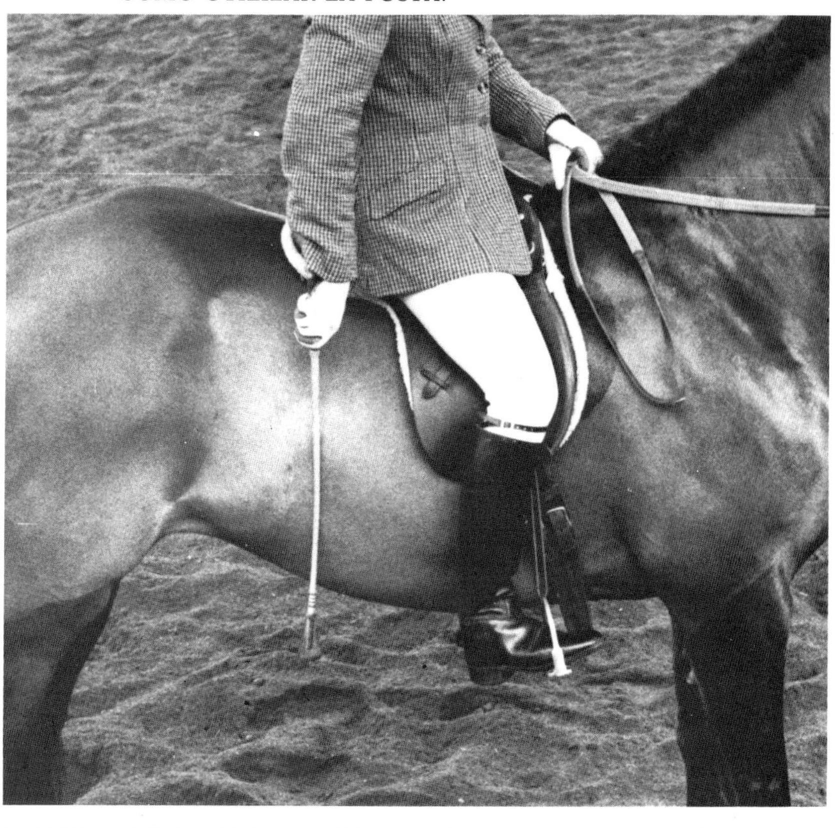

Arriba: Cuando se monta en un picadero, la fusta suele llevarse en la mano interior. Al cambiar de rienda, cambie de mano también la fusta. Para hacerlo, coja primero la fusta y las riendas en una mano. Con la mano libre, saque la fusta de la otra y después coja la rienda que le corresponde. **Arriba derecha:** Utilice la fusta con firmeza, pero no ásperamente, justo detrás de la pierna.

Errores al usar/coger una fusta:

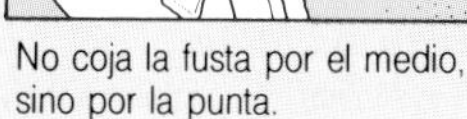

No coja la fusta por el medio, sino por la punta.

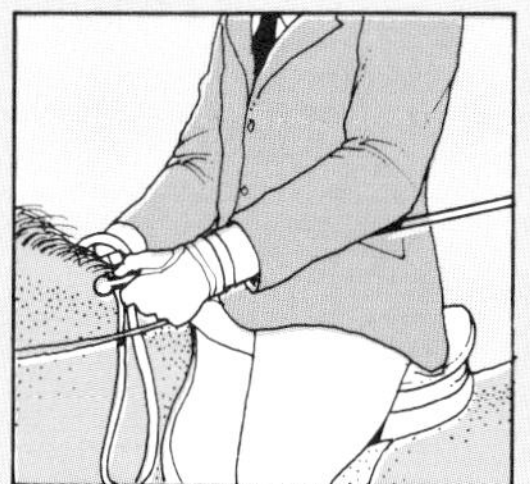

No gire la muñeca de tal forma que la fusta se quede debajo del codo.

No utilice nunca la fusta en el pescuezo o en los cuartos traseros del caballo.

se que siempre se han de transmitir con firmeza y decisión, pero nunca bruscamente. Una orden transmitida con poco entusiasmo no sirve de nada, pues el caballo no entenderá que ha de hacer. Las ayudas se transmiten juntas, es decir, una ayuda con la pierna tiene que tener un soporte en la mano.

Si, por ejemplo, Ud. desea que su caballo se mueva más rápidamente o con un paso más vivo, tendrá que apretar sus costados con la parte interior dc las piernas. Al mismo tiempo, tendrá que relajar las manos para que el animal no encuentre resistencia en su movimiento. De la misma forma, si quiere que reduzca su velocidad, eche las piernas un poco hacia delante, a la vez que le opone resistencia con las manos y tensa los músculos de la espalda.

Llegado a este punto, tendrá que aprender a llevar una fusta durante sus clases. Puede ser o bien una caña o una fusta corta y algo rígida. Cójala en la mano, a lo largo de la rienda, de tal forma que la punta aparezca entre el hueco que forman el pulgar y el índice. El resto de la fusta cruzará por encima de la parte baja del muslo.

Al dar la vuelta, el jinete tiene que intentar ver el ojo del caballo que está en el lado del giro.

Cuando se monta en un picadero, la fusta se suele llevar en la mano interior. Esto se debe a que el caballo automáticamente se apartará de ella cuando se utilice; su movimiento siempre tendría que ser hacia el exterior del picadero y no hacia el centro. Consecuentemente, si lleva una fusta y cambia de rienda, acuérdese de cambiarla entonces también de mano. Hágalo cuando esté cruzando el centro del picadero.

Perfeccionar la vuelta

Con un mayor conocimiento y entendimiento de las ayudas, tendrá que empezar a hacer curvas más suaves y más perfeccionadas. En vez de indicar la dirección que desea sólo con la rienda y un poco de presión con la pierna opuesta, puede empezar a desarrollar ahora unas ayudas más refinadas.

Cuando se acerque al punto donde el caballo ha de girar, mire en esa dirección e incline después ligeramente la cabeza del caballo en la misma. Haga presión con la pierna exterior, un poco más atrás de lo normal, y apriete también con la pierna interior pero sin moverla de su postura. El efecto es que el caballo se dobla contra su pierna interior y gira suavemente, con una sucesión exacta de sus hombros, cuerpo y cuartos traseros.

La presión de la pierna interior mantiene el impulso hacia delante y forma el ángulo correcto. Sin ella, el caballo se irá hacia el interior de la curva, no doblará bien su cuerpo y se perderá parte del impulso. La pierna exterior sirve para equilibrar y guiar los cuartos traseros. Aparte de volver a cambiar de rienda en las líneas centrales del picadero, practique dejar el sendero en el marcador de tres cuartos, justo después de haber girado en uno de los largos del picadero y vuelva a unirse al marcador de tres cuartos justo antes de la esquina del lado opuesto. Inten-

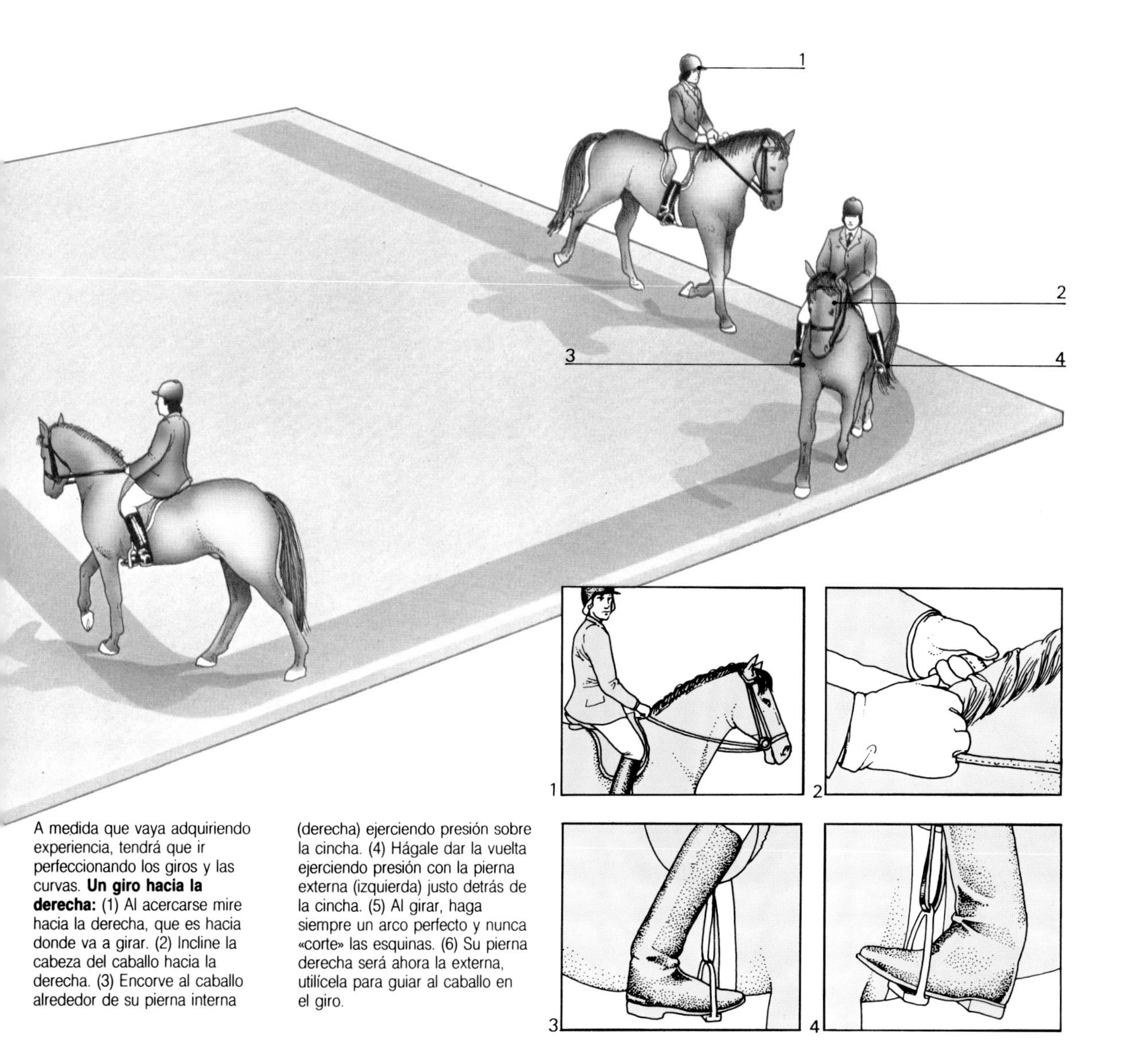

A medida que vaya adquiriendo experiencia, tendrá que ir perfeccionando los giros y las curvas. **Un giro hacia la derecha:** (1) Al acercarse mire hacia la derecha, que es hacia donde va a girar. (2) Incline la cabeza del caballo hacia la derecha. (3) Encorve al caballo alrededor de su pierna interna (derecha) ejerciendo presión sobre la cincha. (4) Hágale dar la vuelta ejerciendo presión con la pierna externa (izquierda) justo detrás de la cincha. (5) Al girar, haga siempre un arco perfecto y nunca «corte» las esquinas. (6) Su pierna derecha será ahora la externa, utilícela para guiar al caballo en el giro.

Errores al hacer giros:

Arriba izquierda: Echar la mano externa hacia delante y la interna hacia atrás. **Arriba derecha:** Inclinar el hombro y la cadera internos y mirar hacia el suelo. **Derecha:** Tirar con tal fuerza de la rienda que el caballo, al volver su cabeza y hombro demasiado bruscamente, se salga de la curva.

te hacer una línea recta entre un marcador y otro. Fije en él su mirada cuando empiece la vuelta y conduzca derecho al caballo. Si lleva una fusta, acuérdese de cambiarla de mano, de tal forma que, cuando vuelva a encontrarse en el sendero, la lleve en la mano interior.

A estas alturas debería también ir perfeccionando el trote a la inglesa para conseguir no botar con ninguna zancada. En este caso, es mejor no llevar fusta, pues se le puede caer. Si para mantener el equilibrio se ha estado ayudando de la correa del pescuezo, intente soltar las manos durante algunas zancadas y luego vuélvalas a sujetar. Más que intentar levantarse conscientemente de la silla, deje que el movimiento del trote le eche hacia delante y hacia atrás desde las caderas. Un buen ejercicio para asegurarse que no utiliza ni las riendas ni la correa del pescuezo para mantener el equilibrio, es tratar de ir al

Izquierda: Montar sin riendas sirve para comprobar que no se está apoyando en ellas para mantener el equilibrio. Deje caer los brazos a ambos lados o crúcelos asiéndose los codos con las manos opuestas.

Errores al cambiar de diagonal:

Como en el galope corto, bajar la cabeza para ver qué hombro se echa hacia delante.

Quedarse sentado durante dos zancadas, de tal forma que siempre se levante con la misma diagonal. Practique cambiar la diagonal al cabo de algunos pasos dirigiéndose hacia el centro del picadero hasta que lo haga correctamente.

trote con las manos cruzadas. Más que cruzar propiamente los brazos, coja con cada mano el codo opuesto.

El trote a la española

Una vez que haya aprendido el trote a la inglesa, puede empezar a aprender el trote a la española. Con este trote, irá sentado sobre la silla. Esto es más difícil de lo que pudiera parecer, sobre todo si su caballo tiene un movimiento saltarín. Intente ir sentado algunos pasos y después retorne el trote a la inglesa. A medida que se vaya sintiendo más cómodo, vaya incrementando paulatinamente el tiempo en que va sentado. Relaje el cuerpo y siéntese bien dentro de la silla, pero vaya aún más derecho que en el trote a la inglesa. A veces, por querer relajarse con el movimiento, uno tiende a soltarse demasiado, pero se dará cuenta que esto le expulsa de la silla aún con más fuerza.

El trote a la española es un paso agotador tanto para el caballo como para el jinete, especialmente cuando lo esté aprendiendo. Por ello, practíquelo sólo un rato seguido. Efectúe el trote a la inglesa durante los largos del picadero y el trote a la española durante los anchos. Acuérdese de trabajar igualmente ambas riendas en todos los ejercicios de trote.

Cambiar de diagonales

Todos los jinetes deberían saber otro perfeccionamiento de la técnica del trote y ponerlo en práctica. Como ya se ha dicho anteriormente, cuando un caballo va al trote, mueve, simultáneamente, sus patas opuestas en diagonal, es decir, la pata delantera

Errores en el trote a la española:

Subir las piernas y bajar la punta de los pies de tal forma que pierda los estribos.

Mover los brazos al salir despedido de la silla.

Con el trote a la inglesa el jinete se levanta cuando se mueve la pata izquierda o la derecha. Como el caballo va haciendo un círculo, la pata exterior cubre más terreno que la interior. Tiene que esforzarse para levantarse igual con ambas diagonales.

de un lado junto a la trasera del otro. Por ello, cuando va al trote a la inglesa, el jinete se levantará, tanto cuando el hombro izquierdo como el derecho se muevan hacia delante. Esto se conoce como montar sobre la diagonal izquierda o derecha.

Repetidas veces se ha mencionado la importancia que tiene montar equitativamente con ambas riendas. Es igual de importante que levantarse uniformemente sobre las dos diagonales. Si el jinete siempre se levanta con la misma diagonal, él y el caballo desarrollarán un trote desequilibrado e irregular. Un caballo que siempre ha sido montado sobre una diagonal, posee un trote notablemente duro e irregular cuando se le monta sobre la otra. Esto se debe a que sus músculos no se han podido desarrollar de forma uniforme.

Cuando monte en el picadero, levántese cuando el hombro exterior se eche hacia delante. Así, cuando trote sobre la rienda derecha (según las agujas del reloj alrededor del picadero) tendrá que levantarse cuando el hombro izquierdo se eche hacia delante. Cuando el caballo va al trote en un círculo, las patas exteriores cubren más terreno que las interiores. Si el jinete se levanta cuando el hombro derecho se echa hacia delante, liberará los músculos de este costado.

Cuando cambie de rienda, cambie de diagonal mientras cruce el picadero antes de retomar la vía principal. Lo conseguirá si se queda sentado un paso más. En lugar de seguir el movimiento del caballo «arriba-abajo, arriba-abajo» (dicho con mayor precisión hacia delante-hacia atrás, hacia delante-hacia atrás), tendrá que hacer «arriba-abajo, abajo-arriba». Aprenda a reconocer sobre cuál diagonal está montando echando una rápida ojeada sobre el hombro del caballo.

Cuando monte un caballo de alquiler, no importa sobre cuál diagonal se levante mientras trote por una carretera o camino. Lo importante es que cambie regularmente de diagonal, para que monte equitativamente ambas.

Del trote al galope corto

Una vez que domine perfectamente el trote a la inglesa y a la española, empezará a aprender el galope corto. Este paso es muy diferente a los descritos anteriormente. Es un paso de tres tiempos, en el cual se levanta una pata trasera, seguida de la diagonal

El galope corto está formado por una serie de saltos rítmicos. En una sola zancada se escucharán tres golpes de casco. El galope corto se denominará de izquierdas o de derechas dependiendo cuál de las patas delanteras lleve el paso. En un círculo, será la pata delantera interna la que lleve el paso.

Errores en el galope corto:

Sentarse torcido en la silla con las piernas levantadas y la punta de los pies fuera.

Quedarse retrasado con respecto al movimiento de tal forma que se le muevan los brazos.

Permitir que el caballo trote más rápido, en vez de hacerlo romper al galope. Reprimirá el movimiento si tensa las riendas.

Botar con tal fuerza en la silla que pierda las riendas.

Olvidarse que tiene que seguir guiando y controlando al caballo. Si, por ejemplo, va al galope corto en el picadero, no deje que el caballo se precipite en la esquina.
Hágalo girar utilizando con fuerza su pierna interna.

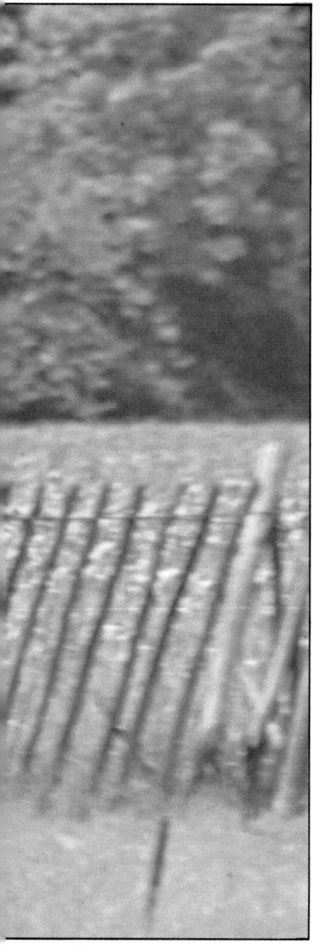

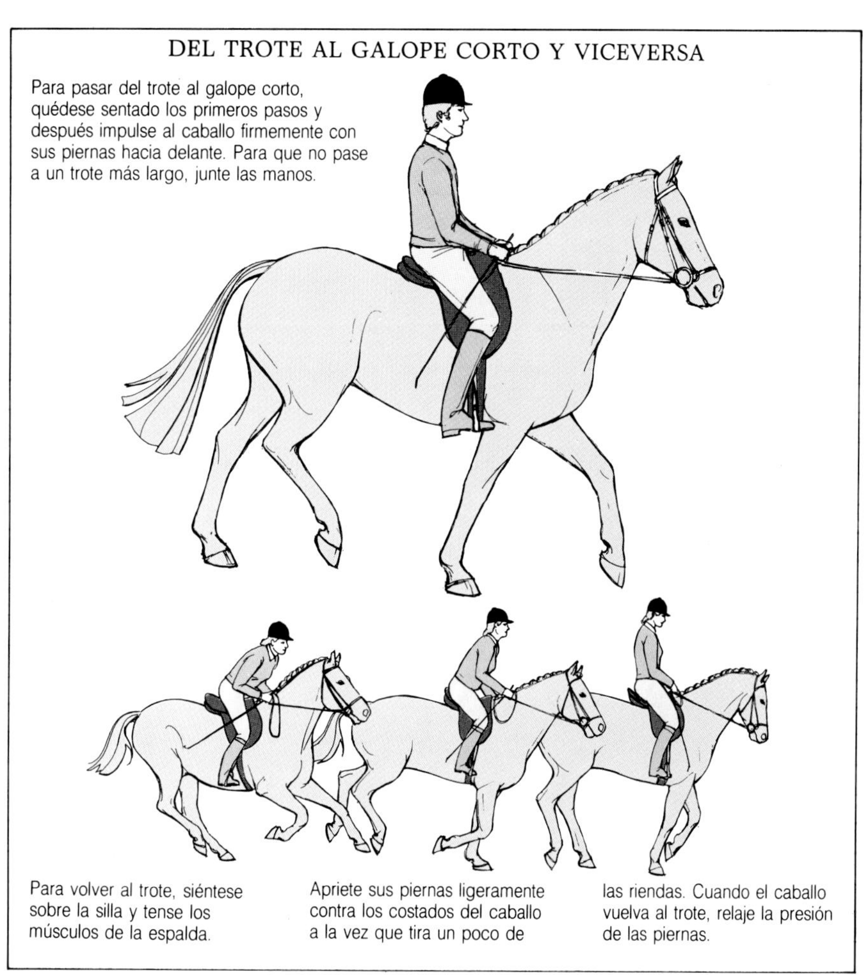

DEL TROTE AL GALOPE CORTO Y VICEVERSA

Para pasar del trote al galope corto, quédese sentado los primeros pasos y después impulse al caballo firmemente con sus piernas hacia delante. Para que no pase a un trote más largo, junte las manos.

Para volver al trote, siéntese sobre la silla y tense los músculos de la espalda.

Apriete sus piernas ligeramente contra los costados del caballo a la vez que tira un poco de las riendas. Cuando el caballo vuelva al trote, relaje la presión de las piernas.

de la pata trasera y delantera opuestas y, finalmente, la pata delantera opuesta. Hay un momento de suspensión, cuando las cuatro patas se levantan, justo antes de que se vuelva a repetir el movimiento.

Para pasar del trote al galope corto, siéntese bien dentro de la silla, cierre un poco los puños para que el caballo no pase a un trote a la inglesa y haga presión con ambas piernas contra sus costados. Eche el cuerpo a partir de la cintura un poco hacia delante, casi imperceptiblemente, para contrarrestar el movimiento del caballo. Echarse damasiado hacia delante es un hábito nocivo que luego será difícil de corregir.

Cuando el caballo rompa a galopar, intente sentarse bien dentro de la silla. No haga un esfuerzo consciente para moverse y deje que el ritmo del paso le lleve. No utilice las manos para mantener el equilibrio, ya que con el galope, más que con cualquier otro paso, tiene que dejar que sus manos se muevan con el caballo para que su cabeza encuentre la libertad que necesita.

Para volver al trote, reduzca la velocidad del caballo adelantando las piernas, oponiendo resistencia con las manos y tensando los músculos de la espalda. En cuanto el caballo se ponga a trotar, intente coger el ritmo en seguida. Es más fácil volver a un trote a la inglesa que a uno a la española.

Al principio vaya al galope corto solamente un rato. Trabaje la relajación sobre la silla y cambie del trote al galope corto y viceversa.

Un paseo fuera de la escuela

Una vez que llegue a dominar el trote a la española, el trote a la inglesa y el galope corto, y que sienta que puede controlar a su caballo utilizando correctamente las ayudas, habrá llegado la hora de abandonar un poco la formalidad de la escuela, para salir a dar un par de paseos. Tenga en mente, eso sí, que las condiciones serán muy diferentes a las que ha tenido hasta el momento. Aunque vaya con una persona competente, hay mucha diferencia entre montar por una carretera o por el campo, a montar alrededor de la escuela bajo la mirada vigilante de su profesor.

La mayoría de los problemas con que puede toparse, se resolverán con la experiencia ya adquirida, unida al sentido común, hecho, empero, que mucha gente parece perder cuando se encuentra sobre el lomo de un caballo. Lo principal es ir siempre alerta. Esto no quiere decir, sin embargo, que no se relaje y disfrute del paseo, sino que tendrá que ir preparado para cualquier imprevisto. Alguien puede salir de un camino oculto o algo se puede agitar entre un seto que a usted le puede coger por sorpresa y asustar o hacer saltar a su caballo. Contrólelo con suavidad, hablándole para tranquilizarlo y dele la vuelta para que pueda ver lo que lo ha asustado.

No subestime el tamaño de su caballo al atravesar verjas o cuando pase entre coches aparcados. Esto último es mejor evitarlo, siempre y cuando que para ello no tenga que ponerse en mitad de la carretera. También es mejor evitar las entradas de los cobertizos que pueden ser resbaladizas y un riesgo

Montar en público es muy diferente a montar en una escuela o en el campo. Hay varios aspectos que caben recordar: Cómo pueden surgir toda una serie de incidentes, un jinete inexperto nunca debería salir por su cuenta sino acompañado de alguien entendido. Sobre todo al montar entre el tráfico, mantenga una actitud constantemente alerta, ya que no todo el mundo que le rodeará entenderá a los caballos; los peatones pueden llegar a ser tan peligrosos como un coche o un carro.

para el caballo, siempre que en tal caso no se tenga que pasar al otro lado de la carretera. Recuerde que tendrá que guiar y controlar al caballo todo el tiempo; éste hará lo que usted le pida. Si, por ejemplo, lo guía alrededor de una carretilla aparcada, procure que no pise su parte trasera o se pare delante. Intente que no sea él el que saque a ambos de los apuros; es usted el que lleva el control.

Las caídas

Algo que tarde o temprano le sucederá a lo largo de su carrera de equitación, es caerse del caballo. Puede que ya le haya sucedido en una de las clases en la escuela, o puede que el bochorno le suceda cuando salga a pasear. El bochorno es sólo eso; en el noventa por ciento de los casos cuando se cae de un

LAS REGLAS DE LA CARRETERA

Existen ocho reglas principales a tener en cuenta siempre que monte por una carretera y son las siguientes:

1. Ir en fila india, cerca del bordillo, si es que lo hay, pero no tanto como para que el caballo pueda golpearse los menudillos. Sólo se monta uno al lado del otro cuando un jinete lleva una rienda guía o cuando el caballo que monta se asusta con el tráfico. En ambos casos dicha persona irá al lado del bordillo.

2. Montar en el lado correcto de tal forma que vaya en dirección del tráfico.

3. Pararse en todos los cruces y mirar en ambas direcciones antes de seguir adelante.

4. Para señalar con claridad cuándo tirará hacia la izquierda o la derecha, saque el brazo en la dirección deseada. Hágalo tanto para adelantar a un coche aparcado como cuando vaya a torcer hacia otra carretera.

5. Si los motoristas han reducido su velocidad, hágales señales con la mano en cuanto puedan adelantarle y acuérdese de darles las gracias.

6. Obedezca las luces y las otras señales de tráfico como si estuviera montando una bicicleta.

7. Si va con otra gente y desea parar, avíseles con tiempo, para que la persona que va detrás no choque contra usted.

8. Evitar, a no ser que sea absolutamente necesario, montar en la oscuridad o al atardecer.

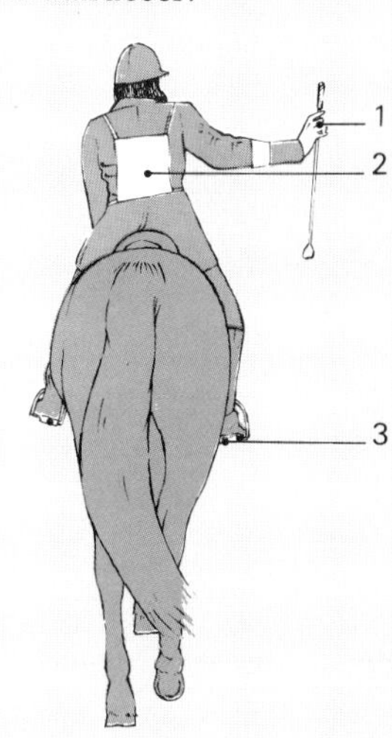

Ningún jinete debería salir a la carretera sin antes saberse el código de circulación para jinetes. Los puntos numerados de la ilustración muestran: (1) Jinete haciendo señales claras con la mano para girar. (2) Jinete con trozo de tela luminosa negra con (3) puntos luminosos en los estribos. Son imprescindibles en la oscuridad o al atardecer, aunque siempre es mejor no montar durante estas horas.

Uno de los mayores placeres de la equitación es poder montar con otra gente por el campo. Las sesiones de la escuela tienen que entremezclarse con un número más o menos equivalente de paseos, aunque no hay que olvidarse de lo aprendido durante aquellas ocasiones.

Arriba: La forma correcta de atravesar la puerta de una verja, es tirando de la rienda hacia atrás de tal forma que no tenga que desmontar. Ponga al caballo paralelo a la puerta de la verja y ábrala. Sin soltarla, dé las señales con las riendas y utilice la pierna para que el caballo pase. Atraviese la puerta con cuidado de que ésta no golpee por detrás al caballo. Una vez del otro lado, colóquese otra vez paralelamente y ciérrela. **Derecha:** Obviamente, este jinete no está abriendo bien la puerta. Si no se coloca en la posición correcta, le será muy difícil manipular con la puerta de la verja.

caballo, lo único que se hiere es el orgullo.

Las caídas pueden ser por diversas razones. Por ejemplo, si ha perdido el equilibrio sobre la silla y no lo puede recuperar, es probable que caiga suavemente al suelo. También puede que salga disparado por no agacharse lo suficiente o no haber tenido tiempo de evitar una rama, o que tenga una fuerte caída, aparentemente, si el caballo tropieza, se para de golpe, o lo sacude de encima como parte de una demostración suya de orgullo.

Cualquiera que fuere la razón de la caída, intente levantarse lo más rápidamente posible, si no está herido, claro está, para que su profesor y demás compañeros puedan ver que no le ha sucedido nada. Después, sin tener en cuenta los sentimientos o deseos que pueda tener en ese momento, súbase enseguida a la silla. Esto es importante, tanto para que pueda recuperar la confianza, como para demostrar quién es el que manda. Si un caballo nota que uno se resiste a montarlo, puede llegar a comportarse mal. Ayúdese analizando las razones de la caída. ¿Fue, por ejemplo, porque perdió el equilibrio o fue por alguna otra causa sobre la cual podrá reflexionar en el futuro para que no vuelva a sucederle?

Los expertos no se ponen de acuerdo en cuanto a que si hay que hacer o no un esfuerzo consciente

Izquierda: Mientras esté sobre un caballo no pierda la vigilancia ni de los alrededores ni del animal. Los jinetes que aparecen en la fotografía han caído en el error de pensar que si relajan o dejan pastar a su caballo, pueden también relajar su atención. La equitación requiere su atención no sólo cuando esté paseando, sino también en las paradas; siempre tendría que tener un control absoluto sobre usted y el caballo. Es la única manera de poder evitar mayores accidentes.

por sujetarse a las riendas en el momento de la caída. A veces no se tiene opción pues se le arrancan de las manos y otras no se tiene tiempo ni de pensar. Generalmente, dentro del recinto de la escuela es mejor soltarlas, pues el caballo no puede escapar, cosa más probable en el exterior, y además, en este último caso, el riesgo de que el caballo lo pueda pisar es mucho menor.

Si durante un paseo se cae un compañero, todos tendrían que parar para esperar a que se levantara y se volviera a subir al caballo. Siempre que fuera necesario, ayude a sujetar al caballo para que se esté quieto. Si un caballo suelto decidiera transformar la huida en juego y no se dejara coger, no vaya detrás de él. Esto sólo aumentará su excitación y rehusará con mayor determinación la captura. Trate, mejor, de acorralarlo; cuando se dé cuenta que no tiene salida, cederá.

A pesar de que un paseo es mucho menos formal que el trabajo en la escuela, no deje por ello de esforzarse. Concéntrese en mantener la postura correcta todo el rato y no se deje llevar. Practique cambios suaves del paso al trote, del trote al galope corto y vuelta al trote y al paso. Asegúrese que el caballo sólo hace aquello que usted le pide todo el rato. Si por ejemplo le diera por ir al galope en un sitio en que siempre acostumbra, sin que se le haya pedido hacerlo, corríjalo. Usted sigue siendo el jefe.

Por el campo

Al igual que hay reglas que hay que tener en cuenta cuando se monta por carretera, hay otras para cuando se monta por el campo. También existe un código elemental de buena educación para con los compañeros o con cualquier pedestre que pueda encontrarse durante el paseo. En el campo, siempre que atraviese verjas, cierre luego las puertas haya o no ganado. Es mejor atravesar de uno en uno las puertas para que haya suficiente espacio, pues un golpe contra un poste puede ser muy peligroso. Es muy útil también que una de las personas mantenga la puerta de la verja abierta para los demás; acuérdese de devolver este gesto de cortesía esperando al otro lado, hasta que la puerta se haya cerrado y todo el mundo esté listo para seguir.

En muchas zonas, será el «invitado» de algún campesino en la medida en que esté paseando por sus tierras. Compórtese con la misma educación como si estuviera invitado en casa de alguien. No corra por encima de una tierra sembrada; en realidad no debería correr por ningún terreno arado, especialmente si la tierra está mojada, pues lo dañaría bastante. Si por cualquier casualidad ocasionara algún perjuicio, como derribar una valla o que se le escapen sin querer unos animales, averigüe quién es el dueño de esa tierra y vaya a contarle lo sucedido. Es imperdonable dejar que otro descubra el daño, sea cual fuere, además de que para entonces puede haber empeorado la situación aún mucho más.

Muestre consideración con los otros cuando salga de paseo. El paso tiene que ir siempre temperado, a ritmo del jinete más inexperto y nervioso. Nunca pida o espere que sus acompañantes hagan cosas que no quieran hacer, o que no estén preparados para hacer. Sería como pedirle a usted que saltara tal o cual nivel de una verja o de un seto. Más tarde, cuando haya aprendido a saltar, no salte todos los obstáculos que se encuentre, pues más que amigo, se convertirá en enemigo de los campesinos. Si por ejemplo deseara saltar, salte sólo aquellos obstáculos que le estén permitidos y que, aunque se caigan o choque contra ellos, no puedan producir daños muy serios, como por ejemplo tirar la valla de un campo donde haya ganado.

Cuando monte por lugares con árboles échese hacia delante, nunca hacia atrás, al pasar por debajo de ramas que cuelgan. Aunque le parezca demasiado obvio, se sorprendería saber cuánta gente se olvida de hacerlo. Asimismo, si tiene que echar una rama hacia atrás, hágalo de tal forma que no golpee luego al jinete o caballo que van detrás. Si se encuentra con peatones por un camino estrecho, reduzca la velocidad y pase a su lado al paso, nunca más deprisa.

Si por cualquier razón su caballo empezara a cojear, bájese inmediatamente para ver qué le ha pasado. Lo más común suele ser una piedra que se le haya metido en la pezuña. Si fuera así, sáquela y el caballo volverá entonces a caminar con normalidad. Si no pudiera encontrar la causa y el caballo siguiera cojeando, suba los estribos por los aciones, saque las riendas por encima de la cabeza y condúzcalo a casa.

Lista de repaso:

Entre los puntos a considerar durante un paseo se incluyen:

1) No ir nunca al galope sobre la carretera. Aparte de que el caballo pueda resbalarse o tropezar, puede además hacerle bastante daño en las patas.

2) Asimismo, no vaya rápido por caminos duros, suelos rocosos o tierras fangosas.

3) No le pida al caballo ir al galope corto o largo cuando lo vea jadear mucho o esté cansado.

4) Vaya al paso cuando se cruce con peatones y nunca al trote o al galope. Asimismo, cuando algún peatón o un motorista se echa hacia un lado para dejarle paso, acuérdese de darles las gracias.

5) Hacia el final del paseo vaya siempre al paso, para que al caballo le dé tiempo a enfriarse. No llegue nunca al establo con el caballo sudado.

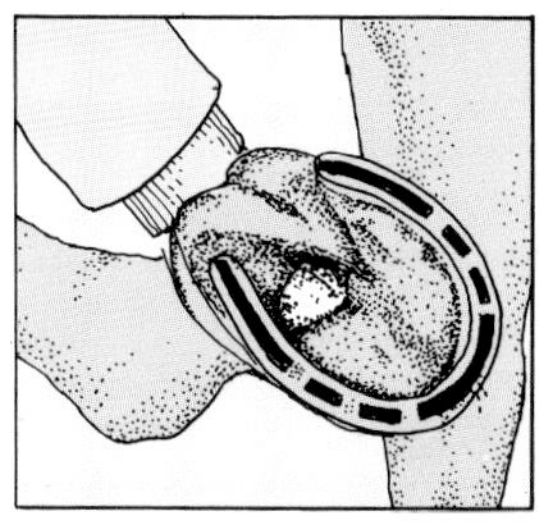

Un problema bastante común es una piedra en la pezuña.

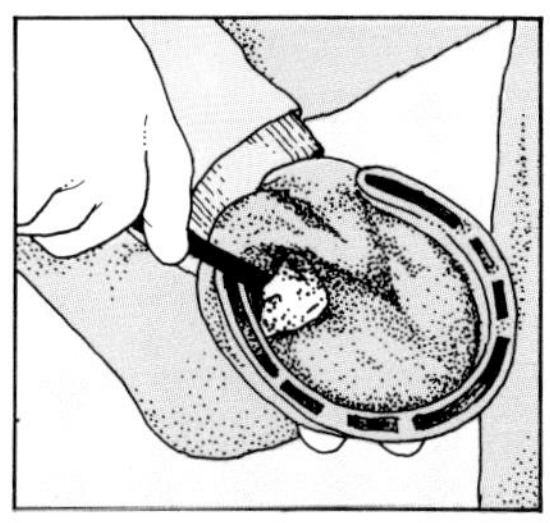

Si no tiene un gancho especial, le servirá también una rama.

Como ha podido comprobar, todos los puntos aquí mencionados no son más que de sentido común y buena educación. No pierda ninguno de los dos sólo porque se encuentre sobre el lomo de un caballo y no en una situación que le sea más familiar. Antes de actuar de otra forma, vale la pena detenerse a meditar si se debe continuar con el aprendizaje o, por el contrario, no sería más conveniente dedicarse a otro deporte con menos inconvenientes.

De vuelta a la escuela

Lista de repaso

Paulatinamente su lista de repaso tendrá que hacerse más sofisticada. Aparte de los puntos usuales, como dar palmadas al caballo y comprobar la cincha antes de subirse, concentre sus pensamientos en aspectos más refinados de la postura y el control:

1) ¿Es su postura en la silla tanto efectiva como correcta?

2) ¿Se siente flexible y relajado sin necesidad de ir demasiado suelto?

3) ¿Realiza las ayudas discretamente y en conjunto con otras?

4) ¿Nota alguna diferencia en la manera que su caballo empieza a responderle? ¿Es usted ahora el que lleva el control y el caballo realiza sus deseos?

5) Antes de empezar la clase, realice algunos ejercicios para soltarse e ir sentado más dentro de la silla.

Probablemente, desde ahora en adelante los paseos se entremezclarán con las clases en la escuela ya que aún le queda mucho por aprender y practicar. Cuando vuelva al picadero piense en su postura. ¿Va sentado sobre los huesos del trasero en la parte más profunda de la silla? ¿Va derecho con la cabeza alta? ¿Caen sus piernas hacia atrás con el peso puesto en los talones? ¿Mantiene la flexibilidad en la cintura, caderas, rodillas y tobillos?

Haga algunos ejercicios para soltarlo y agilizarse. Levante las piernas en el aire y bájelas con fuerza con lo que se sentará más adentro de la silla. Luego, con una mano sobre la perilla y la otra sobre el arzón trasero tire de su trasero de la silla con las rodillas levantadas. Balancee hacia delante y hacia atrás las piernas para flexibilizar las caderas y gire alternativamente los hombros para relajarlos. Con los pies dentro de los estribos, intente separar las rodillas de la silla.

A estas alturas, es probable que su profesor decida que pruebe otro caballo, seguramente uno para el que se necesite más experiencia. Dé algunas vueltas con él alrededor del picadero al paso y al trote sobre ambas riendas para irse acostumbrando el uno al otro. Más tarde, cuando vuelva a montar a su primer caballo, se dará cuenta de todo lo que ha mejorado.

Seguramente necesite ahora también alargar los estribos; será una señal para que se sienta ya más adentro de la silla.

Realice algo de ejercicio sin estribos. Dé una vuelta al picadero primero y después haga un circuito al trote a la española. Algunos jinetes, una vez que se han acostumbrado a este paso, les es más fácil seguirlo sin estribos. Esto, obviamente, le ayudará a ir sentado más adentro de la silla y además le impide apoyarse en los estribos para soportar el peso del cuerpo. Cuando ya logre ir así con este trote, intente dar algunos pasos al trote a la inglesa sin estribos. Es muy agotador, pero excelente para fortalecer los músculos y mejorar el equilibrio.

Intente dar algunos pasos al paso y al trote a lo largo del picadero con los ojos cerrados. Le ayudará a entender mejor esa sensación escurridiza que mantiene el caballo debajo de usted. Es algo que nunca podrá enseñarle un profesor. Tiene que experimentarlo usted mismo y hasta que no lo haya hecho, no estará seguro de estar obteniendo lo mejor de su montura.

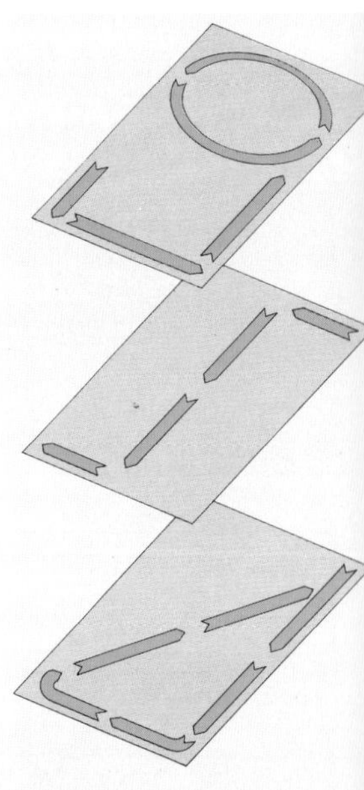

Arriba: Cómo moverse para hacer un círculo de 20 m y maneras diferentes de cambiar de rienda en el picadero.

Perfeccionar el galope corto

Habrá llegado el momento de perfeccionar el galope corto. En vez de únicamente dar las ayudas para que el caballo vaya al galope corto (págs. 40-41) tiene que pensar también cuál es la pata que el animal utiliza de guía en este paso. Si observa a un caballo

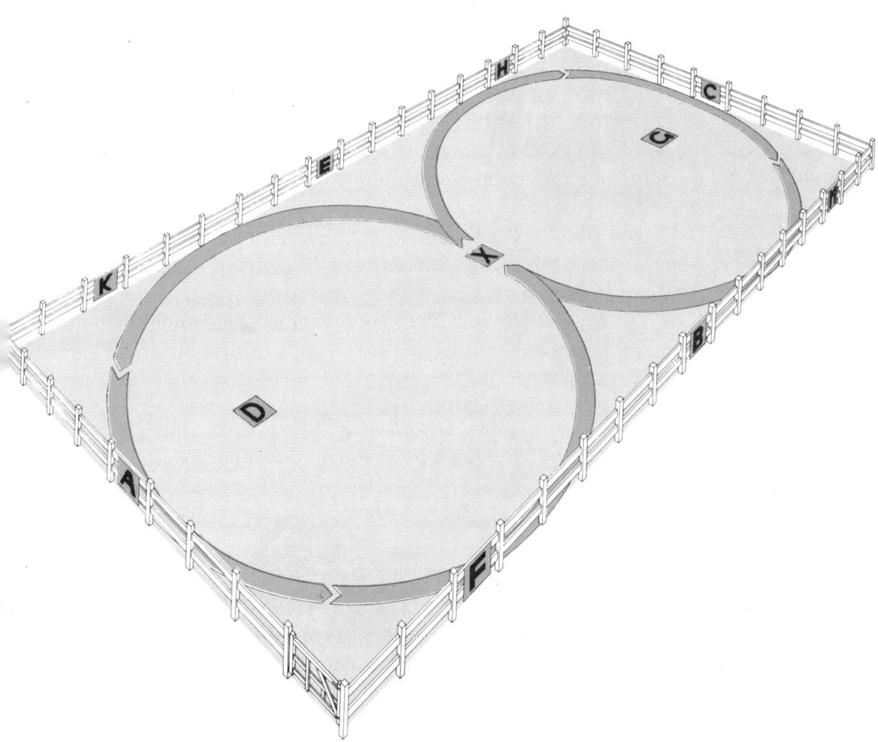

Arriba: El trote a la inglesa sin estribos es un buen ejercicio para fortalecer los músculos y mejorar el equilibrio. **Izquierda:** La mayoría de las escuelas de equitación tendrán un picadero estándar que mide 6 x 12 m marcado tradicionalmente con letras. La X es el centro del picadero; A y C son los puntos centrales de los anchos y B y E los puntos centrales de los largos. K, H, F y M son los marcadores de tres cuartos y son los opuestos a D y G que se encuentran en los puntos de tres cuartos de la línea central del picadero. Si se hace un círculo tomando a G o D como punto central y a A y X o C y X como puntos opuestos de la circunferencia, tendrá un diámetro de 20 m.

Las transiciones de un paso a otro hay que ejecutarlas lo más suavemente posible. El jinete que se muestra en las fotografías lleva al caballo del trote al galope corto con la pata derecha como guía. (1) Avance con un trote uniforme, siéntese por unos pasos e incline ligeramente hacia la derecha la cabeza del caballo. (2) Presione sobre la cincha con la pierna derecha. (3) Presione detrás de la cincha con la pierna izquierda. (4) Cuando el caballo rompa a galopar, eche un rápido vistazo (sin agacharse) para asegurarse que lleva el galope con la pata correcta.

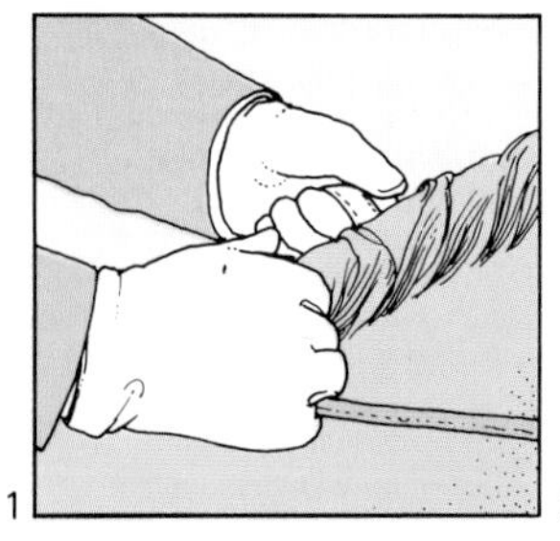

1

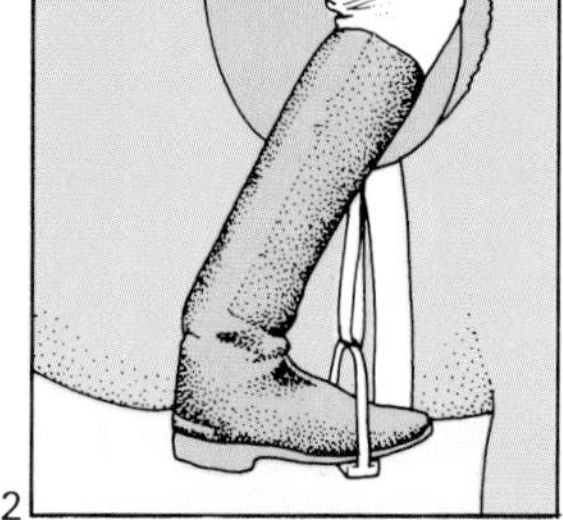

2

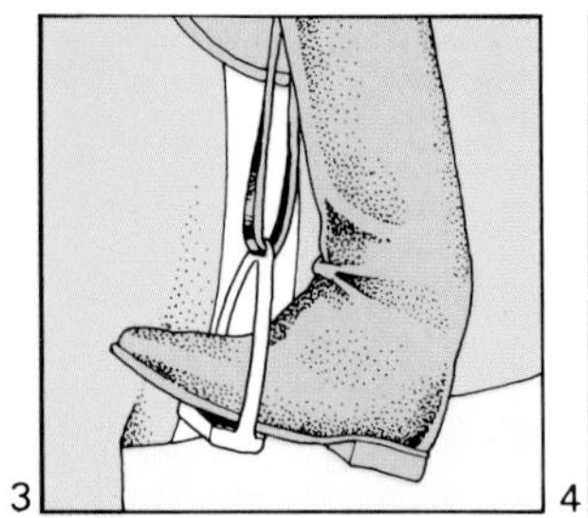

3

4

galopando, verá cómo una de las patas delanteras guía el paso a pesar de que de hecho, en la secuencia, es la última en moverse. Cuando vaya al galope en un círculo o alrededor del picadero la pata que tiene que guiar el paso ha de ser la pata delantera interna para poder mantener un equilibrio correcto. Hasta que llegue a sentirlo interiormente, podrá ver cuál es la pata que guía el paso desde la silla, observando cuál es el hombro que se va más hacia adelante.

Si desea que el caballo lleve el paso con una pata específica, se lo podrá pedir utilizando ayudas algo más sofisticadas que las anteriores del galope corto. Acuérdese que lo más fácil es pedirle al caballo que corte una esquina o curva, por ello, cuando se vaya acercando hacia el final del picadero piense en ir preparando al caballo para el galope corto recogiendo un poco hacia arriba las riendas y sentándose bien adentro en la silla. Si lleva la rienda derecha, incline levemente la cabeza del caballo hacia la derecha tirando un poco de esa rienda e impúlsele hacia delante apretando la pierna derecha casi sobre la cincha y la pierna izquierda o exterior detrás de la cincha. De esta forma, la pierna interior ayuda al caballo a tomar la curva y la exterior conduce sus cuartos traseros. Mientras el caballo corte la curva, siéntese bien adentro de la silla, no oponga resistencia y con una rápida ojeada compruebe cuál es la pata que lleva el paso.

Si el caballo estuviera cortando con la pata errónea, devuélvalo tranquilamente hacia el trote, mantenga el equilibrio durante algunos pasos para que no trote de forma incontrolada por el picadero y después vuelva a aplicar las ayudas. En cuanto vea que galopa correctamente, relaje las ayudas y monte a ritmo del movimiento, pero no deje de impulsarlo hacia adelante o sino volverá al trote.

Al transmitir las ayudas, trate de no empujar hacia delante con los huesos del trasero. Sólo conseguirá que el caballo curve su espalda y coartará la libertad de sus movimientos.

Después de haber hecho algunos circuitos al galope corto por el picadero, cambie de rienda y practique hacer los cortes con la otra pata. Intente también hacer algunos circuitos sin estribos; le ayudará a ir sentado más dentro de la silla.

Círculos y serpentinas

Un picadero reconocido mide 12×6 m y, por lo general, está marcado con una serie de letras estándar (ver diagrama). Hasta el momento sólo ha montado alrededor del picadero y ha cambiado de rienda cruzando el centro del mismo o en los marcadores de tres cuartos; existen, en cambio, otras formas de utilizar el picadero.

El primer picadero en el que se suele practicar la equitación (primero al paso, luego al trote y finalmente al galope corto) es un círculo de 6 m. Para hacer una circunferencia de 6 m y después volver a la vía exterior, recibirá la siguiente orden de su profesor: «Al llegar al punto C (o A), adelántese y haga un círculo de 6 m. Vuelva luego al punto C (o A) y siga de largo.» Abandone la vía en el centro del ancho del picadero (C o A) y haga un arco perfecto hacia un punto entre los marcadores de tres cuartos y el centro del picadero; según sea su dirección ello será entre H y E, K y E, o M y B y F y B. Vaya luego al punto X (centro del picadero) y al siguiente punto entre el otro marcador de tres cuartos y el centro del picadero. Vuelva, finalmente, al punto C o A.

No es nada fácil realizar un círculo perfecto; concéntrese y asegúrese de que su caballo se curva apoyándose constantemente en su pierna interior. Imagínese que la curva de su cuerpo coincide con el arco del círculo; en ningún caso tiene que intentar hacerlo girar. Procure que el animal no se «caiga» hacia el centro de la circunferencia o ésta será imperfecta. Una ayuda es realizar este ejercicio sobre arena, pues con las huellas podrá comprobar la exactitud del trabajo.

Cuando haya hecho algunos círculos, cambie de rienda y monte en la dirección opuesta, de tal forma que ni usted ni el caballo favorezcan más un lado. Intente también hacer círculos más pequeños sin olvidar que la meta es hacer un arco lo más perfecto posible con el cuerpo del caballo a todo lo largo del ejercicio.

Con la serpentina se puede comprobar, con bastante exactitud, cuál es su control y habilidad montando. Vaya por el picadero del punto C al A haciendo cuatro lazos perfectos, cuyo punto extremo queda a unos 3 m de distancia del borde del picadero. El movimiento, en su conjunto, ha de ser suave y fluido, nunca desigual. Al principio, realice el ejercicio al paso, más tarde al trote, comproban-

Errores en el galope y al hacer círculos:

Echarse hacia adelante para mirar hacia abajo cuál es la pata que lleva el galope. Aprenda más bien a sentirlo, o usted y el caballo perderán el equilibrio.

Si no transmite las ayudas de forma clara, puede que el caballo acabe por galopar «desunidamente»; es decir, que sus patas no seguirán la secuencia correcta del galope corto, la pata delantera que guía apareciendo en el lado opuesto de la pierna trasera guía. En vez de sentir el galope corto como un paso suave, lo sentirá incómodo.

A medida que uno se va familiarizando con el galope corto, suele aparecer la tendencia a relajarse demasiado, por lo que se le caerán los hombros y usted quedará demasiado suelto. Por otro lado, si está demasiado tenso, confundirá a su caballo y perderá su control.

Si se inclina hacia el centro del círculo, hará que el caballo haga lo mismo y «se caiga» hacia dentro. Mantenga siempre las caderas y los hombros perpendiculares a los hombros del caballo.
Levantar la rienda interna tratando, erróneamente, de que el caballo no se salga del circuito.

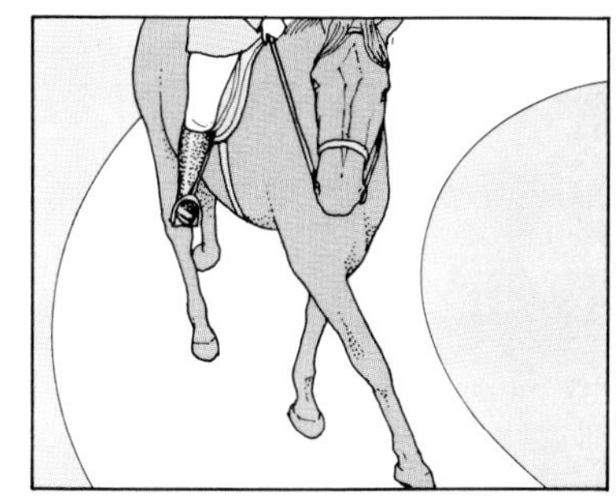

«Curvar» excesivamente el caballo al aplicar demasiada presión en la rienda interna, lo que provocará que el caballo fuerce la cabeza y el pescuezo hacia el centro del círculo. Recuerde que tiene que lograr hacer un arco perfecto. Por otro lado, si *no* intenta «curvar» al caballo, éste sacará su cabeza del círculo.

do siempre las huellas, para saber cada vez cuál ha sido la exactitud.

Si monta con otra gente en el picadero, existen una serie de ejercicios y movimientos que pueden realizar todos juntos, y que sirven para mejorar la habilidad, el control y la perfección. Uno de ellos, por ejemplo, es ponerse en una letra que le haya indicado el profesor y cambiar de puesto con otro jinete que se encuentre en una letra diferente. Cuando hay varios a la vez en el picadero, este ejercicio es un buen test. La regla para cruzarse con un jinete que viene de frente es que cada cual vaya por su derecha.

Practique, además, llevar ambas riendas en una sola mano para que nunca pueda llegar a ser un problema si necesitara utilizar una mano. Si, por ejemplo, quiere llevar las riendas en la mano izquierda, agarre la rienda izquierda como siempre, ponga la

Círculo de 20 m

Cambio de rienda

Círculos de 10 m
y figura de ocho

Serpentina
media vuelta
y cambio de
dirección

Vuelta de 6 m

derecha encima, de tal forma que entre entre el pulgar y el índice y vuelva a aparecer por debajo del meñique. Al montar así, tendrá que controlar al caballo más activamente con las piernas, haciendo que se curve contra su pierna izquierda si desea girar. No intente guiarlo con demasiada precisión si va con una mano, pues inevitablemente surgirán confusiones.

Para no ir pensando constantemente que lleva las riendas en una sola mano, haga con la otra algo que le distraiga, como por ejemplo sonarse la nariz, abrocharse un botón o ajustarse el largo del ación. Hacer algo con la mano libre es indispensable, para no caer en la tentación de volver a coger las riendas con las dos manos. Cuando uno se impone un ejercicio, hay que realizarlo hasta el final.

A medida que vaya haciendo progresos, aprenderá a utilizar el picadero de forma más activa ejecuntado figuras de ocho, pequeños círculos, serpentinas y otras figuras. La serpentina es una serie de lazos del mismo tamaño que se realizan a lo largo y ancho del picadero. Otra de las figuras es la media vuelta, en la cual el jinete sale del picadero en el marcador de tres cuartos, cambia de rienda haciendo un semicírculo y vuelve a la vía principal pero en dirección contraria. La vuelta es un círculo completo de 10 m, que empieza y acaba en el mismo punto, de tal forma que el jinete sigue sobre la misma rienda. **Izquierda abajo:** Cuando se cruce con otros jinetes en el picadero, vaya por su derecha.

Saltos

El salto es una parte de la equitación que atrae a unos jinetes más que a otros. Hay gente que en seguida quiere aprender a saltar; otra, en cambio, prefiere llegar a hacer otras cosas antes que ser capaces de salvar algún obstáculo que interrumpa su camino durante un paseo. De todas formas, ningún jinete debería empezar a saltar hasta que se sienta lo suficientemente seguro al galope y pueda realizar las figuras básicas del picadero descritas anteriormente.

A todos los caballos se les puede enseñar a saltar. Algunos lo harán mejor que otros, al igual que sus jinetes, y algunos lo disfrutarán más que otros, pero, en definitiva, todos poseen una aptitud natural para ello. Por esta razón, es necesario observar la manera de saltar de un caballo, para poder entender la postura que adoptará el jinete, lo cual facilitará el salto al animal.

Componentes del salto

A pesar de que la meta es siempre producir un movimiento fluido, la acción del salto del caballo puede dividirse en cinco elementos: el acercamiento, el salto, la suspensión, la caída y la recuperación. Mientras se acerca hacia el obstáculo, el caballo, que ya lo habrá visto y asumido, se equilibrará y preparará para saltar estirando el pescuezo y bajando la cabeza. Puede que alargue las zancadas, pero si la valla es pequeña, no debería alterar la velocidad y continuar con el mismo paso uniforme.

Cuando va a saltar, el caballo levanta la cabeza al mismo tiempo que eleva sus patas delanteras. La fuerza del salto proviene de los corvejones, los cuales se doblarán por debajo de él en el momento del impulso. Durante la suspensión, el cuerpo del caballo forma un arco por encima del obstáculo, con la cabeza y el pescuezo estirados hacia delante. Al empezar el descenso, el caballo estira las patas delanteras y baja la cabeza y el pescuezo, mientras dobla las patas traseras por debajo de él para no chocar contra el obstáculo. En cuanto las patas tocan el suelo (por lo general cae una enfrente de la otra), el caballo recupera el equilibrio levantando la cabeza y encogiendo el pescuezo. Las patas traseras caen inmediatamente después de las delanteras; por lo general, una de las patas delanteras suele dar un paso hacia delante justo antes de que lleguen las traseras.

A raíz de esta explicación, queda claro que la función del jinete es no hacer nada que impida o restrinja el movimiento del caballo. Es por ello que, en todo momento, él o ella han de estar en perfecta armonía con el caballo, cuidándose de no interferir en el libre movimiento de la cabeza del animal. La postura a adoptar en el salto y que se describirá en la siguiente sección, ha sido pensada para lograr esta función.

Aunque a todos los caballos se les pueda enseñar a saltar, muy pocos serán los que alcancen un nivel de competición. **Arriba:** El caballo de la fotografía ha sido entrenado como un *eventer*, es decir, que aparte de ser vigoroso y fuerte ha de ser muy hábil para saltar por encima de vallas grandes y sólidas a una cierta velocidad. **Derecha:** Los movimientos del caballo mientras se acerca al obstáculo, el salto por encima de la valla y la caída al otro lado de la misma.

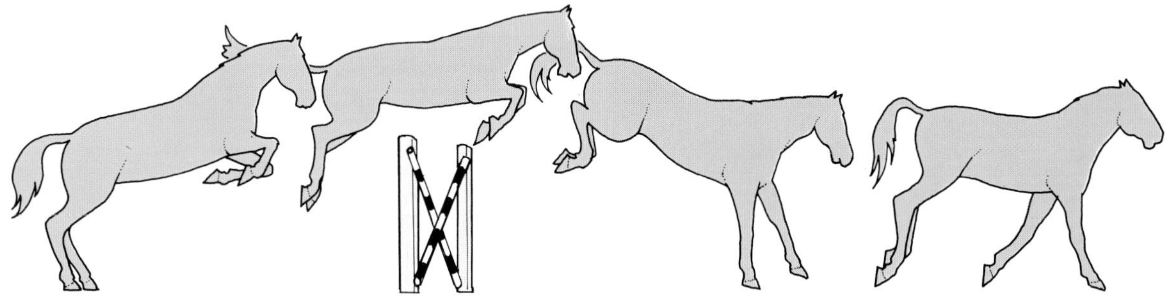

Arriba: Postura correcta del jinete para el salto. Sus piernas caen con los aciones perpendiculares al suelo. Las rodillas y el tobillo forman un ángulo algo mayor de lo normal para no herir al caballo cuando vuelve a caer al suelo. El tronco está echado hacia delante a partir de la cintura y la espalda derecha. Aunque las riendas estén un poco más adelantadas de lo normal, siga manteniendo una línea derecha entre los codos, las manos y las riendas hasta el bocado. **Derecha:** El primer paso es trotar sobre barras manteniendo la postura de salto.

Si los saltos se realizan durante las clases, tienen que hacerse hacia el final o la última media hora de las mismas. Así, el caballo tendrá tiempo de soltar sus músculos y el jinete de asegurarse que está sentado bien adentro de la silla y flexibilizar sus músculos también.

La postura del salto

Lo primero que se ha de aprender y practicar es la postura del salto. Teniendo en cuenta que a estas alturas durante las clases ha bajado ya los estribos un par de agujeros, para saltar los tendrá que volver a subir. El ación ha de caer vertical hacia el suelo, lo que quiere decir que sus rodillas y tobillos estarán un poco más curvados. Así podrán servirle de «ejes» y frenarán el golpe.

Para adquirir la postura correcta del salto, échese hacia delante a partir de la cintura. Deje la espalda derecha y flexible. No curve los hombros y mantenga la cabeza derecha, de tal forma que mire entre las orejas del caballo y nunca hacia el suelo. Mientras se acerca al obstáculo, siga sentado, es en el momento del salto que ha de levantarse. El peso del cuerpo ha de recaer sobre las rodillas, los muslos y los talones, aunque evite, eso sí, la tentación de estirar las rodillas y ponerse de pie sobre los es-

Para saltar, lleve los estribos uno o dos agujeros más cortos de lo normal.

tribos. Continúe manteniendo una línea recta desde los codos, que estarán doblados contra sus costados, pasando por brazos y manos hasta el bocado a lo largo de las riendas. Procure flexibilizar hombros, codos y dedos para poder seguir el movimiento que realiza el pescuezo del caballo. Las manos, de hecho, se mantendrán en su posición normal durante el salto y siempre es mejor echarlas hacia delante que correr el riesgo de tirar del bocado.

Al principio, cuando empiece a saltar, procure tener una correa alrededor del pescuezo del animal a la que poder sujetarse. Le hará sentirse más seguro y le prevendrá cualquier amago de frenar al caballo. Practique colocarse en la postura del salto y después volver a la postura normal primero con el caballo quieto y luego yendo al paso y al trote. Una vez que, inclinado hacia delante se queda derecho sin perder el equilibrio mientras va al trote, intente hacer lo mismo al galope corto. Su meta será lograr un ritmo suave equivalente al salto, también suave, del caballo.

Después de esto, el primer paso positivo para aprender a saltar será adoptar esta postura mientras le pide al caballo ir trotando sobre algunas barras que

El cavalletti es el mejor obstáculo para enseñar a un caballo o a un jinete a saltar. La fotografía muestra a un jinete dando los primeros pasos para el salto, mientras le pide al caballo ir trotando por encima de los cavallettis. Estarán colocados de tal forma, que el caballo, al trote, pase con cada zancada por encima de uno de ellos. Observe que, de hecho, el jinete no tiene la postura de salto, es decir, no va echado hacia delante. Cuando aprenda a saltar le ayudará el hecho de ir inclinado hacia delante mientras trota por encima de los cavallettis; de todas formas, no mire hacia el suelo.

estén bien ajustadas al suelo. Al principio, colóquelas a una distancia razonable. Acérquese al trote, y un paso o dos antes de llegar a cada barra, colóquese en postura de salto. Un paso o dos después del obstáculo vuelva a la postura normal en la silla.

Cuando haya aprendido a trotar por encima de las barras, tomando y dejando la postura correcta, junte dos o tres barras un poco más, de tal forma que el caballo con cada paso que dé, pase sobre una de ellas. Mantenga la postura a lo largo de todas las barras. Necesitará mayor equilibrio para no perder el ritmo; recuerde que lo más importante es no interferir el movimiento de la cabeza del caballo. Si todavía sintiera algo de inseguridad sujétese a la correa del pescuezo.

El primer salto

El siguiente paso será saltar un pequeño obstáculo, cuya altura no debería exceder de los 25 cm. Si no tuviera los soportes adecuados, puede improvisar unos utilizando unas barras resistentes sobre cajas o barriles de madera. Por lo general, la mayoría de las escuelas utilizan un tipo de barras que se denominan cavallettis. Si no hubiera cavallettis, utilice ba-

En el momento de saltar, el jinete ha de evitar a toda costa interferir en cualquier punto del movimiento natural del caballo. **Izquierda:** Un excelente ejercicio para desarrollar la independencia que ha de mantener con los estribos, es saltar sobre cavallettis u otros obstáculos sin el soporte de éstos. Esfuércese al máximo por mantener las piernas y los pies en la postura usual. **Abajo:** Dificultando un poco más el ejercicio anterior, esta vez abandonando también las riendas, se dará cuenta de en qué medida ha estado utilizando las riendas y los estribos para mantenerse en la postura de salto, pues ahora su asiento dependerá exclusivamente de la habilidad de su equilibrio.

COMBINACIÓN DE SALTOS

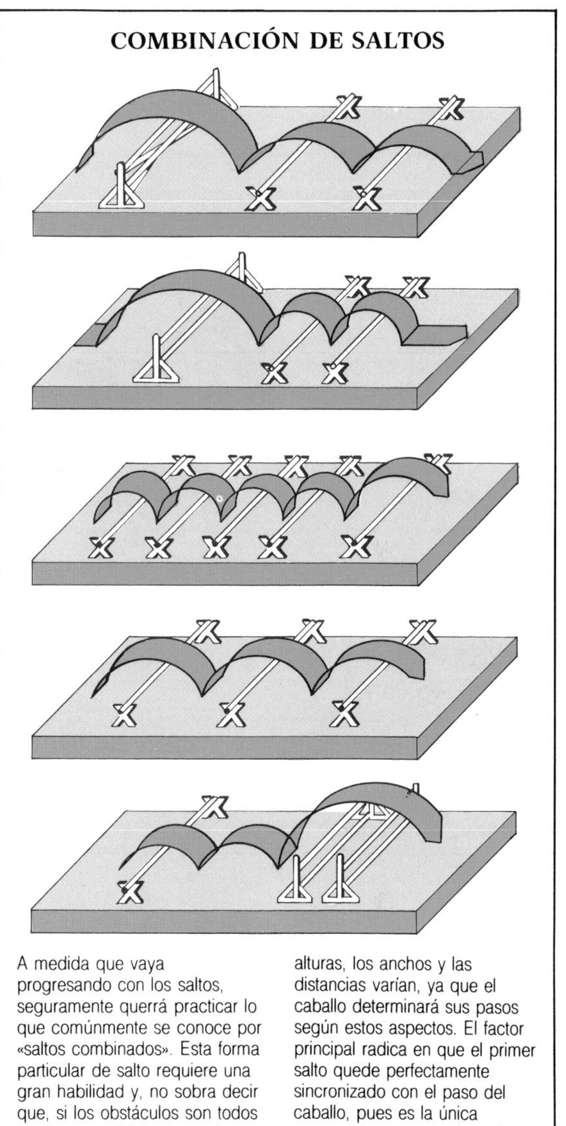

A medida que vaya progresando con los saltos, seguramente querrá practicar lo que comúnmente se conoce por «saltos combinados». Esta forma particular de salto requiere una gran habilidad y, no sobra decir que, si los obstáculos son todos iguales y equidistantes serán mucho más fáciles de salvar que las series en las cuales las alturas, los anchos y las distancias varían, ya que el caballo determinará sus pasos según estos aspectos. El factor principal radica en que el primer salto quede perfectamente sincronizado con el paso del caballo, pues es la única manera de no perder los saltos siguientes.

rras gruesas y sólidas que no tengan zonas astilladas o clavos. Los caballos se sienten más seguros y saltan mejor y con más fuerza sobre objetos sólidos que sobre los pequeños y ligeros.

A pesar de que un caballo puede perfectamente pasar por encima de un cavalletti al trote, probablemente prefiera saltar por encima; esté preparado. El primer «salto» que haga, le hará perder el equilibrio. No se olvide de ir sujeto a la correa del pescuezo, para no frenar por error al caballo. Una vez que se sienta seguro y capaz de mantener el equilibrio y el ritmo al trote, acérquese al cavalletti al galope corto. No vaya demasiado deprisa y deje al caballo saltar por encima del obstáculo, sin interferir en su movimiento para que lo pueda hacer de una zancada.

Después de esto, intente colocar otro cavalletti u otro pequeño obstáculo, quizá algo más alto, unos pasos más allá, de tal forma que tenga tiempo de adquirir la postura normal, antes de volver a saltar por encima del segundo obstáculo. Si se ha acercado al primero tranquilamente y sin prisas, no hay porqué reprimir al caballo entre los dos saltos. Es mejor no interferir con las riendas pues probablemente ello haría que ambos perdiesen el equilibrio.

Cuando ya sepa saltar con buen ritmo y equili-

Cuando el caballo se acerca hacia el obstáculo, equilibra su paso y baja la cabeza y el pescuezo. El jinete no ha de moverse, mantendrá un ligero contacto con la silla y se asegurará que la posición de las manos deja completa libertad a la cabeza del caballo. La parte superior de su cuerpo puede estar inclinada un poco hacia delante.

En el momento del salto, el caballo levanta la cabeza y el pescuezo y dobla hacia dentro los corvejones, lo que le dará la fuerza del impulso. El jinete ha de echarse hacia delante para no restringir el movimiento de la cabeza y el pescuezo del animal por llevar las riendas demasiado cortas.

Errores de postura:

Ponerse de pie sobre los estribos, de tal forma que la rodilla quede estirada y el peso recaiga sobre la planta de los pies en vez de en los talones.

Inclinarse hacia delante con lo que perderá control y capacidad de sentir el movimiento del caballo debajo suyo.

brio sobre un par de pequeños obstáculos, colocados a una cierta distancia, júntelos un poco más, de tal forma que su distancia sólo sea de unos pasos. También en este caso deje que el caballo elija el punto del salto antes de cada obstáculo. Usted, más bien, concéntrese en mantener el equilibrio y no interferir en ningún caso en su movimiento.

Empezar a hacer círculos

Hasta el momento, habrá hecho saltos en línea recta. Cambie, ahora, colocando tres o cuatro cavallettis en un círculo. Póngalos de tal manera que, el punto central de cada uno de ellos, coincida con la circunferencia del círculo y salte cada vez en este punto. Ir saltando en un círculo es un buen ejercicio tanto para usted como para el caballo. Suele agradarle menos que saltar en línea recta, también le hace doblar y flexibilizar la espalda y a usted le ayudará a montar con mayor precisión, o por lo menos le señalará cuáles siguen siendo sus puntos débiles.

Salte en línea recta o bien en círculo, intente siempre pasar por encima del obstáculo sobre su punto central. Como ayuda para indicar el centro, utilice un obstáculo simple hecho de dos barras. Ponga el extremo de cada una sobre un soporte y el otro sobre el suelo. Si ambas barras están a la misma altura, el punto de cruce será el centro y la parte más baja del obstáculo.

Tipos de saltos

Llegados a este punto, la única manera de mejorar y desarrollar los saltos, será practicarlos sobre el mayor número posible de obstáculos y en la mayor medida de condiciones diferentes.

Los obstáculos se dividen en dos categorías básicas. La primera serían las verticales, como por ejem-

Al saltar, el caballo forma un arco por encima del obstáculo con la cabeza echada hacia delante y hacia abajo y con las piernas encogidas debajo del cuerpo. El jinete tiene que mantener la postura del salto muy inclinado hacia delante también.

En el momento de bajar la cabeza y encoger el pescuezo, el caballo estira las patas delanteras hacia abajo. Las traseras están dobladas y caen justo después de las delanteras. El jinete seguirá en su postura de salto hasta unos pasos más allá de la valla.

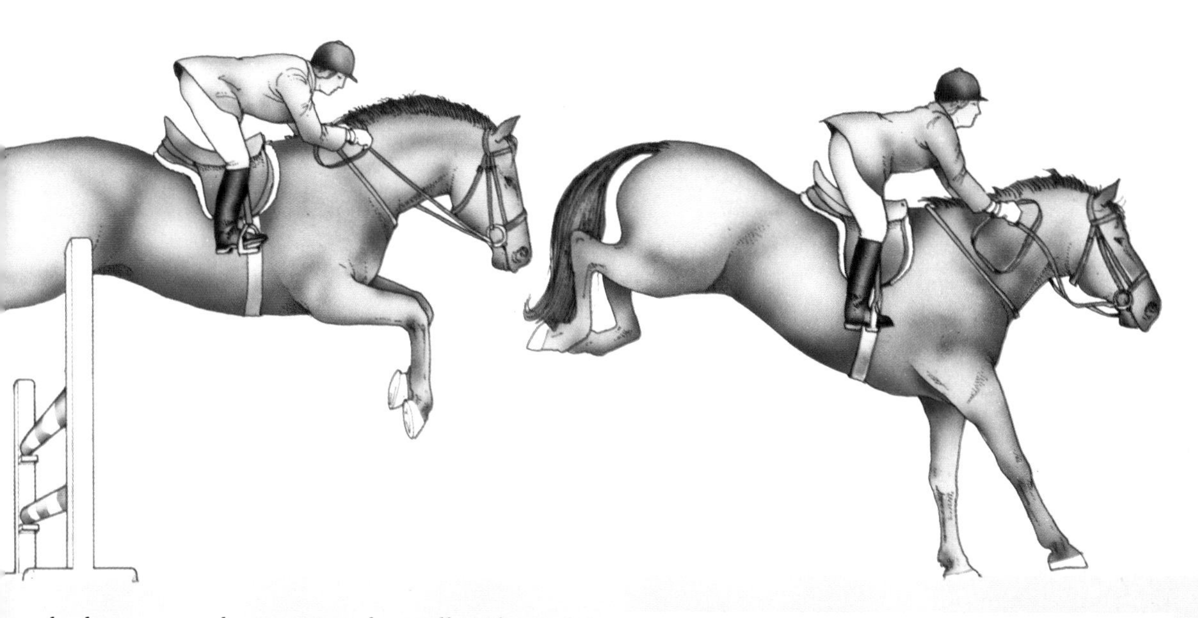

plo los muros, las puertas, las vallas, los setos estrechos y las barras colocadas verticalmente una sobre otra, y la segunda, las horizontales, como por ejemplo las barras paralelas o triples y los obstáculos de salto. Durante las sesiones de salto debería incluir, además, zanjas y bancos. Al principio, antes que ir subiendo las barras sin todavía saltar correctamente, concéntrese en saltar sólo sobre obstáculos bajos. Con un poco de imaginación, usted mismo podrá construirse los obstáculos; durante las prácticas éstos no deberían superar los 90 cm de altura y muchos deberán ser incluso más bajos. Es mucho mejor ir ampliando el ancho del obstáculo para que el caballo tenga que estirarse al pasar por encima, que ir probando su habilidad de salto aumentando la altura. Aparte de ser mejor para él, también será mejor para usted, pues, paulatinamente, podrá ir adquiriendo la sensación del movimiento.

Una línea de base, mejor vertical, colocada en frente del obstáculo, ayudará, tanto a usted como al caballo, a elegir más fácilmente el punto donde se ha de efectuar el salto. Dicho punto debería estar situado, aproximadamente, a la misma distancia del obstáculo, que la altura del mismo. Variará según la altura de la valla y la velocidad con la que se aproxime. Así, por ejemplo, un caballo que se acerca muy deprisa a un obstáculo bajo, lo saltará mucho antes que a otro equivalente a su altura.

Si el lugar donde está aprendiendo tiene un ca-

Errores en el salto:

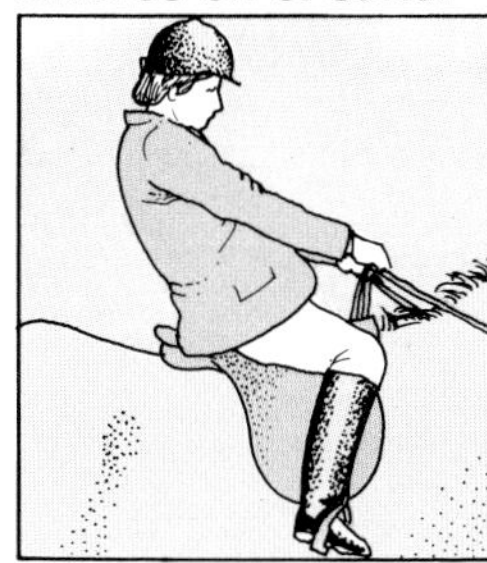

Soltar las piernas de tal forma que se vayan hacia delante o hacia atrás.

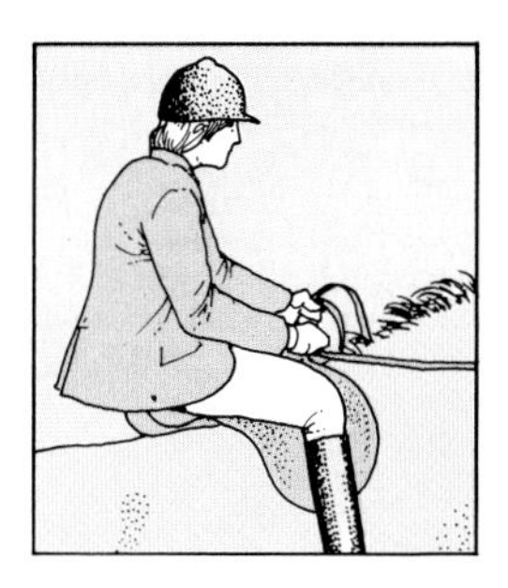

Si está sentado demasiado atrás en la silla, perderá el control y saldrá disparado de la misma.

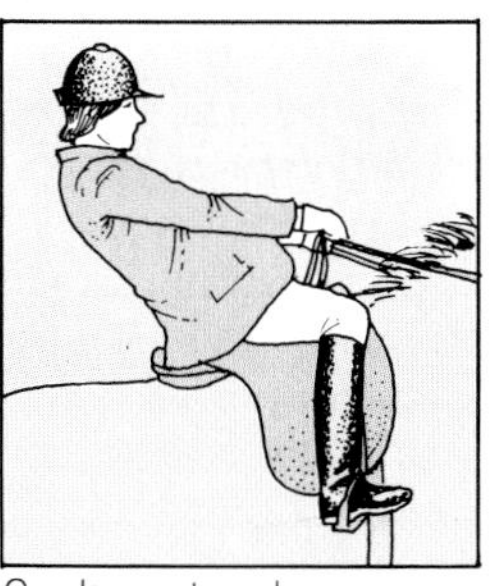

Quedarse retrasado con respecto al movimiento. Si le sucediera, deje que las riendas se deslicen entre los dedos.

Cuando el caballo cae después del salto, enderezarse demasiado pronto. Espere al menos a que el caballo dé un paso después de la valla.

No doblar suficientemente la cintura. Si va derecho no podrá mantener el equilibrio y el movimiento del caballo lo tirará de la silla.

No salte al principio con un caballo que no haya sido bastante entrenado.

Cambie la posición de las vallas para no estropear demasiado la tierra.

A medida que el salto empiece a ser algo rutinario, el caballo y el jinete podrán practicar con toda clase de obstáculos. Existen dos tipos básicos de vallas, las verticales y las horizontales. Las verticales sirven para practicar alturas y las horizontales para probar la habilidad del caballo saltando anchos. **Arriba y derecha:** Las ilustraciones muestran algunos de los obstáculos que el jinete tendrá que aprender a saltar si quiere entrar en competiciones.

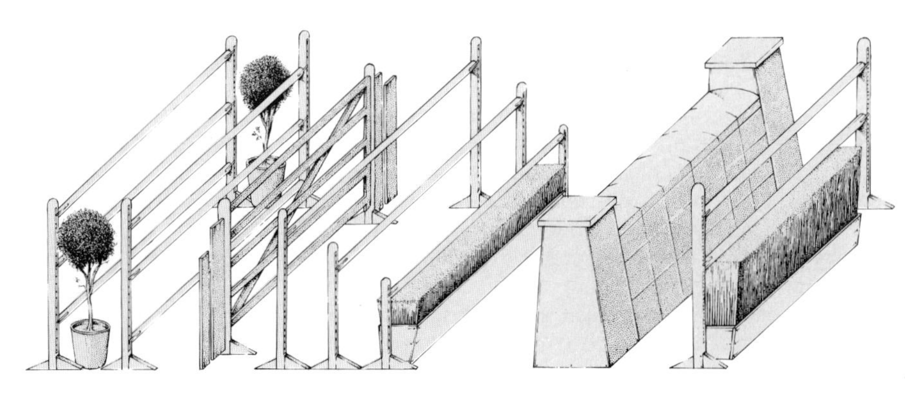

rril para saltos, o si está saltando por los alrededores de la escuela, un ejercicio útil sería ir salvando una línea de obstáculos con los brazos cruzados y las riendas atadas alrededor del pescuezo del caballo. Con esto podrá comprobar en qué medida se apoya en las riendas para no perder el equilibrio. Al final de la línea coja rápidamente las riendas otra vez. Después, vuelva a repetir el ejercicio, sin sujetar las riendas todavía, pero, esta vez, abrochándose al mismo tiempo un botón o anudando una cuerda. Le ayudará a montar con «sentimiento» e instinto.

Un ejercicio, aún mejor, es soltar y cruzar los estribos, así como montar sin riendas, de tal forma que, para mantener su postura correctamente, sólo pueda apoyarse en el propio equilibrio. Es un ejercicio práctico muy útil, pues son muy pocos los jinetes que, en mitad del salto, nunca pierdan los estribos. Es bueno darse cuenta, que si por casualidad le llegara a pasar a usted, no se caerá inmediatamente al suelo.

El rechazo del caballo

El hecho de que un caballo salte mal o rehuse a saltar, puede tener dos causas: o bien ha sido mal entrenado o no se lo está montando correctamente.

La razón de que un caballo rehuse a saltar suele ser que el jinete no lo ha montado correctamente. Aléjese de la valla haciendo un pequeño círculo y vuelva inmediatamente hacia ella impulsando enérgicamente con sus piernas. No acabe nunca con un rechazo, vuelva a saltar siempre una valla, por muy pequeña que ésta sea.

Suele tener más probabilidades la segunda causa. Trate siempre de analizar qué es lo que no está haciendo bien y procure su corrección. ¿Ha interferido, por ejemplo, en su paso mientras se acercaba, le ha tirado de las riendas en el momento del salto o ha puesto su cuerpo vertical antes que el caballo llegara nuevamente al suelo? Cualquiera de estos errores puede frenarle el salto. Si rehusa a saltar o se desvía del obstáculo, ¿no habrá sido porque se sentía inseguro usted mismo y no le ayudó a dar el salto?

Cuando el caballo rehuse a saltar, dele una pequeña vuelta y vuelva a ir derecho hacia el obstáculo. Los alerones altos o elaborados a ambos lados de las vallas son buenos para aquellos caballos que siempre tienden a evitar los obstáculos.

Termine siempre la clase con un buen salto, tanto suyo como del caballo, por muy pequeño que éste sea, pues será el que guardarán en mente para la próxima lección.

Sea para una carrera de obstáculos o para una exhibición, un caballo entrenado para saltar tiene que ser siempre un animal muy especial, ya que las aptitudes requeridas son muchas e intensas. A pesar de que el tipo de caballo puede variar mucho, todos los caballos de salto tienen en común fuertes cuartos traseros y los corvejones, pues los necesitan para el impulso del salto. Aparte de esto, tienen que tener una fuerte propulsión hacia delante, con poco incentivo por parte del jinete, salvo el de pasar su montura por encima del obstáculo con la mayor suavidad y éxito posibles. Asimismo, como las exhibiciones suelen realizarse en lugares cerrados, es necesario que el caballo sea tranquilo y no se excite por estar en espacios pequeños, llenos de gente y con grandes focos.

Equitación para avanzados

Una vez que domine los puntos y aspectos básicos de la equitación descritos en las páginas anteriores del libro, habrá cubierto prácticamente todo lo que necesita saber para llegar a ser un jinete competente en sus ratos de ocio, es decir, alguien cuyas ambiciones no vayan más allá de disfrutar por placer de la equitación. De todas formas, incluso aunque no desee mejorar hacia un tipo de equitación superior, siempre será conveniente tener, de tanto en tanto, unas clases profesionales que sirvan para «refrescar» su memoria. Los malos hábitos son fáciles de contraer y difíciles de reconocer sin un experto.

No permita que, el hecho de haber adquirido confianza sobre la silla y sentirse un jinete competente, se transformen en excusa para abandonar el trabajo en el picadero. Tenga regularmente algunas clases, pues le ayudarán a usted y al caballo a mantenerse en forma. Trabaje sobre el perfeccionamiento de las ayudas, haciéndolas cada vez más refinadas, de forma positiva aunque discreta. Pida, a algún amigo o colega experto en la materia, si él o ella puede ver las señales que transmite con las manos y piernas en cada momento. Tendrían que llegar a ser imperceptibles para los ojos de cualquiera que esté mirando.

Trabaje, también, en mantener un contacto firme con la boca del caballo a través de las riendas. A estas alturas, tendrá que empezar a concentrarse más en utilizar las manos independientemente del resto del cuerpo. En vez de pensar en las riendas como correas delicadas, tal como se había sugerido anteriormente, imagíneselas más bien como trozos de elástico que se estirarán cuando el caballo mueva su cabeza y mantenga un contacto firme con ellas. Serán sus manos, por supuesto, las que se tendrán que acoplar al movimiento del caballo; pero, como siempre, será su cabeza o pescuezo el que le mueva las manos y no usted conscientemente.

Si continúa montando en una escuela, intente montar la mayoría de caballos posible. Cada caballo se «siente» de una manera diferente, pues cada uno tiene un temperamento y un movimiento peculiares. De la misma forma, cada uno requerirá algo diferente de usted. Uno de los elementos básicos de un buen jinete, es su capacidad de poder adaptar su técnica, de tal manera, que siempre obtenga lo mejor del caballo que esté montando.

Ejercicios de doma básica

Un movimiento más adelantado que todo jinete debería saber ejecutar con gran precisión es el retroceso por medio de riendas: *rein back*. Se describe como ejercicio de doma pero probablemente tenga aplicaciones más cotidianas que la mayoría de estos ejercicios. Requiere bastante práctica, pues es bastante más difícil de llevar a cabo que lo que a primera vista pudiera parecer.

Arriba: Jinete y caballo haciendo una demostraciöin de *rein back*. Se realiza estando el caballo quieto y perpendicular al suelo. Después se mueve hacia atrás en dos tiempos, es decir, la pata delantera y la trasera en diagonal se mueven juntas. Luego de tres o cuatro pasos haga andar el caballo hacia delante nuevamente para que no se obsesione con la idea de retroceder.

Arriba: El giro de la mano delantera es un movimiento de dos vías, es decir, las patas delanteras y las traseras se mueven en direcciones opuestas. El caballo se curva contra la pierna interna del jinete de tal forma que mirará en la dirección de giro. Como muestra la fotografía, la pata delantera externa y la pata trasera interna siguen la misma vía.

El *shoulder-in* [1] es un movimiento lateral algo más avanzado. Aquí también se hacen dos vías, pero en este caso medio cuerpo abandona la dirección que lleva. El caballo echará los hombros hacia el centro de la pista; de esta forma, las patas delanteras irán marcando una vía interna y las traseras seguirán marcando la vía que llevaban.

(1) Tipo particular de movimiento de giro.

Si el caballo está siendo montado correctamente, debería moverse hacia atrás en dos tiempos, es decir moviendo las patas opuestas en diagonal al unísono. Suele ser frecuente el error de permitir al caballo irse hacia atrás en cuatro tiempos, es decir, una pata detrás de la otra.

Para realizar el *rein back*, asegúrese primero que el caballo forma un ángulo recto, es decir, con las cuatro manos colocadas uniformemente debajo de él. Presione con la parte interior de las piernas, de la misma manera que lo haría para pedirle que fuera hacia delante. Por otro lado, en vez de que sus manos permitan el movimiento, han de oponerle resistencia, tirando levemente de las riendas y pidiendo al caballo que pare. El impulso que ha provocado en el caballo con sus piernas se ha de disipar de tal forma que dé un paso hacia atrás. Mantenga la presión con las piernas y la resistencia con las manos hasta que el caballo haya hecho unos cuatro pasos hacia atrás. Posteriormente, ceda la presión de las manos y pida al animal realizar el mismo número de pasos hacia delante.

La vuelta sobre la mano delantera

El otro movimiento de doma, que es útil incluir en sus clases de equitación es la vuelta sobre la mano delantera. Este ejercicio tiene muchas aplicaciones prácticas, como por ejemplo cuando quiera hacer girar a su caballo alrededor de una puerta abierta.

En la vuelta de la mano delantera, el caballo hace un semicírculo girando sobre una de las dos manos delanteras (dependientemente de si la vuelta es hacia la izquierda o hacia la derecha). No se dan pasos, por lo que, en teoría, el movimiento se puede realizar en un espacio no mayor que dos veces el largo del caballo. En la vuelta hacia la derecha sobre la mano delantera, la pata derecha se mueve hacia fuera y los cuartos traseros hacia la izquierda. Para lograr el giro, tendrá nuevamente que crear un impulso con sus piernas y después controlarlo (impe-

E

Un jinete de doma internacional muestra un bellísimo *flowing trot*(1). En este paso, cada zancada del caballo cubre la mayor cantidad de suelo posible «estirándolas» al máximo. Es un paso muy bonito de ver debido al aparente momento de suspensión que aparece después de las zancadas. De todas formas, un trote extensivo no tiene necesariamente que ser rápido.

(1) Tipo particular de trote.

El giro sobre la mano delantera es un movimiento con bastantes aplicaciones prácticas. Durante un paseo, por ejemplo, le servirá para hacer pasar el caballo a través de una puerta abierta. De todas formas, hay entrenadores que no incluyen este ejercicio en su programa de entrenamiento por considerar que de alguna forma es un movimiento no natural y que, además, puede inculcar malos hábitos en el caballo. Durante el movimiento, los cuartos traseros del caballo describen un semicírculo alrededor de las patas delanteras, una de las cuales ha servido de eje. Las patas traseras se van cruzando, una delante de la otra, durante la vuelta. Se empieza con el caballo quieto y será suficiente con media o una vuelta entera. Ambos tendrán que generar impulso en las piernas y patas y controlarlo a su vez con las manos. Si utiliza constantemente su pierna izquierda o derecha, podrá girar el caballo sin que dé un paso hacia delante.

El giro de las caderas es un movimiento similar al del giro de la mano delantera, pero incluye el movimiento hacia delante. Pida al caballo que se adelante con la pierna interna y mueva el hombro externo hacia delante a la vez que tira un poco de la rienda interna. Procure hacerlo suavemente para que el caballo no tuerza el pescuezo demasiado. Cuando el caballo gire hacia dentro, coloque la pierna externa detrás de la cincha. Una vez que haya dado media vuelta, adelante el caballo invirtiendo las señales, ya que la pierna opuesta será ahora la interna. No se eche hacia atrás, pues el caballo necesitará del impulso hacia delante a partir de las caderas. Si no le cuesta realizar el ejercicio, intente hacerlo viniendo al paso. Si tuviera dificultades, haga sólo un paso cada vez y pare entre medias.

dir que el caballo se vaya hacia delante o hacia atrás) con las manos. Siéntese en el centro de la silla con el peso uniformemente repartido y presione con fuerza con la pierna derecha detrás de la cincha. El caballo entonces evitará la presión moviendo sus cuartos traseros hacia la izquierda. Mantenga el impulso y, con la pierna izquierda colocada cerca de la cincha, no deje que el caballo dé un paso hacia atrás. Mantenga también firmes las riendas y presione un poco más en la rienda derecha.

Continúe aplicando estas señales hasta que el caballo, girando sobre la mano delantera, quede mirando en la dirección opuesta. Para lograr una vuelta hacia la izquierda sobre la mano delantera, haga el procedimiento inverso.

La importancia del impulso

Es muy importante entender el término impulso. Se trata de la energía creada en los cuartos traseros del caballo, la cual produce su movimiento hacia adelante. Compare, por ejemplo, la energía del movimiento a la energía atrapada en un muelle enrollado. Dicha energía se crea en las piernas del jinete, el cual la ha de controlar con las manos. Es muy importante lograrlo, pues un paso que carece de impulso carece de disciplina o precisión y el caballo no podrá dar lo mejor de sí mismo. Su utilización correcta permitirá al jinete alargar el paso del caballo. Es decir, que cubrirá con cada paso más espacio, sin necesidad de aumentar la velocidad. Esta amplitud de zancada se puede lograr al paso, al trote o al galope corto.

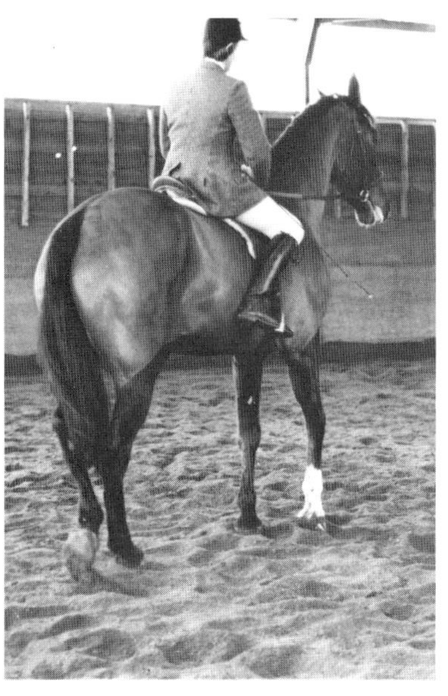

Otro término que seguramente habrá oído decir a su profesor, es el movimiento libre hacia delante. De hecho, este movimiento es el que tendrá que intentar obtener del caballo en cada momento. El caballo tiene que tener un movimiento libre. Esto, claro está, no quiere decir que usted no sea más que un pasajero subido sobre su lomo, ya que necesitará de su ayuda para lograr lo mejor en cada paso. Como ejemplo, se puede citar el trote libre, en el cual el caballo «balanceará» su espalda y utilizará las patas traseras para lograr el ritmo saltarín del trote. Pero esto sólo lo podrá hacer si usted está en la postura correcta y mantiene un contacto firme que permita usar libremente la cabeza, la espalda y los cuartos traseros.

A medida que avance su trabajo y se vuelva un jinete más activo, aprendiendo, quizá, a ejecutar algunos de los movimientos aquí ilustrados, evite la común tentación de ir mirando las patas del caballo para comprobar si realizan el movimiento específico correctamente. Mucha gente tiene esta tendencia, pues es natural el querer revisarse a uno mismo, pero con ello, sólo se logra que caballo y jinete pierdan el equilibrio y será entonces imposible realizar los ejercicios con la precisión que se requiere. La regla de la primera lección seguirá aplicándose aquí también: la cabeza se mantiene alta y el único sitio al que se mira es en línea recta entre las orejas del caballo. Recuerde también que tiene que mantener la espalda derecha y no rígida.

Expertos haciendo una demostración de movimientos de dressage. **Arriba:** Horst Koehler de Alemania. **Izquierda:** Miss A Van Doorne de los Países Bajos. **Derecha:** Mrs C.H. Boylan de Canadá. **Abajo:** Miembros de la Escuela Española de Equitación de Viena montando sementales blancos de Lippizzan.

La equitación del Oeste

Contrariamente a la imagen popular que se tiene de los vaqueros de las películas galopando furiosamente por las praderas con las piernas rectas dentro de los estribos y los brazos sueltos, la equitación clásica del Oeste difiere muy poco de la equitación clásica inglesa o europea. Ambos estilos tienen una misma raíz histórica, ya que, hasta que no llegaron los españoles a México en el s. XVI, que fueron además los primeros europeos en llegar al continente, la gente que vivía allí no había visto antes nunca un caballo. Es así como el estilo de equitación que practicaban los españoles, por lo demás, el estilo que se seguía en toda Europa en dicho momento, fue el ejemplo que aprendieron o copiaron los habitantes de aquellas tierras.

Las diferencias de los estilos de equitación se debieron a razones prácticas. Los primeros colonos de las Américas tuvieron que enfrentarse a grandes extensiones de tierra que en su mayor parte estaban inhabitadas, sin cultivar y sin vallar, incluso por límites naturales. Estas condiciones eran completamente nuevas para ellos, ya que no existía nada similar en sus tierras natales de Europa y se vieron forzados a adoptar nuevos hábitos de montura. Tenían que estar horas, cuando no días, sentados sobre las sillas trabajando con sus caballos para instalar granjas y los ranchos. De los indios, que pronto se hicieron maestros en el arte de montar los caballos que se escaparon de las primeras poblaciones, aprendieron a usar el lazo para recuperar el ganado que se iba en estampida. Empezaron a practicar esta técnica desde el lomo del caballo y actualmente es una faceta esencial dentro de la equitación del Oeste.

Todavía hoy la equitación clásica del Oeste está muy unida a la forma de montar de los vaqueros. Un punto que hay que tener en cuenta, eso sí, es que para el vaquero el caballo es sobre todo una herramienta, parte de la «maquinaria» esencial de su trabajo. El animal ha de permitir al vaquero realizar el trabajo con la mayor velocidad, facilidad y eficiencia posibles, mucho antes que llegar a una ejecución correcta, en el sentido, clásico, de sus movimientos.

Arriba: Uno de los tipos de rodeo más populares, montura de mustango ensillado. Requiere una gran habilidad y resistencia. **Abajo:** Jinete con una vestimenta tradicional que enseña a montar a un caballo conocido por Peruvian Paso. La amplitud de los estribos denota la influencia española, la cual juega también un papel en la evolución de la equitación del Oeste. **Arriba derecha:** Aunque la fotografía tenga más de 100 años, la vestimenta del jinete es bastante similar al equipo de trabajo que Utilizan actualmente los vaqueros.

Escuelas y diferencias

Actualmente existen dos escuelas reconocidas de equitación a la manera del Oeste norteamericano, la del sudoeste o californiana y la escuela de Texas. Como regla general, el estilo de la escuela de California es más clásico que el de Texas, pues trabaja movimientos más refinados y la precisión de la ejecución por parte del caballo. El contacto con la boca del caballo, aunque también es muy leve, es más preciso que el de la escuela de Texas. Para ello, las riendas suelen tener un poco de peso en el bocado, peso que no es mayor que el extremo trenzado de la rien-

da que hace que dicha parte pese un poco más. Por lo general, la escuela de Texas exige un recogimiento menor en los pasos de caballo y de esta forma, para el observador, el caballo tiene un «trazo más largo», es decir, tiene un andar menos recogido.

La diferencia más patente entre la equitación del Oeste y la europea es que, una vez que jinete y caballo hayan sido entrenados correctamente, el jinete del Oeste, por así llamarlo, lleva las riendas en una sola mano. Como consecuencia, el caballo tendrá que ser entrenado para entender las señales asociadas con las riendas (véase pág. 88). Al principio, de todas formas, siempre será mejor para el jinete llevar una rienda en cada mano. Así podrá mantener una postura correcta y estable sobre la silla. Al llevar las riendas en una sola mano, es más fácil que se salga de la silla, pues la postura es más difícil e insegura que llevando las riendas en ambas manos.

No es cierta la creencia común de pensar que el jinete del Oeste lleva las piernas totalmente estiradas. Si así lo hiciera, no tendría flexibilidad en la rodilla ni control sobre la pantorrilla, dos factores esenciales en cualquier estilo de equitación.

Vestimenta y equipo

El equipo del jinete del Oeste es muy diferente a su equivalente euopeo. Al igual que sucede con el estilo, el equipo está sujeto a muchas críticas erróneas. Se critica la vestimenta por considerarla caótica y suelta, descripción también aplicada al estilo de montar. Cabe recordar, empero, que esto no ha de ser así necesariamente. Aparte del equipo tradicional que aquí se describe, los jinetes llevan, cada vez más, ropas diseñadas especialmente, sobre todo cuando salen al ring de exhibición. Es ropa bien cortada y hecha a la medida, diseñada a partir del estilo tradicional dc los vaqueros, pero con un cuidado especial en la combinación de colores. Contrariamente a lo que ocurre con el equipo tradicional europeo,

Arriba del todo: Bridas de *bozal*. El término tiene una raíz española. Se utiliza principalmente para la doma de caballos. La presión debajo del mentón y contra la nariz sirve para controlar el caballo. **Abajo:** Bocado de barbada. La mayoría de estos bocados del Oeste tienen las correas del pómulo largas, pues sirven como fuerza de palanca. Las bridas originales no tienen muserola. En las bridas del Oeste los accesorios se reducen al mínimo. Aunque este tipo de equitación no difiera

mucho de la inglesa o europea, se desarrolló principalmente más por razones de necesidad que por estética. **Izquierda:** Las sillas típicas del Oeste tienen un *High horn* [1], el asiento hundido y un arzón alto. **Derecha:** La vestimenta del vaquero es diferente a la del jinete europeo, como muestra la fotografía, con sombrero de alas para protegerse del sol, camisas de colores brillantes, tejanos azules, botas de cuero o de ante con tacones altos y puntiagudos. También la vestimenta del Oeste recibe críticas de los jinetes europeos o ingleses pues la consideran informal y suelta. Hay que tener en cuenta que este tipo de ropa está diseñado para unas condiciones a las cuales los vaqueros se han de enfrentar y para las que son adecuadas.

(1) Parte de la silla de montar del Oeste (cuerno alto).

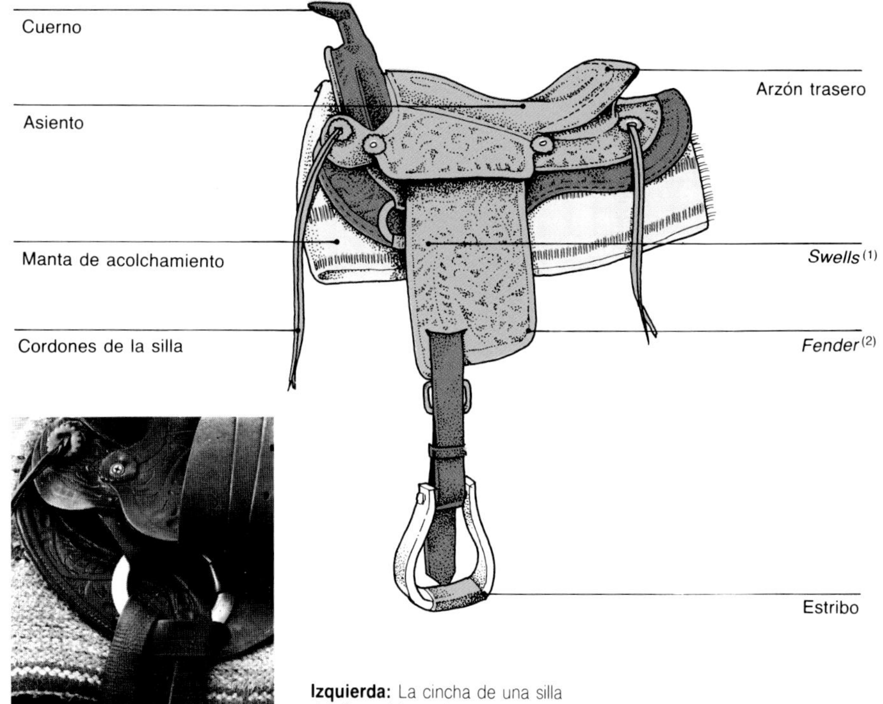

Izquierda: La cincha de una silla del Oeste bien sujeta con un nudo. **Arriba:** partes de la silla.

(1) Repujados
(2) Denfensas laterales

los colores son mucho más llamativos, hecho que también suscita críticas por parte de algunos tradicionalistas pertenecientes a la fraternidad de la equitación.

El equipo del caballo también es diferente al europeo. Al igual que el resto, el equipo está adaptado para enfrentarse a las condiciones que ofrecen las praderas del Oeste y para proporcionar al vaquero la mayor ayuda y confort posibles en su trabajo. Por lo general, las bridas tienen un diseño de «armazón», es decir, con el menor número posible de correas u otros accesorios. En parte, esto es debido a que en condiciones extremas de calor, el cuero y el metal juntos no hacen una buena mezcla, pues tienden a reaccionar mal recíprocamente. Las bridas, asociadas tradicionalmente a la equitación del Oeste, o no tienen bocado, o tienen un bocado de pala o uno normal de barbada. De todas formas, la mayoría de los jinetes prefieren usar bocados de bridones, que son un tipo de bocados de barbada unidos a la boca. El *Pelham* inglés es similar, pero sin rienda para el bocado de bridón.

Para poder utilizar un bocado de *spade*, jinete y caballo tendrán que estar bien entrenados. Este bocado tiene una gran pieza del bocado que se mueve muy poco en la boca al tirar de las riendas. El caballo sentirá el movimiento sobre la lengua y levemente también contra el paladar. Estos bocados suelen tener una correa de barbada hecha de cuero, en sustitución a la cadena que se utiliza en la equitación europea. Así se consigue también reducir al mínimo la mezcla del cuero con el metal.

Existen muchos tipos diferentes de sillas del Oeste; cada diseño depende del trabajo que ha de realizar el vaquero. Para una equitación de recreo, el tipo más utilizado es la comúnmente denominada silla de recreo tipo Oeste. Es más ligera que la mayoría de las sillas que se usan para trabajar, pero lleva también el tradicional cuerno alto.

Montar el caballo

En cualquier estilo de equitación es igual de importante conocer primero el caballo que se va montar. Por ello, antes de subirse, averigüe el nombre del caballo y dele unas palmaditas antes de conducirlo hacia el picadero. Una vez que esté preparado para subirse, compruebe que la montura esté firme y no se le puede luego escurrir la silla.

La forma de subirse al caballo en el estilo del Oeste no es muy diferente del estilo europeo. Colóquese a un costado del caballo y sujete las riendas con la mano izquierda, con la suficiente firmeza como para impedir que el caballo se pueda mover hacia delante. Aunque durante las primeras lecciones haya alguien sujetando la cabeza del caballo, adopte esta costumbre desde el principio. Póngase oblicuamente hacia los cuartos traseros del caballo, es decir, sin mirar directamente hacia la cola como en la equitación inglesa, sino de tal forma que con una mirada de reojo por encima de su hombro izquierdo pueda controlar la cabeza del caballo. Gire el estribo hacia usted y meta el pie izquierdo. Ponga la mano derecha sobre el otro costado de la silla y después, de un salto, pase la pierna derecha por encima del lomo y la silla del caballo. Recuerde que, al ser la silla del Oeste más alta, tendrá también que levantar más la pierna. Una vez sentado en mitad de la silla, meta el pie derecho en el estribo.

La ventaja de poner la mano al otro lado de la silla y no sobre el arzón trasero es, sobre todo, la de eliminar el riesgo de empujar la silla hacia usted. De esa forma, también podrá mantener la mano hasta que esté sentado sobre la silla. Si pusiera la mano un poco más atrás, tendría que desplazarla en el momento de pasar la pierna, lo que significa que, por un momento, estaría suspendido en el aire.

Estas precauciones, tales como mantener las riendas con firmeza para evitar que el caballo se mueva y poner la mano en una posición que no tenga que moverla mientras se monta, provienen de los orígenes de la equitación en el Oeste. Lo peor que le podía ocurrir a un vaquero en mitad del campo era perder a su caballo. Si, por ejemplo, en el momento de montarlo, el caballo se moviese de tal forma que le hiciera perder el equilibrio y se escapara, podía, casi seguro, darse por muerto. El caballo, aparte de ser su transporte, llevaba la cantimplora de agua y la comida más necesaria. Si se había quedado lejos de casa, en medio de esa tierra árida sus posibilidades de supervivencia eran bastante escasas.

La postura sobre la silla del Oeste

Como en la equitación europea, el jinete del Oeste se sienta en la mitad y el centro de la silla, de tal forma que su peso se reparta de manera uniforme sobre el lomo del caballo, directamente sobre su centro de equilibrio. El jinete llevará la cabeza alta, con el peso del cuerpo sobre los huesos del trasero. El resto se reparte en las rodillas y talones; dicho de una manera más simple, el peso del jinete cae directamente hacia abajo. Los pies no deben presionar demasiado sobre los estribos, pues si no el cuerpo tenderá a levantarse de la silla.

Ya se ha mencionado anteriormente la creencia común de que los jinetes montan con las piernas totalmentes estiradas. De hecho, el largo de los aciones ha de ser el mismo que el que se utiliza para la doma; es decir, un poco más largo que en el caso de la equitación normal de recreo europea, pero no tanto que si se pusiera de pie en los estribos, no pudiera levantarse de la silla. Un ejercicio que sirve para encontrar el largo exacto es poner los pies en los es-

MONTAR Y DESMONTAR EN LA EQUITACIÓN DEL OESTE:

Montar: Mirando oblicuamente los cuartos traseros del caballo, meta el pie izquierdo en el estribo. Sujete las riendas con firmeza.

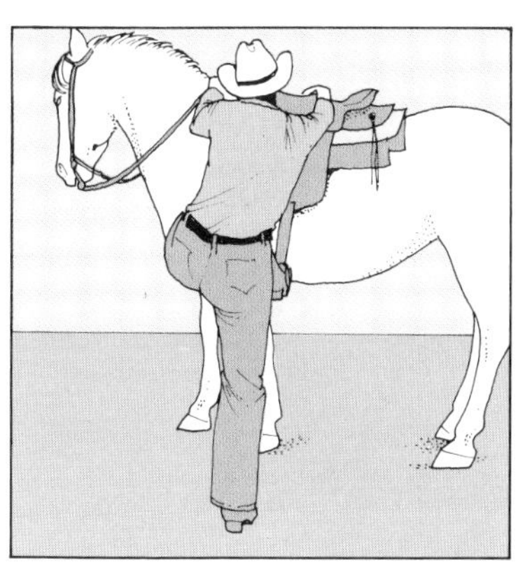

Gírese hacia el costado del caballo y ponga la mano derecha en el otro lado de la silla.

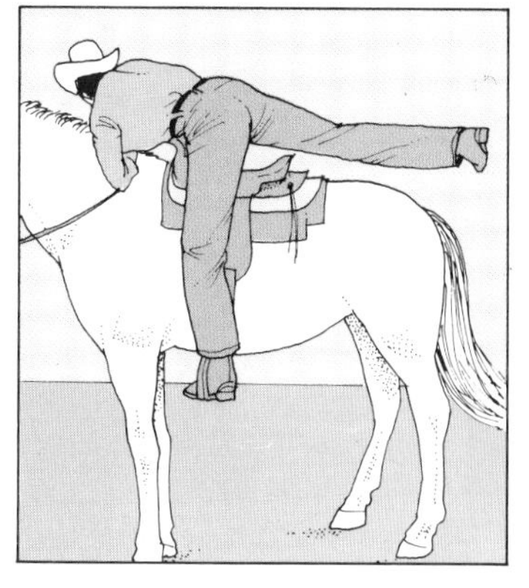

De un salto, pase la pierna derecha por encima de la espalda del caballo y siéntese con suavidad.

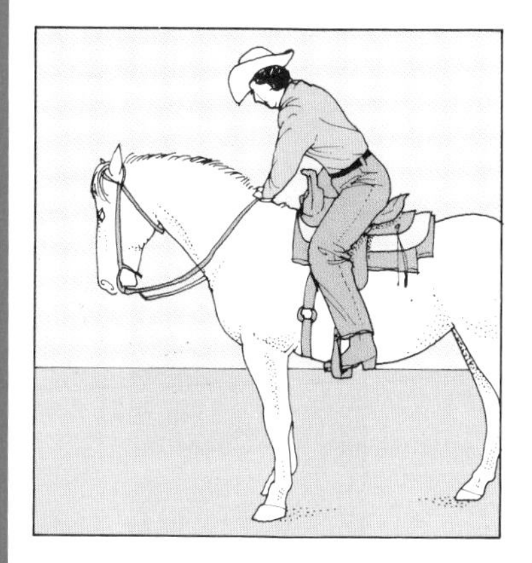

Desmontar: Saque el pie derecho del estribo, sin soltar las riendas con la mano sobre el pescuezo del animal.

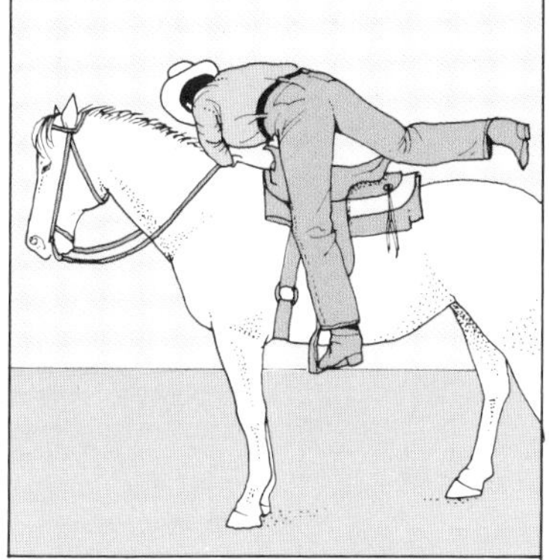

Apoye la mano derecha en la parte derecha de la silla, e, inclinándose hacia delante levante la pierna derecha y pásela por detrás.

Cuando tenga el pie derecho en el suelo, saque el izquierdo del estribo.

Errores:

Un error bastante frecuente es sujetarse a la perilla en el momento de subir.

Otro error similar es sujetarse al arzón trasero para coger impulso.

Sujete siempre con firmeza las riendas o perderá probablemente el caballo.

Hay algunos ejercicios para la equitación del Oeste que le ayudarán a comprobar si mantiene la postura correcta sobre la silla. **Arriba:** Levante el brazo, tuerza el codo y abra la mano hacia arriba. Con esta postura, estire suavemente el brazo hacia arriba. Baje el brazo sin mover la espalda. Le ayudará a mantener la espalda derecha, que no es lo mismo que rígida. **Derecha:** Hasta que haya adquirido la sensación y la postura correcta de la equitación del Oeste, lleve mejor una rienda en cada mano. Cuando haya adquirido confianza sobre la silla, podrá llevar las riendas en una sola mano. **Derecha:** La postura sobre el caballo es similar a la del jinete europeo o inglés: el jinete va sentado en el centro de la silla, con el peso del cuerpo uniformemente repartido hacia ambos lados, directamente hacia los talones. Como éste se levantará más de la silla, los estribos tienen que ser un poco más largos que para la equitación normal. Mantenga la cabeza alta y derecha, igual que el cuerpo, relaje las piernas y sujete las riendas o coloque las manos sobre la perilla.

tribos e ir bajando los aciones hasta que las piernas caigan derechas a ambos lados de la silla. Recuerde, eso sí, que la punta de los pies no han de apuntar hacia abajo. Después, suba los aciones un agujero; en la mayoría de las sillas del Oeste, éstos se encuentran a una distancia de unos 5 cm. Si estuvieran más juntos, suba los estribos dos agujeros. Desgraciadamente, es imposible ajustar los aciones de una silla del Oeste subido al caballo.

Desmontar

Para desmontar del caballo al estilo del Oeste, ponga las riendas en la mano izquierda y coloque ésta justo delante de la silla. Ponga la mano derecha sobre el cuerno y saque el pie derecho del estribo. Inclinado hacia delante, pase la pierna derecha por detrás y por encima del lomo y la silla del caballo. Mirando hacia la cabeza del caballo, bájese rápidamente y con suavidad. En cuanto tenga el pie derecho en el suelo, saque el izquierdo del estribo.

El paso y el trote corto

Como en cualquier tipo de equitación, el aspecto más importante de la equitación del Oeste es sentir el caballo, sentir la postura correcta sobre la silla y aprender a reconocer los pasos que efectúa el animal. Esto

Errores de postura

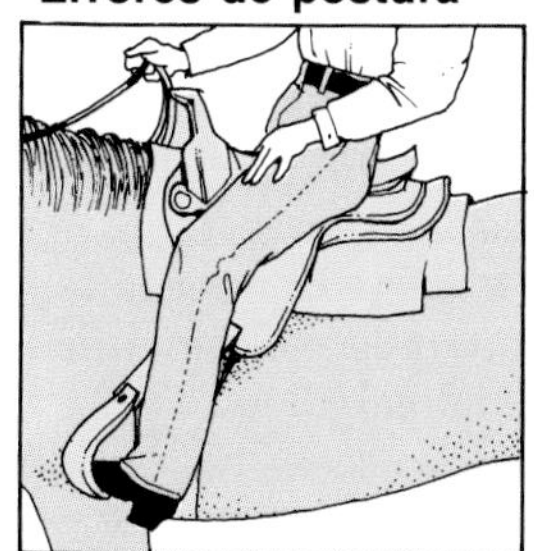

Tensar los músculos traseros de las piernas y adelantar las piernas.

El peso del jinete no va equilibrado.

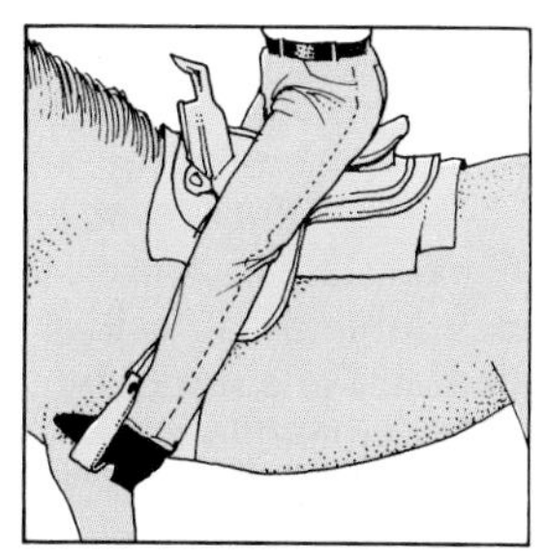

Echar los pies hacia delante y estirar las piernas.

Los errores que se cometen en la equitación del Oeste son los mismos que en otros tipos de equitación. De todas formas hay algunos propios de este estilo. Uno es sujetarse a la perilla en un momento de inseguridad, en vez de sujetar las riendas. Es un defecto que hay que corregir desde el principio. Otro error común, es acortar las riendas en vez de alargarlas al transmitir una ayuda con las piernas, de tal forma que el caballo se para en vez de avanzar.

Arriba izquierda: En la equitación del Oeste se entra en el paso de la misma forma que se hace en la equitación europea. Pida al caballo que se adelante golpeando levemente sus costados con las piernas y talones, aflojando al mismo tiempo las riendas. El caballo ha de moverse con libertad, manteniendo un paso uniforme y suave.
Arriba: El trote corto del Oeste es el equivalente al trote europeo. Aunque el movimiento sea el mismo, el paso tiende a ser un poco más zarandeado. El jinete tiene que ir sentado bien adentro de la silla, con la cintura y los riñones flexibles para poder relajarse al ritmo del movimiento.
Derecha: Asimismo, al paso largo, el jinete ha de seguir el movimiento del animal relajando su cintura y riñones y manteniendo la postura correcta sobre la silla.

no es sólo difícil de explicar sino también de enseñar. La única manera posible de entender el sentido de esta sensación, es practicando mucho y con continuidad la equitación. Practique extensivamente el paso, incluso antes de pasar al trote corto, intentado hacer suaves giros y círculos perfectos. Transmita las señales de la misma manera que lo haría normalmente, tirando suavemente con la rienda en la dirección en que desee que el caballo gire y apretando la pierna interna contra su costado cerca de la cincha y la externa justo detrás de la misma. Tenga en mente que la presión con las riendas no es más que un leve tirón. Hay que conseguir realizar una vuelta suave, sin una reacción violenta o brusca de la cabeza del caballo. Si tira con fuerza de las riendas, el animal reaccionará inevitablemente con violencia.

El jinete del Oeste pone el caballo al paso de la misma forma que lo haría otro jinete en cualquier tipo de equitación, apretando sus piernas contra los costados del caballo y abriendo los dedos para permitir el movimiento del animal. Una vez que el caballo se haya echado a andar, el jinete seguirá el movimiento dejando que su cuerpo vaya al ritmo del paso.

En la equitación del Oeste el trote se llama trote corto. El trote corto correcto exige un ajuste de los corvejones, de tal forma que el caballo vendrá con un impulso trasero enérgico y rítmico. Pídaselo de la manera usual, asegurándose primero que su paso es bueno y que atiende y obedece sus señales. Permanezca sentado sobre la silla, como en el trote a la española, y relaje el cuerpo de tal manera que pueda seguir los movimientos del caballo. No tense el cuerpo contra la silla, pues inevitablemente saldrá disparado, pero tampoco relaje tanto el cuerpo que quede suelto. Vaya derecho y deje que el lomo y la cintura absorban el movimiento.

Realice, como al paso, muchos ejercicios prácticos al trote corto. Intente mantener un paso uniforme y firme a lo largo de tres o cuatro circuitos seguidos en el picadero y después en círculos más pequeños (20 m) y figuras de ocho. Aunque no lo parezca, es bastante difícil de conseguir, pero por ello no deja de ser una práctica excelente. Lleve en mente, constantemente, que el trote corto del Oeste es un movimiento, en el cual los cuartos traseros del caballo se mueven con energía, de tal forma que se produce un paso muy activo. No permita, como jinete, que el paso pierda fuerza.

Tradicionalmente, el jinete del Oeste va a un trote corto, en el cual no se levanta de la silla, como ocurre en el trote a la europea. De todas formas y especialmente si quiere hacer la equitación de rastreo (cabalgar con *ponies*, al estilo del Oeste), por lo que tendrá que estar muchas horas al día sobre la silla, es bueno también saber levantarse al trote. Para caminatas muy largas es esencial ir así al menos un rato, pues estar mucho tiempo seguido sin moverse de la silla es igual de agotador para usted como para el caballo. Si practica el trote a la inglesa podrá también reconocer más conscientemente el movimiento en diagonal de las patas del caballo.

Reducir la velocidad y parar

Las señales que se transmiten para reducir la velocidad o parar son también las mismas que se utili-

Errores en la equitación del Oeste

Los principiantes de este estilo harán muchos errores comunes al estilo europeo, aunque hay algunos que son específicos de este tipo de equitación:

Sujetarse al cuerno de la silla en un momento de inseguridad. Es mejor sujetarse a las riendas para mantener el equilibrio, aunque esto también habría que evitarlo.

Distribuir mal el peso sobre la silla. Lo mejor es que alguien se coloque detrás para poderle decir hacia qué lado se está inclinando. Cuando va al paso largo, echar los pies hacia delante y dejar las piernas derechas. La forma de la silla del Oeste incita este defecto.

Apretar los dedos contra las riendas en vez de abrirlos. Recuerde que las señales de las manos y piernas han de ser complementarias y no contradictorias.

zan en cualquier tipo de equitación clásica. Para pasar del trote corto al paso, apriete las pantorrillas contra los costados del caballo y tire un poco de las riendas. Tiene que pensar en la idea de «andar», que aunque suene un poco extraño, si piensa conscientemente qué es lo que quiere que haga el caballo, le será más fácil transmitir sus deseos. La filosofía es la misma que a la hora de mirar hacia la dirección que quiere ir, especialmente cuando necesita girar. Si mira en la dirección que desea ir y piensa en el paso que quiere del caballo, tendrá la batalla ya medio ganada.

El galope corto o paso largo

En la equitación del Oeste, el galope corto recibe el nombre de paso largo. Es exactamente el mismo paso, aunque, cuando se realiza correctamente, con un movimiento muy suave del caballo, es algo más fácil y más relajado que su versión europea. A pesar de que también los cuartos traseros producen una enorme cantidad de energía, es un paso muy suave y hay que considerar, igualmente, el contacto con las riendas. Esta suavidad puede hacer, a su vez, que el caballo tienda a volver al trote corto, por lo que el jinete tendrá que impulsarle amablemente todo el rato con las piernas y no perder el movimiento.

Las señales que se transmiten para el paso largo son las mismas que las del galope corto europeo (pág. 50). Si está moviéndose en dirección contraria a las agujas del reloj por el picadero, el paso largo lo llevará la pata delantera izquierda; si monta sobre la rienda derecha o en el sentido de las agujas del reloj, transmita las señales de tal forma, que la pata delantera derecha lleve el movimiento.

Monte al paso largo de la misma forma que lo haría si fuera al galope corto, sentado bien adentro de la silla, con la cintura y los lomos flexibles para que puedan absorber el movimiento. También aquí tendrá que ir derecho, con la cabeza alta y mirando en la dirección que desea ir. Es igualmente un paso, cuya suavidad y uniformidad de ritmo puede hacer que el jinete se relaje demasiado. Cuando quiera volver al trote corto, piense en él y transmita entonces las señales adecuadas.

Más ejercicios

Muchos de los ejercicios que se describen en la sección que trata sobre la equitación europea, sirven también para que el jinete del Oeste se independice dc la montura, desarrolle y ejercite los músculos correctos y coordine los movimientos del cuerpo para que actúen juntos o independientemente, según el

Izquierda: Forma de sujetar las riendas de la escuela de California. **Derecha:** El método de Texas. En el primer estilo las riendas entran por la parte baja de la mano y salen por arriba, debajo del pulgar. Los extremos sobrantes van unidos al final y se colocan debajo de la otra mano sobre el muslo. En el método de Texas las riendas no van unidas. Se pasan primero por la parte superior de la mano, debajo del pulgar y, a veces, entre el índice, y salen por la puerta baja de la mano. A diferencia del método de California los extremos no se colocan debajo de la otra mano, aunque éste, igualmente, descansa sobre el muslo.

caso. Un ejercicio particularmente bueno es mover los hombros en círculo; un error bastante común de los jinetes principiantes es acumular en esta parte del cuerpo bastante tensión. Sirve también para corregir la postura. Otro ejercicio útil es balancear las piernas a partir de las rodillas hacia delante y hacia atrás y después hacer lo mismo con los brazos a partir de los hombros al ritmo que lleve el paso. Hágalo al paso, al trote corto y al paso largo. El hecho de moverse al mismo ritmo del caballo sirve para entender y reconocer mejor el paso que lleva el animal.

Durante las primeras clases, cuando todavía lleve las riendas en dos manos, practique todos los pasos, las vueltas y los círculos sin estribos. No olvide, que lo más importante es mantener la postura sobre la silla todo el rato, tal y como lo haría si llevara los pies dentro de los estribos.

Principios del neck-reining (= llevar las riendas con una sola mano)

Hasta aquí, habrá estado montando con una rienda en cada mano y así debería seguir haciéndolo hasta que haya adquirido una postura realmente segura y equilibrada sobre la silla. El equilibrio es un factor de extrema importancia, pues al llevar las riendas en una sola mano en este estilo de equitación, es muy fácil que el jinete pierda la postura o se desequilibre. Por ello, asegúrese previamente que, antes de empezar a llevar ambas riendas en la mano izquierda, ha adquirido ya la suficiente confianza en todos los pasos, de tal forma que pueda mantener el ritmo armónico del caballo y ejecutar cambios y giros suaves.

El aspecto esencial es entender que monta un caballo entrenado para comprender los principios del *neck-reining*. Todos los caballos saben lo que significa el hecho de ejercer presión sobre una de las dos riendas; tirar de la rienda izquierda significa girar o moverse hacia la izquierda y viceversa con la otra rienda. Los caballos entrenados según la equitación del Oeste van un paso más allá. Responden a la presión que reciben con las riendas sobre el pescuezo apartándose de ella. Así, por ejemplo, si el jinete quiere ir hacia la izquierda, mueve las dos riendas ligeramente en dicha dirección, de tal forma que el caballo recibe presión de la rienda derecha sobre el pescuezo. Esta señal va acompañada del soporte usual que efectúa la pierna.

Existen dos maneras reconocidas de llevar las riendas en una sola mano. Pruebe las dos para ver cuál prefiere y para ver con cuál recibe la respuesta más suave y mayor por parte de su caballo. En la primera, la mano se coloca en la postura usual, con la muñeca ligeramente flexionada y los dedos doblados hacia dentro con el pulgar arriba. Las riendas salen por encima de la mano, entre el pulgar y el índice. El otro extremo sale por debajo de la mano y cae hacia la izquierda. En la segunda, la mano se coloca de la misma forma, pero las riendas se cogen desde la parte baja de la mano y aparecen entre el pulgar

66

GIROS DE NECK-REINING:

En el *neck-reining*, el caballo responde a la presión ejercida sobre su pescuezo desviando su cuerpo. Es algo que ha aprendido en la doma. Las ayudas que transmite el jinete han de ser extremadamente sutiles, de tal forma que el caballo sólo intenta un mínimo de presión.

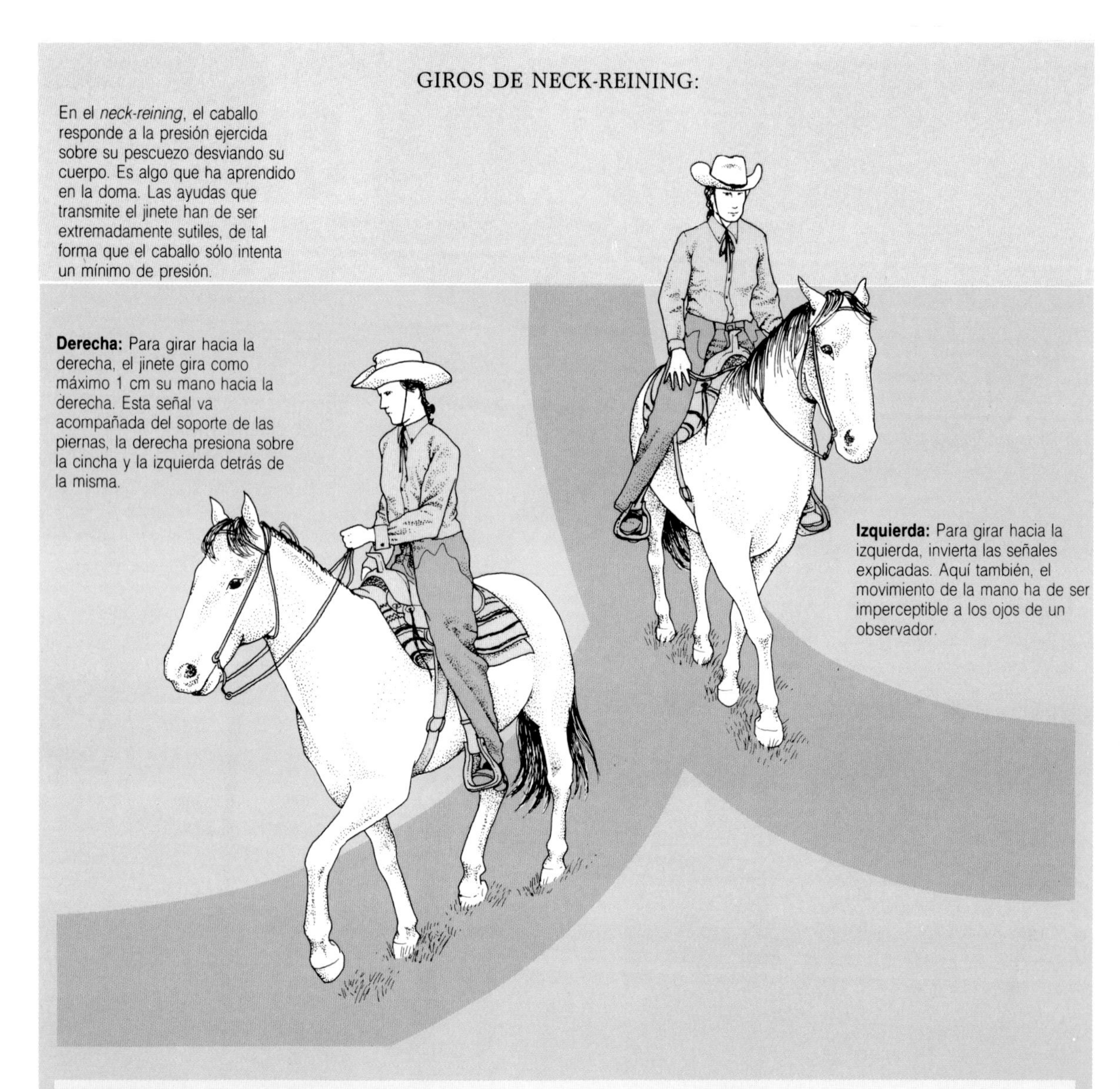

Derecha: Para girar hacia la derecha, el jinete gira como máximo 1 cm su mano hacia la derecha. Esta señal va acompañada del soporte de las piernas, la derecha presiona sobre la cincha y la izquierda detrás de la misma.

Izquierda: Para girar hacia la izquierda, invierta las señales explicadas. Aquí también, el movimiento de la mano ha de ser imperceptible a los ojos de un observador.

Errores del neck-reining:

El llevar las riendas en una sola mano, probablemente incidirá en su postura y en el manejo del caballo, sobre todo si está acostumbrado a llevarlo con dos riendas. Los errores más comunes son:

Llevar (desiguales las riendas), de tal forma que una vaya más larga que la otra.

Soltar la mano del muslo y moverla en el aire con el puño apretado, señal que denota tensión. La mano derecha tiene que ir todo el rato sobre el muslo.

Llevar la mano izquierda demasiado alta y excesivamente echada hacia atrás.

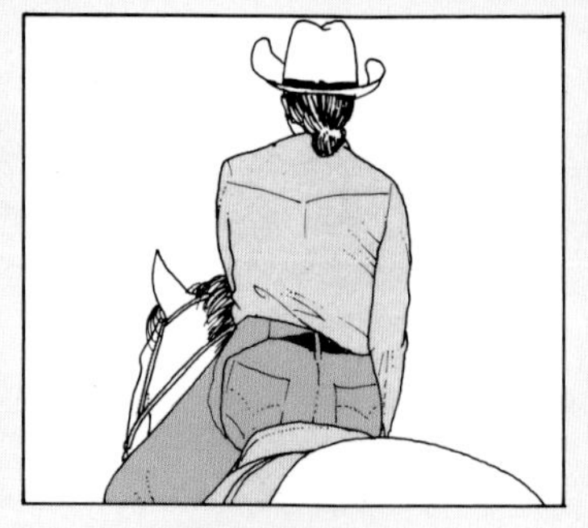

Mover exageradamente la mano de las riendas hacia la izquierda o derecha.

Apoyarse en la mano de las riendas e inclinarse hacia la izquierda o derecha. Lo más probable es que se levante de la silla y pierda control..

y el índice. Éste es un rasgo característico de la equitación de California. Si las riendas están unidas por sus extremos formando una trenza, coloque esta parte debajo de la mano derecha que descansa sobre el muslo. Si las riendas están separadas, el extremo de ambas pasará entre la mano y caerá hacia atrás por encima del pulgar para que no pueda estorbar. No las deje caer hacia delante ni las sujete con el pulgar.

Sea cual sea el método que adopte para llevar las riendas, la mano derecha siempre se pone encima del muslo. Coloque la mano izquierda justo enfrente del cuerno de la silla, nunca detrás, pues si no se deslizaría hacia su cuerpo. Si pierde la postura de la mano, perderá rápidamente el control sobre el caballo.

Práctica del neck-reining

El hecho de llevar las riendas en una sola mano conduce, inevitablemente, a crear algunas distorsiones, cuando no errores, en la postura. Por esta razón, antes de pasar al trote corto o paso largo, haga muchas prácticas al paso, haciendo círculos y giros. No exagere la técnica, aunque el caballo reaccione evitando la presión que recibe sobre el pescuezo, ésta ha de ser muy leve. Un caballo bien domado responderá ante la señal más ligera. Al transmitirla, la mano no debería moverse más de 7-14 mm. Si el movimiento es mayor, no sólo cabe el peligro de perder el equilibrio de la postura, sino que además el caballo responderá, seguramente, exagerando la inclinación del pescuezo. Apartará la cabeza de la dirección del movimiento y, al tirar con fuerza hacia la izquierda, se irá hacia la derecha y viceversa. En lugar de forzar el caballo, piense que basta con un ligero aleteo de las riendas sobre el pescuezo.

En el *neck-reining* las señales que se transmiten con las piernas son áun más importantes de lo normal. El caballo se mueve hacia delante entre la pierna y la mano, lo que viene a decir, que tendrá que transmitir las señales de las piernas justo antes de realizar el correspondiente movimiento de la mano. Es así como el animal se adelanta entonces con la mano.

Una vez que reconozca los principios del *neck-reining* al paso, continúe los ejercicios al trote corto. No hay necesidad de exagerar la aplicación de las señales sólo porque el paso haya aumentado. El fin continúa siendo el mismo: lograr en los giros y las vueltas un ritmo armónico del trote.

Para que el caballo vaya al paso largo en una determinada dirección, se transmiten las señales usuales. Incline levemente la cabeza del caballo en la dirección de la pata que llevará el paso y coloque la pierna externa detrás de la silla mientras presiona con la pierna interna.

¡El orden de las señales transmitidas es fundamental! Aunque ahora lleve las riendas en una sola mano, pida al caballo que incline su cabeza con la rienda indirecta, no con la que recae directamente sobre el pescuezo. Si aprende a dar estas señales, ayudará al caballo cuando adelante su hombro derecho. En cuanto la orden haya pasado del cerebro a las patas, su reacción inmediata será ponerse a andar al paso largo, con la pata delantera derecha marcando el paso.

Para que reduzca velocidad o pare, hágalo igual que lo haría si tuviera una rienda en cada mano. Apriete suavemente los dedos contra las riendas (no tire nunca con fuerza) y eche las piernas hacia delante.

Izquierda: Un ejercicio excelente para la equitación del Oeste es montar sin estribos manteniendo la postura correcta de las piernas. Como muestra la fotografía, ni el cuerpo ni las manos deben tampoco perder su postura. Intente ir sin estribos en todos los pasos.
Derecha: Un ejercicio para flexibilizar y fortalecer los músculos de la cintura: Mantenga las piernas en la postura correcta e incline el cuerpo de tal forma que pueda tocar el hombro del caballo con la mano opuesta.

Utilización de las piernas

De la misma forma que puede controlar la dirección presionando sobre el pescuezo, tiene que aprender a hacer girar al caballo presionando con la pierna correspondiente. La mejor manera de ponerlo en práctica es realizando el ejercicio de la vuelta sobre la mano delantera (pág. 94) que sirve para cualquier tipo de equitación de recreo.

Un caballo domado al estilo del Oeste, ejecuta la vuelta sobre la mano delantera exactamente igual que cualquier otro caballo. Responde igualmente a las mismas señales. Intente hacer este ejercicio hasta lograr con suavidad una semivuelta (de 180°). Coloque un cavalletti (pág. 62) aproximadamente a 1 m del muro o la valla del picadero, en el centro de uno de los largos. Camine con su caballo hacia el obstáculo por la vía que esté más cerca del centro del picadero, es decir, una vía interna. Pare al caballo justo enfrente del extremo del obstáculo. Tire suavemente de las riendas para detenerlo y después hágalo rodear el cavalletti haciendo que gire contra su pierna izquierda. Para que dé la vuelta sobre la mano de-

Todas las técnicas utilizadas actualmente en la equitación del Oeste, incluyendo los ejercicios de doma, como el giro sobre la mano delantera y el *rein back*, evolucionaron de acuerdo a razones prácticas. En la fotografía un grupo de vaqueros acorralan a caballos salvajes, una tarea que exige gran habilidad en la técnica.

lantera, haga una serie de presiones con la pierna más próxima al obstáculo de tal forma que el caballo, por reacción, aparte sus cuartos traseros y dé entonces la vuelta. Una vez que haya completado un giro de 180°, vuelva nuevamente al final del picadero y acérquese al cavalletti en dirección opuesta. Repita entonces nuevamente el ejercicio.

El rein back

Asimismo, tiene que ser capaz de ejecutar un *rein back* suave, pues es un ejercicio que probablemente necesitará poner en práctica en numerosas ocasiones. Como en la equitación europea, primero el movimiento hacia delante se pide con las piernas y luego se restringe con las manos. Se dará cuenta que, al aplicar las señales por pasos, tirando primero suavemente de las riendas y, cuando el caballo haya dado un paso hacia atrás, relajando esta presión, obtendrá del caballo un movimiento suave, en el cual el animal retrocede correctamente y de manera uniforme en dos tiempos. En cada paso, la señal de la mano será «tirar-ceder», «tirar-ceder».

Una vez que el caballo haya retrocedido tres o cuatro pasos, relaje la presión ejercida en las riendas y pídale que se adelante. Esto sirve para que el retroceso no se le quede como una idea fija y se vuelva entonces un hábito. Es algo muy importante para las competiciones de doma, pues los jueces penalizan severamente los retrocesos del caballo, a no ser que tales retrocesos se requieran en ese momento expresamente.

Cuando haga andar hacia atrás al caballo, no se apriete contra la silla pensando erróneamente que así inducirá el movimiento en el caballo.

Lo único que conseguiría es torcerle la espalda y le será casi imposible retroceder correctamente. Siéntese con ligereza y piense también con ligereza.

Sliding stop y quick stop *(freno en seco* y *freno rápido)*

Aunque un caballo siempre tiene que responder a sus señales en el instante, este hecho encuentra en la equitación del Oeste un énfasis mayor del normal. Otro caso más, originado por razones prácticas. Así, por ejemplo, si un jinete que monta por un terreno montañoso se encontrara inesperadamente frente a un precicipio, querrá que su caballo para en el segundo en que se lo pide y no tres pasos más allá. De aquí se ha ido desarrollando el movimiento denominado *sliding stop*, en el cual el caballo para en seco, incluso yendo al galope, por lo que las patas traseras se deslizan justo debajo del cuerpo. Para él significa un tremendo esfuerzo en la espalda y las patas, por eso es mejor no hacerlo con frecuencia y, en todo caso, hacerlo sobre una superficie preparada. Si no se toma esta última precaución pueden llegar a dañarse gravemente las patas traseras. El *quick stop* es un movimiento más corriente. Una vez que se le hayan transmitido las señales, el caballo tendrá que parar lo más deprisa que pueda. Lo tendrá que realizar de tal manera, que inmediatamente después pueda recobrar cualquier paso con el suficiente equilibrio.

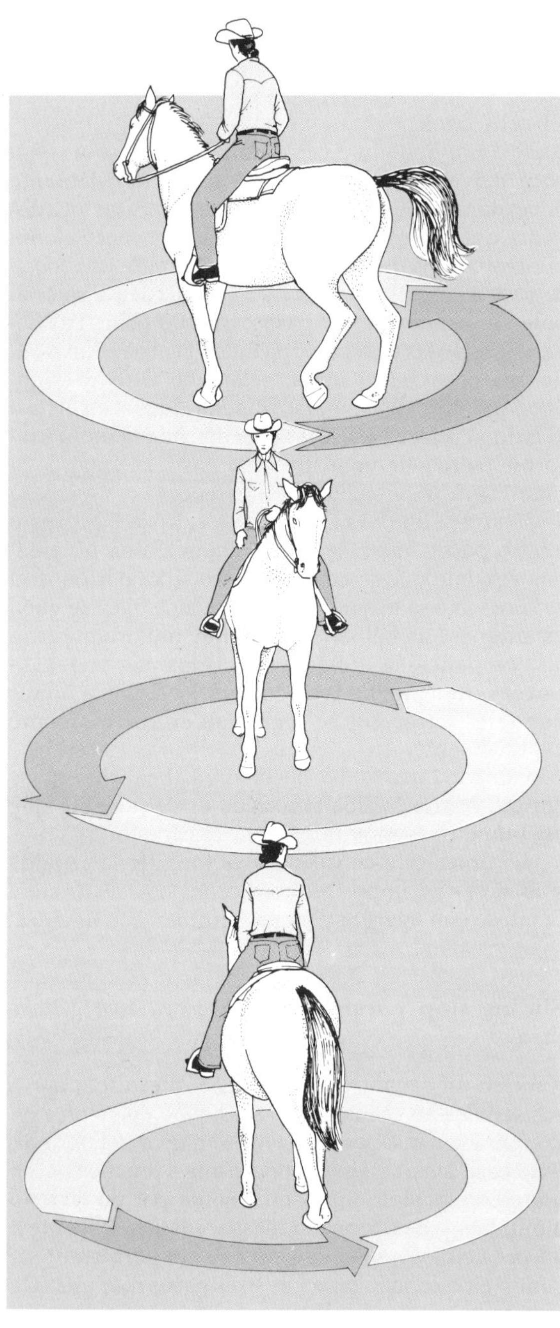

Dibujo superior, central e inferior: Las tres fases del giro sobre la mano delantera practicado al estilo del Oeste. El giro es un movimiento en el cual el caballo mueve sus cuartos traseros alrededor de los delanteros. En este caso, el caballo describe un círculo completo de derecha a izquierda. El jinete golpea con la pierna derecha el caballo para que gire hacia la izquierda, mientras presiona con la otra pierna para controlar la velocidad del movimiento. Las piernas son las que determinan la dirección; la función de las manos es sobre todo para impedir que el caballo se adelante hasta que el giro haya sido completado. En la primera ilustración, el caballo responde a las señales efectuando unos pasos marcados, aunque opone algo de resistencia que puede apreciarse en su cabeza inclinada y su cola levantada. En la segunda ilustración, el caballo ha realizado un semicírculo. Está bien colocado y puede apreciarse la presión de la pierna derecha del jinete. La última ilustración muestra un giro completo, con el caballo ya quieto y dispuesto a adelantarse.

(1) Tipo peculiar de girar con las riendas en una sola mano.

Transición al paso largo

Una característica usual en la equitación del Oeste es poner el caballo al paso largo cuando va al paso, cuando está quieto e incluso cuando se está ejercitando un *rein back*. Hay que realizarlo, eso sí, con toda suavidad y precisión. Antes de pedirle al caballo que se ponga al galope, asegúrese que anda bien y de forma recogida. Justo antes de llegar a una esquina, avísele que va a cambiar el paso tirando un poco de las riendas y apretando, a la vez, sus costados con las piernas. Luego, en cuanto llegue a la esquina, aplique las señales para el paso largo; preferiblemente cuando adelante el hombro derecho. En ese momento, piense «paso largo». Cuando se acerque a las esquinas, dígase a sí mismo «preparado» (atraiga su atención) y «paso largo» (aplique con firmeza las señales).

Para que el caballo se ponga al paso largo desde una parada, se utilizan los mismos principios. Asegúrese, previamente, que el caballo está atento y que sabe que le va a pedir hacer algo. Mueva un poco las riendas y golpee con las piernas. Luego aplique las señales con firmeza, utilizando con fuerza las piernas y cediendo con las manos para permitir el movimiento. Un error bastante usual es tirar de las riendas hacia el cuerpo, lo cual producirá el efecto contrario del que desea obtener. Relájese, para que los músculos no estén tensos, y ceda con las manos. Si está tenso, es imposible realizar estos movimientos correctamente.

Doma del Oeste

Las pruebas de doma del Oeste son muestras de equitación. A igual que las europeas, se realizan con gran precisión; pero a diferencia de éstas, se hacen a gran velocidad. Los movimientos dependerán del tipo de prueba.

Tanto el caballo como el jinete tendrán que estar muy bien entrenados. Aparte de los *quick stops*, cam-

Izquierda: Jinete experto que para en seco a su caballo en una competición. El caballo, que probablemente venía al paso largo o al galope, ha frenado en seco y, como puede apreciarse, las patas traseras se deslizan por debajo del cuerpo, mientras las delanteras resisten el movimiento.

Abajo: En esta secuencia de fotografías, puede verse cómo el caballo ha adoptado el paso largo luego de una parada. En la primera fotografía, el caballo está quieto pero atento y preparado para responder las órdenes del jinete. Entra en el paso largo suavemente y con uniformidad sin movimientos bruscos de la cabeza.

biar del *rein back* al paso largo supone rápidos cambios de patas (cuando el caballo va a paso largo debe cambiar las patas que llevan el paso sin variar de velocidad), que incluyen otros movimientos denominados pivotes, giros y retrocesos enérgicos.

En el pivote, el caballo, desde una parada, hace un giro de 90° sobre sus cuartos traseros. Al empezar el pivote, la mano delantera se levantará del suelo y no lo volverá a tocar hasta que haya completado el giro; imagínese un giro, cuyo eje son los cuartos traseros del animal. El giro (*spin*) es una vuelta de 360° sobre el mismo eje. Para ello, el caballo, por lo general, pasa del paso largo al *sliding stop*; ejecuta el giro y vuelve inmediatamente al paso largo. El *rollback* se hace también después de haber cambiado del paso largo a un *quick stop* o un *sliding stop*. El caballo hará un giro de 180° sobre el corvejón como eje; las manos delanteras caerán sobre el rastro que acaba de marcar y abandonará el giro pasando al paso largo.

Equitación de amazonas

Hasta hace relativamente poco tiempo, una mujer no hubiera ni soñado poder montar a horcajadas por considerárselo una postura no elegante y peligrosa para una mujer. Podríamos preguntarnos si estas consideraciones no tienen algo que ver con la reciente aparición de las amazonas, pues en los últimos años cada vez más mujeres aprenden este estilo de equitación.

Lo que no cabe duda es que, para un observador, el estilo de la amazona es elegantísimo. Otro punto a favor es la garantía de estabilidad que ofrece este tipo de silla, pues con la práctica, la amazona se sentirá muy segura encima de la misma. Se dice que ir sentado así durante mucho tiempo es un poco más cansador que ir a horcajadas sobre el caballo, pero, al parecer, no lo es tanto pues las mujeres de antaño podían ir así todo un día de caza.

Hay muchos caballos que pueden llevar este tipo de silla y algunos, incluso, se montan mejor de esta manera. La razón principal es que, por definición, un jinete amazona tiene más independencia en la montura que su equivalente a horcajadas, pues no cabe la posibilidad de sentarse con las piernas tensas apretando el lomo del animal. Si además aprende a llevarlo con las riendas ligeras, el caballo preferirá mil veces llevar a una amazona que a alguien tenso a horcajadas. Cuando en una situación crítica la amazona se sabe sujetar (véase pág. 109), es prácticamente imposible que se caiga de la silla. Podrá montar caballos fuertes con los cuales seguramente encontraría más problemas si fuera a horcajadas.

Los únicos caballos que no debería montar son los que se encabritan. Cuando un caballo se empina, el jinete a horcajadas podrá fácilmente sacar los pies de los estribos y bajarse del caballo; una amazona, en cambio, no puede obrar igual y es peligroso que caiga debajo del caballo.

Después de haber explicado que muchos caballos aceptan una silla de amazona, antes de montarlos deje, como un acto de gentileza, que se acostumbren a ella. La silla de amazona es bastante más pesada que la otra y, obviamente, es también diferente la distribución de su peso. Después de haber guiado al caballo un rato con la silla puesta, haga con él algunos ejercicios de doma al paso, al trote y al galope corto.

Aparte de la diferencia visible de estar sentado a un lado del caballo, otro aspecto importante en el que difieren el jinete a horcajadas y la amazona, es que esta última va sentada a una altura bastante mayor. La silla de amazona está diseñada de tal forma, que la amazona irá a unos 10 cm más de altura que con la otra silla. De todas formas, si va sentada co-

La montura de amazona es un estilo muy elegante; da la impresión de que el jinete vaya sentado sobre la silla de forma mucho más precaria. Muchos caballos aceptan este tipo de silla sobre todo porque no permite que el jinete se tense como en la silla normal. Asimismo, la independencia del asiento, permite un control constante y mayor libertad de movimiento en el caballo. **Izquierda:** En los últimos años ha vuelto la moda de la montura de amazona y muchos jinetes han comenzado a aprender esta técnica. **Derecha:** La elegancia de este tipo de equitación se vuelve muy patente cuando aparece sobre todo dentro de un ambiente específico, como muestra la fotografía de la feria de Sevilla.

VESTIMENTA

En definitiva, la vestimenta de la amazona confiere siempre un toque de elegancia al jinete y a su caballo y le devuelve al espectador el recuerdo de aquellas antiguas «damas» que sólo montaban como amazonas. Si toma la decisión de ejercitar bastante este tipo de equitación, lo mejor entonces, es adquirir las ropas adecuadas. Existen dos tipos de vestimenta, pero es preferible que compre la más pesada. Por lo general el traje suele ser negro o gris, aunque actualmente se ha empezado a estilar también el color azul. Sea cual sea su color o la textura, lo importante es que la falda cuelgue correctamente y cubra la bota derecha. Si monta con mucha frecuencia, es probable que se desgaste el tejido encima de la rodilla derecha, por lo que muchas faldas llevan una rodillera de cuero cosida por dentro. El traje correcto para exhibiciones matutinas, incluye una corbata, una camisa blanca o a rayas, un velo y un casco de montar. Para exhibiciones por la tarde, la corbata se sustituye por un plastrón y el casco de montar por un sombrero de copa y velo.

rrectamente, tendrá el mismo contacto y control sobre el caballo que si fuera a horcajadas.

La mayoría de las sillas que se pueden encontrar en el mercado son de segunda mano, pues en la última década la demanda no ha sido suficiente como para alentar una mayor producción. Actualmente, con la reaparición de las amazonas, empiezan también a aparecer nuevas sillas. Aunque existan diseños diferentes, todos poseen los mismos accesorios básicos de las sillas convencionales. En la mayoría, las piernas del jinete se recuestan en el costado izquierdo del animal, aunque en algunas el jinete se puede sentar en la parte derecha. No es más que un problema de gustos que atiende al interés individual de cada jinete.

Es bueno conocer los nombres que reciben los diferentes puntos de la silla de la amazona, pues son distintos a los de la otra silla.

Vestimenta

La amazona se viste de una manera especial. La ropa es cara y generalmente hay que hacerla a medida. Antes las telas eran de un tejido pesado para que

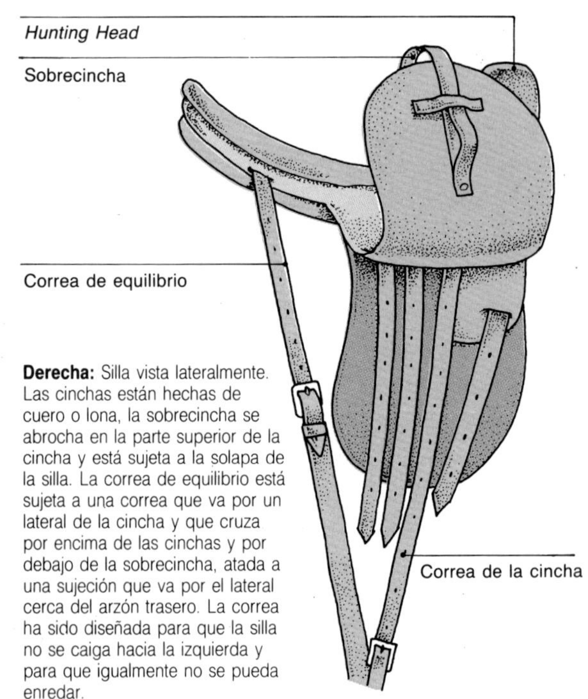

Derecha: Silla vista lateralmente. Las cinchas están hechas de cuero o lona, la sobrecincha se abrocha en la parte superior de la cincha y está sujeta a la solapa de la silla. La correa de equilibrio está sujeta a una correa que va por un lateral de la cincha y que cruza por encima de las cinchas y por debajo de la sobrecincha, atada a una sujeción que va por el lateral cerca del arzón trasero. La correa ha sido diseñada para que la silla no se caiga hacia la izquierda y para que igualmente no se pueda enredar.

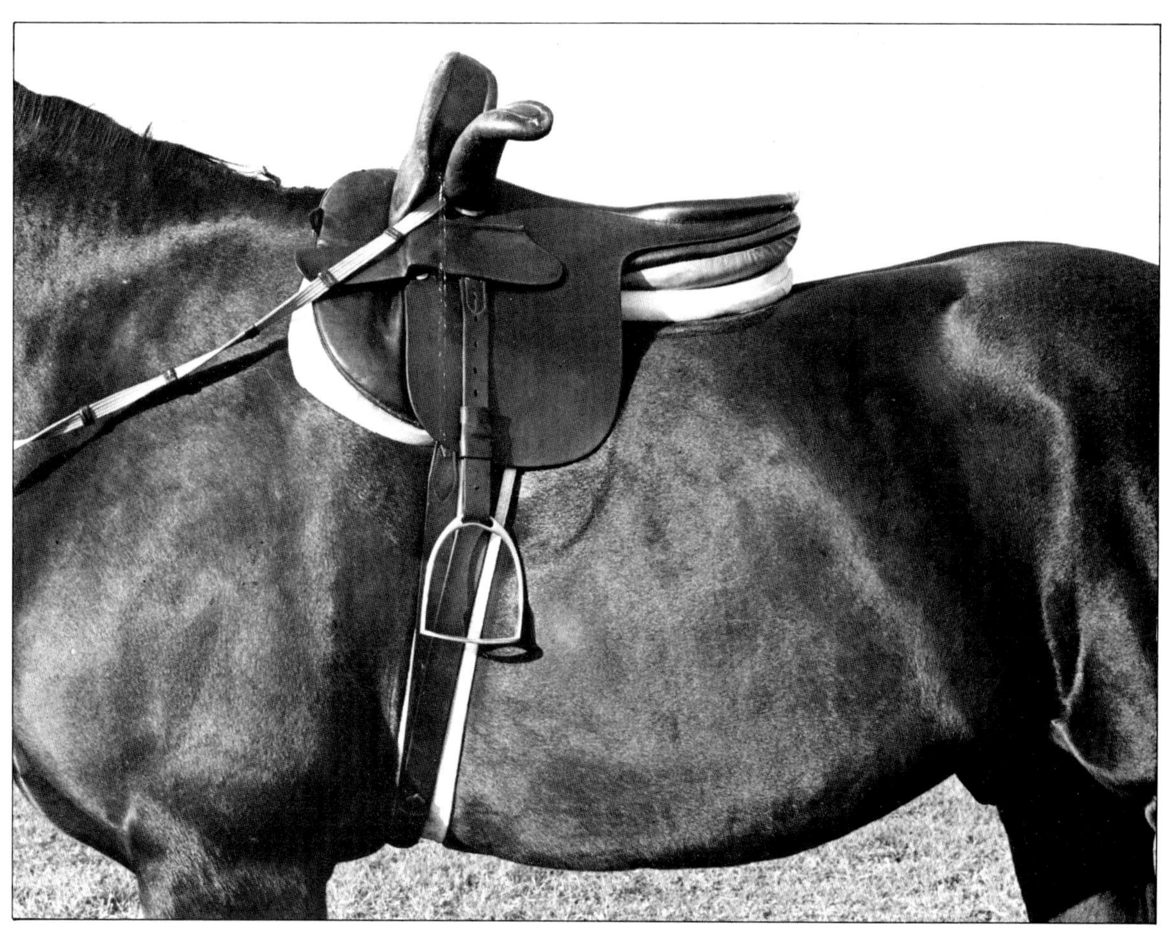

Arriba y abajo: Silla vista lateralmente. La silla de la amazona está hecha de tal forma que el jinete va más elevado que sobre el otro tipo de silla. En ningún caso este hecho le hará reducir el dominio.

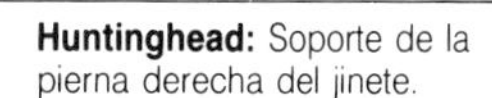

Huntinghead: Soporte de la pierna derecha del jinete.

Leaping Head: Suele tener una tuerca especial para que pueda ajustarse a su posición.

Asiento: Para que la amazona vaya bien sujeta suele estar hecho de piel de conejo o ante.

Solapa

Ación: Se ajusta en la parte inferior, cerca del estribo, y no cerca de la silla.

Estribo: Tiene un eje mayor de lo normal para ajustarse al ación.

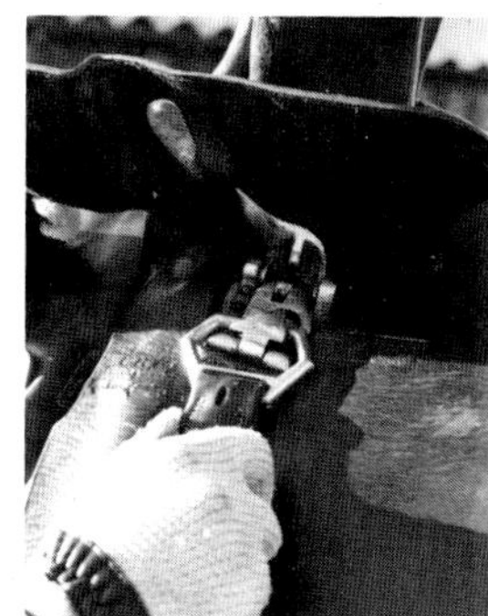

Derecha: La mayoría de las sillas tienen un fiador para el ación. Mientras la pierna del jinete presione sobre la silla, éste no se moverá. Pero en una caída se suelta para que el jinete no quede enganchado sobre el suelo. Si la silla no tuviera este accesorio, tendrá que utilizar un estribo de seguridad especialmente diseñado. Si el pie presiona con fuerza, como en el caso de una caída, el estribo se caerá dejando libre el pie.

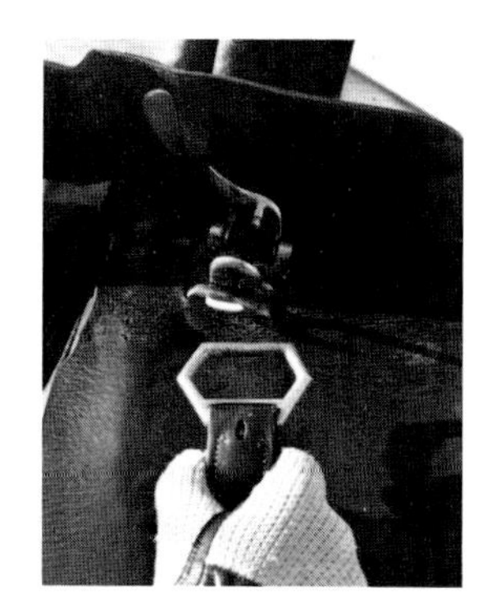

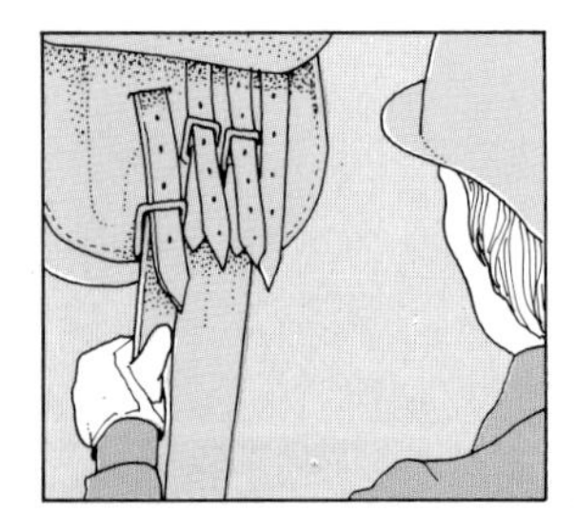

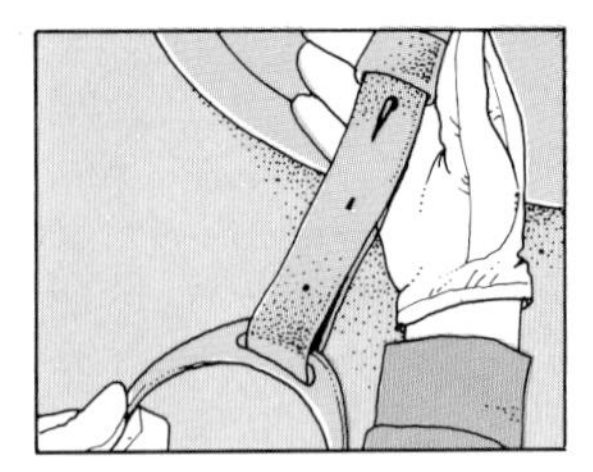

Arriba: Antes de montar, compruebe si la cincha de la silla está bien sujeta y si la correa de equilibrio está lo suficientemente adelantada para evitar cualquier peligro de engancharse con ella. **Abajo:** Para prevenir un accidente, compruebe si los aciones están sujetos correctamente. **Arriba derecha:** Si monta con falda, antes de subir al caballo colóquela sobre el brazo izquierdo.

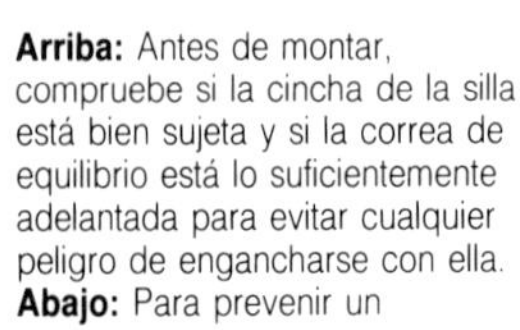

cayeran hacia los pies y las piernas. Actualmente, el traje de amazona es algo más ligero y, para que no se vuelen las faldas, a veces hay que coser pesos en el dobladillo.

Montar a lo amazona

Existen formas diferentes de subirse a una silla de amazona. Pero antes de montar, acuérdese siempre de comprobar que la cincha y la correa de equilibrio estén bien sujetas. Compruebe, igualmente, si el ación está bien enganchado a la silla.

Una forma de montar es recoger las faldas en el brazo izquierdo y subir a la silla de la misma forma que lo haría para montar a horcajadas, pasando la pierna derecha al otro lado de la silla. Procure no golpearse con los arzones al montar y recuerde que, como el estribo está más corto, tendrá que mostrar más agilidad. Una vez sentada, ponga la pierna derecha sobre el *huntinghead*(1) con cuidado de no engancharse con las riendas.

La otra forma de montar es con alguien que le ayude a subir la pierna. Con la falda sobre el brazo izquierdo, como se hacía antes, sujete las riendas con la mano izquierda y colóquese cerca de la parte trasera de la silla mirando hacia la cabeza del caballo. Ponga la mano izquierda (con las riendas) sobre el *huntinghead* y la derecha sobre la silla. Doble la pierna izquierda para que el colaborador la pueda ayudar con un impulso en el momento de subir. Haga un esfuerzo mayor, pues el salto es superior que para el otro tipo de silla y gire la cadera para que al caer sobre la silla quede mirando hacia la izquierda. Antes de poner la pierna derecha sobre el *huntinghead*, asegúrese que la persona que le ayuda se ha distanciado lo suficiente como para no pegarle un golpe en la cara. También puede sentarse a horcajadas y pasar después la pierna derecha por encima de la silla.

Necesitará una cierta cantidad de práctica para que, con gracia, monte de la forma más elegante. También aquí se requiere de un ayudante con experiencia. Colóquese frente a la silla y sujete las riendas con la mano derecha que pondrá sobre el *huntinghead*. Recójase la falda en el brazo izquierdo y apoye la mano sobre el hombro de su ayudante. Éste se inclinará un poco y juntará las manos para sujetar su pie izquierdo. Después, con una determinada señal, su ayudante le impulsará hacia arriba, de tal forma que usted levante la pierna derecha y estire la izquierda. Pase la primera por delante de la segunda, doblándola un poco para poderla apoyar sobre el *huntinghead* en el instante en que se deje caer sobre la silla.

Sea cual fuere la forma que elija para montar, una vez que esté sentada sobre la silla, meta el pie izquierdo en el estribo y enganche el elástico que tiene debajo de la falda en la bota derecha.

Para desmontar del caballo, baje de frente. Primero, saque el elástico de la bota derecha y sujete la falda con el brazo izquierdo para que no se enganche con las perillas. Después, saque el pie izquierdo del estribo, sujete las riendas con la mano derecha y apóyela sobre el *huntinghead*. Pase la pierna derecha por encima de las dos perillas de tal forma que quede sentado sobre la silla lateralmente, y caiga suavemente al suelo, girando levemente el cuerpo para quedarse mirando la cabeza del caballo. Siéntese siempre sobre la parte trasera de la silla para no engancharse con las perillas al bajar.

(1) Pieza de la silla de amazona.

Coja las riendas con la mano izquierda y colóquese delante de la silla. Con la falda sobre el brazo izquierdo, sujétese a la perilla fija con la mano izquierda.

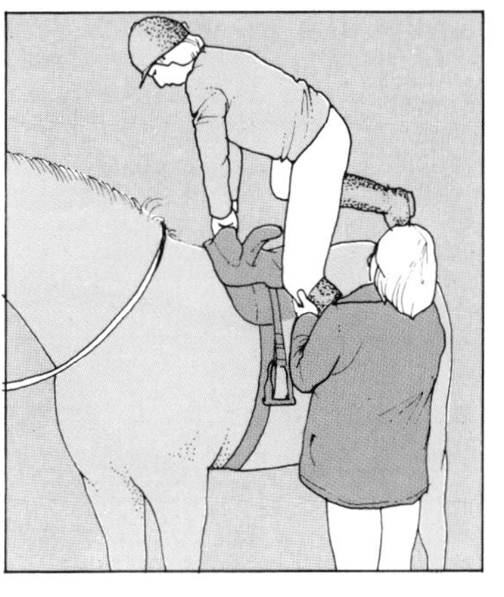

Cuando su ayudante le dé el impulso, suba desde la pierna izquierda lo máximo posible. Recuerde que no ha de tropezar con la perilla.

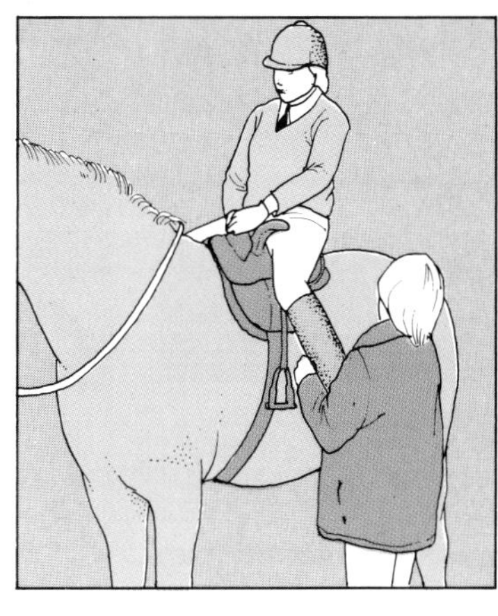

Pase la pierna derecha por encima de la silla de tal forma que quede sentada a horcajadas. Ajuste la postura y el equilibrio para los siguientes pasos.

Una vez sentada sobre la silla, pase la pierna derecha por encima del *huntinghead*, habiendo comprobado antes que su ayudante se ha apartado.

Una vez más, ajuste su postura y colóquese confortablemente sobre la silla. Antes de dar el siguiente paso, lleve el peso del cuerpo ligeramente hacia la izquierda.

Inclínese lentamente y con cuidado hacia la izquierda y colóquese el elástico de la falda por encima del pie. Su ayudante puede ayudarle si fuera necesario.

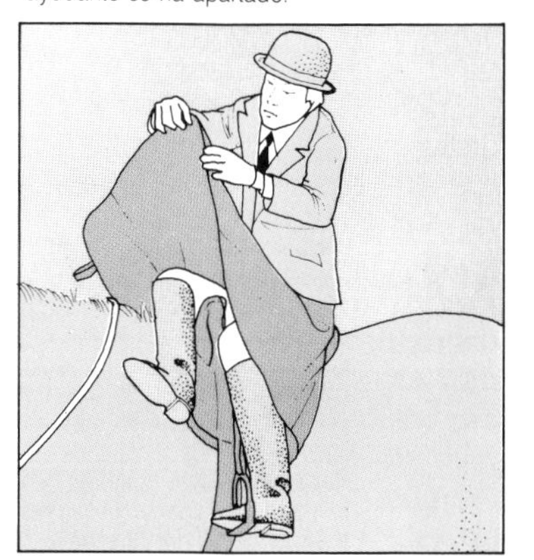

Desmontar: Si lleva una falda, saque primero el elástico del pie y sujete la tela por encima del brazo izquierdo.

Levante la pierna derecha hazia la izquierda y gire el cuerpo de tal forma que quede sentada lateralmente sobre el caballo.

Lo más suavemente que pueda, baje del caballo apoyándose en la mano y brazo derechos.

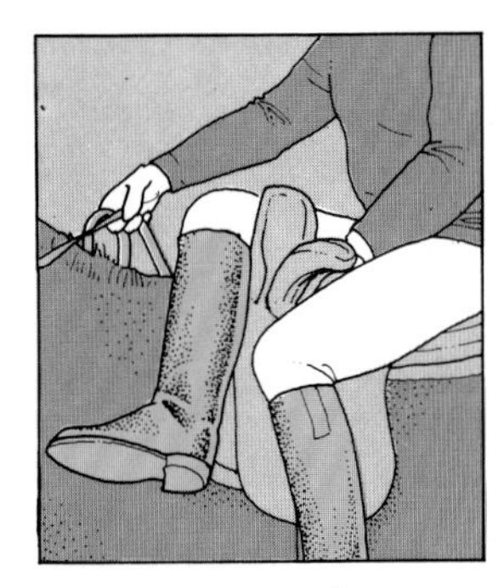

Si le cabe la palma de la mano entre el *leaping head* y la pierna, significa que lleva el largo de los estribos correcto.

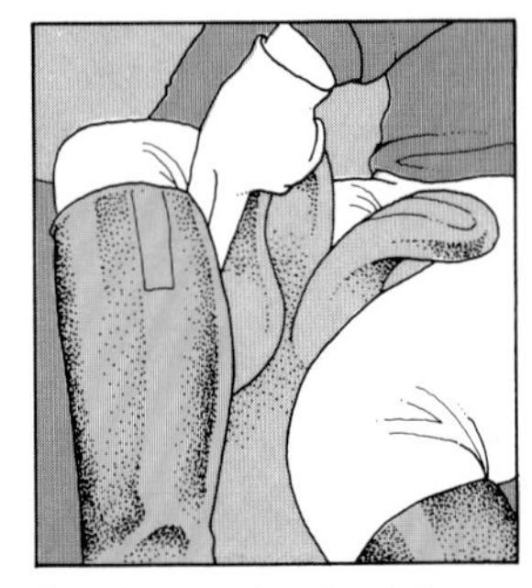

Tendrán que caber dos dedos entre la rodilla derecha y el *huntinghead*.

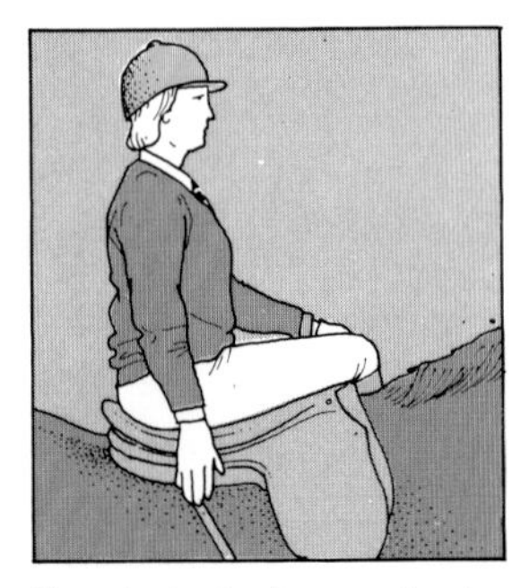

Si va sin riendas, la mano derecha descansará sobre la correa de equilibrio.

Pida a su ayudante que compruebe desde atrás si va sentada correctamente sobre la silla.

Postura de amazona
El aspecto más importante sobre la postura de una amazona es que, vista por detrás, tiene que ser igual a la de un jinete a horcajadas, con la ausencia de una pierna en el costado derecho como única diferencia. Dicho de otra manera, el peso del cuerpo cae sobre el centro del lomo del caballo y forma, con la columna vertebral, una línea perpendicular al caballo. Al principio, siempre es mejor que otra persona se coloque detrás del caballo para que le pueda decir si está o no sentada en el centro. Sobre una silla de amazona es más difícil sentir si realmente se va o no sentada derecha.

Tronco y cabeza. Como en la montura a horcajadas, ambos se mantienen altos y derechos, con las

Hasta que haya adquirido una cierta costumbre, la postura de la amazona sobre la silla es en un principio más difícil de mantener, pues cuesta más determinar si va sentada justo en el centro de la silla.
Mantenga la espalda derecha y la cabeza levantada, pues tendrá que ir mirando las orejas del caballo. Las riendas se llevan un poco más altas con las manos ligeramente más adelantadas. Relaje y doble los hombros de tal forma que se cree una línea recta a través de las riendas con la boca del caballo.

caderas y los hombros nivelados y perpendiculares a los del caballo. Evite torcer la espalda o girar las caderas. Como la tendencia general es echar el hombro derecho hacia adelante, para saber si lo lleva bien puesto, deje caer con naturalidad el brazo derecho, cuya mano debería descansar sobre la correa de equilibrio.

Asiento. Deje caer un poco más de peso hacia la derecha, de tal forma que la parte exterior del muslo esté en contacto con la silla. Evite, eso sí, inclinarse en esta dirección.

Pierna derecha. Deje caer la pierna, a partir de la rodilla, casi perpendicular al suelo, con la punta del pie apuntando levemente hacia abajo y contra el hombro del caballo. Apriete los músculos de la pantorrilla contra la silla; esto le ayudará a tensar la rodilla, lo que, a su vez, la sienta más dentro de la silla. Presione contra el *huntinghead* la parte interna del muslo derecho y no el ángulo de la rodilla. Tienen que quedar dos dedos de ancho entre esta parte de la rodilla y el *huntinghead*.

Pierna izquierda. El largo del estribo será correcto cuando pueda meter la palma de la mano entre el *leaping head*[1] y el muslo izquierdo, con el pie metido en el estribo y el ación perpendicular al suelo. Se dará cuenta que el largo es casi el mismo que el que se usa en la montura a horcajadas. El muslo interior y la rodilla han de mantener un contacto firme con la silla, pero sin que para ello se tensen los músculos. Al igual que con la montura a horcajadas, deje caer el peso hacia el talón y saque la punta del pie levemente hacia la izquierda, en vez de mantenerlo paralelo al caballo. Esto le ayudará a mantener la rodilla contra la silla.

Manos. Coja las riendas como lo hace normalmente, con los nudillos uno en frente del otro y las mu-

(1) Pieza de la silla de amazona.

Errores de postura

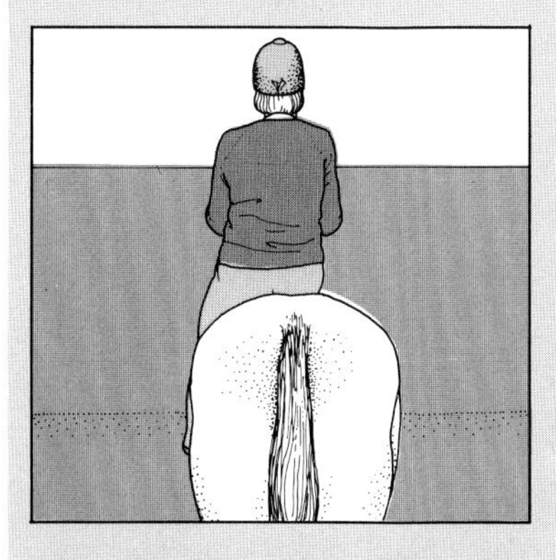

Un error que hay que evitar es torcer la cadera izquierda e inclinarse hacia este lado.

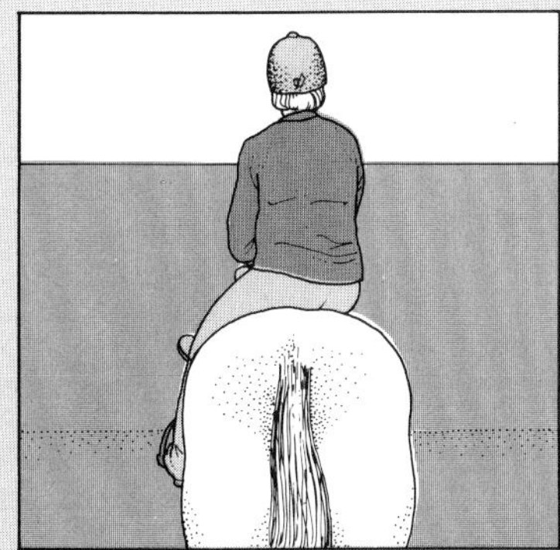

Sentarse de lado con la cadera derecha girada.

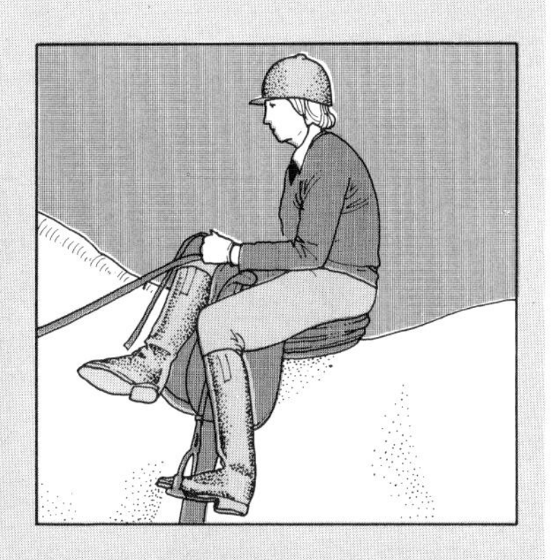

Llevar el estribo demasiado corto, pues la rodilla se aplasta contra el *leaping head*.

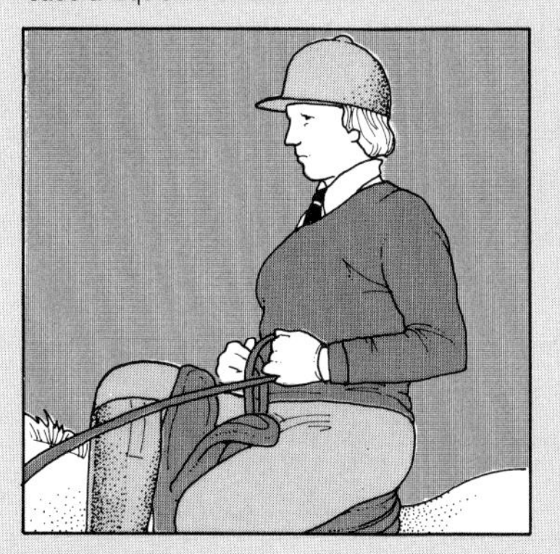

Si tira demasiado de las riendas, perderán toda su efectividad.

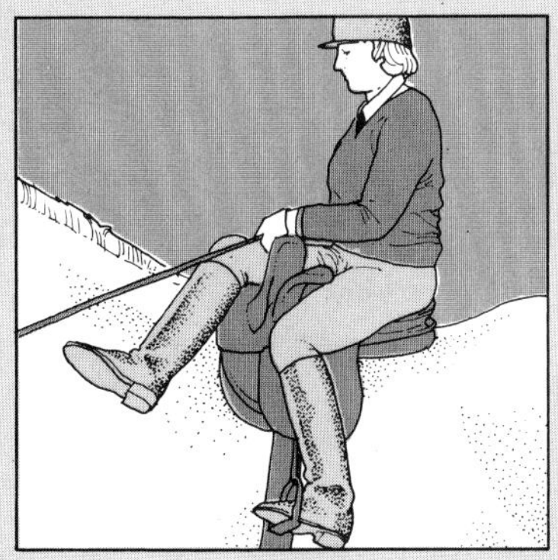

Caerse hacia atrás cuando el caballo se mueve; trate de anticiparse a cada movimiento.

Al hacer círculos, echar el hombro interno hacia adelante y girar el cuerpo.

ñecas levemente flexionadas. Se dará cuenta que, debido a la forma de la silla y la postura de las piernas, tendrá que llevar las manos un poco más altas de lo normal. En cualquier caso, tiene que formarse aquí también una línea recta entre los codos, manos y riendas hasta el bocado. Coloque las manos a ambos lados de la rodilla derecha y un poco más hacia atrás que lo usual.

Movimiento hacia adelante

Pida a su caballo que se mueva hacia delante de la misma forma que lo haría a horcajadas, es decir, presionando la silla con la parte interna de la pierna. Una fusta puede sustituir la pierna derecha, aunque si solamente desea ir al paso, ni tan siquiera será necesario usarla. Los caballos montados por amazonas se dan cuenta en seguida de que la fusta sustituirá la pierna derecha y de que aquélla no se utiliza como forma de castigo o corrección, como suele ocurrir cuando el jinete que monta lo hace a horcajadas.

Cuando el caballo empiece a andar al paso, relaje el cuerpo y acompañe al movimiento. Esto significa que tiene que flexionar la pelvis para poder seguir el ritmo del caballo. Al igual que sucede con la montura a horcajadas y, aunque le parezca que se mueve mucho sobre esta silla, para un observador este movimiento ha de ser imperceptible.

Para la montura de amazona, es muy importante que no tense la espalda poniéndola rígida. Tensar los músculos de la espalda es una de las principales señales para que el caballo reduzca el paso; por esta razón, si lleva la espalda rígida constantemente, irá continuamente frenando el movimiento del animal.

Para que el caballo se pare desde el paso, tense los músculos de la espalda y oponga resistencia con las manos. Corra suavemente hacia delante el trasero para que, en vez de tirar hacia atrás, conduzca el animal hacia la resistencia que le opone con las manos.

Derecha: Al igual que con la montura a horcajadas, las ayudas se transmiten en coordinación entre sí.

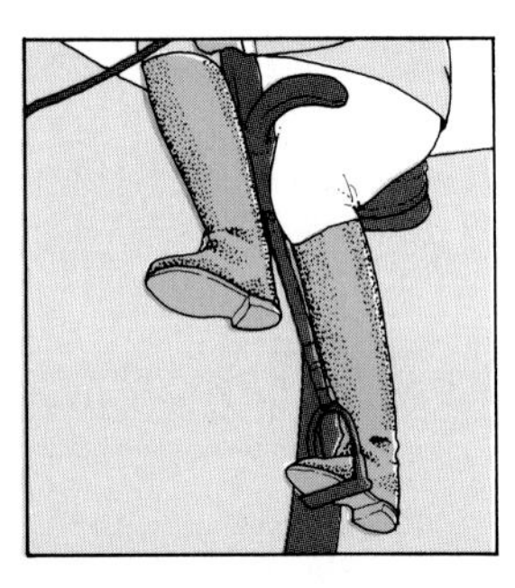

1. La pierna izquierda será la ayuda principal para inducir el movimiento hacia delante. Utilícela con suavidad, como en cualquier tipo de montura.

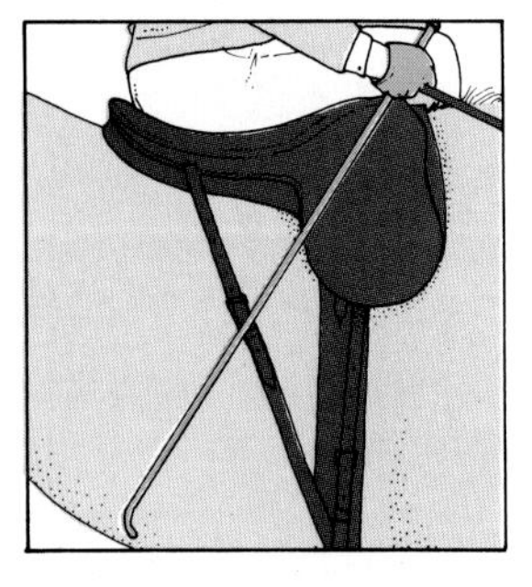

2. La fusta, que se lleva en la mano derecha, sirve de sustituto de la pierna derecha. Utilícela en coordinación con la pierna izquierda, justo detrás de la cincha.

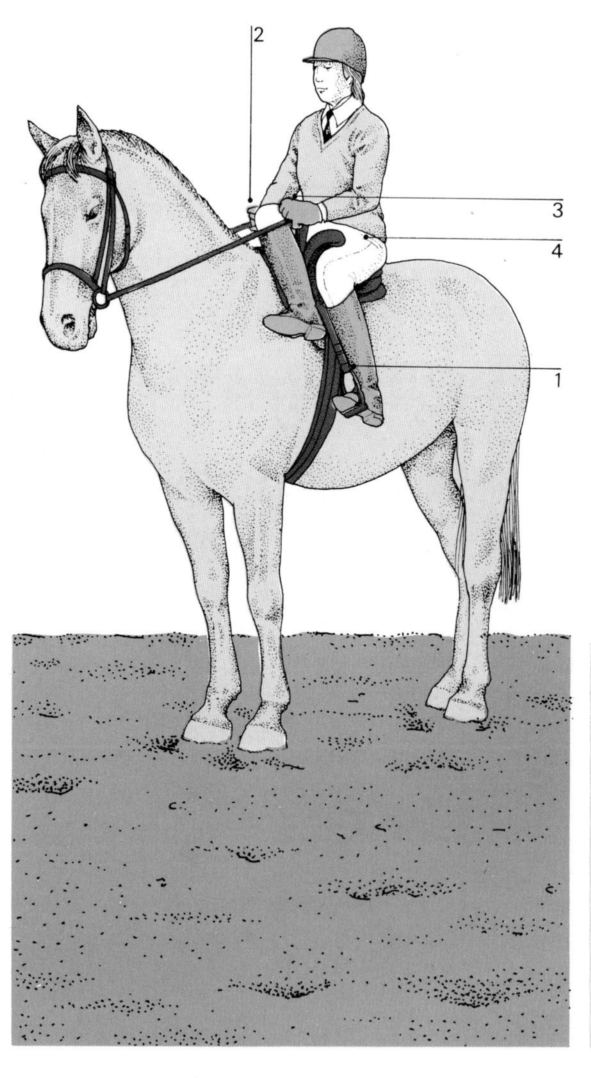

3. Las manos operarán de la misma forma que en la montura a horcajadas, es decir, con suavidad. Esto sirve especialmente para los principiantes, pues la tendencia más común es usar las riendas como soportes.

4. También los músculos del trasero y de la espalda se utilizan igual que en la otra montura. Con el trasero, además, podrá hacer avanzar el caballo, aplicando un impulso extra.

Errores en la ayuda

Intentar transmitir señales con la pierna derecha. Piense conscientemente que esta pierna ha de estar quieta.

Llevar el brazo derecho estirado por lo que esta rienda caerá hacia el costado de la silla y no podrá mover correctamente la muñeca.

Cuando el caballo va al trote, es fácil que el principiante se encuentre botando por encima de la silla. Trate de quedarse quieto para sólo moverse con naturalidad al ritmo del caballo.

Trote

El trote es un paso bastante incómodo cuando se monta con silla de amazona y, en tiempos pasados, se ejercía lo menos posible. Los caballos de las damas eran entrenados para que realizaran un galope muy lento, cuya velocidad era igual a la del trote de la mayoría de los caballos de los caballeros.

Antes de pedirle al caballo que se ponga a trotar, compruebe que su paso es equilibrado y que está atento a sus señales. Si tuviera la menor duda al respecto, llame su atención tensando los músculos de la espalda y tirando, muy suavemente, de las riendas, como si lo fuera a parar. Con ello captará un poco su atención. Cuando se disponga a parar, presione sobre su costado izquierdo con la pierna y golpéelo con la fusta en el derecho. Con estas ayudas tendría que ponerse a trotar.

Transmita todas estas señales con suavidad, pues es mucho mejor que el animal entre en un trote lento que en uno largo y rápido. Si desea que acelere un poco el paso, deje botar el cuerpo con un poco más de fuerza que el ritmo del movimiento. Esta presión extra del trasero, le impulsará hacia adelante a un paso mayor.

La forma más común de trotar a la amazona, es quedarse sentada en vez de levantarse. Hay dos factores que determinarán la comodidad, el primero es la suavidad del trote del caballo y el segundo la flexibilidad de *su* cintura. Como es difícil suavizar un trote demasiado zarandeado, lo esencial es que vaya realmente flexible sobre su montura. Esto le ayudará a relajarse y a seguir el movimiento con el cuerpo. Si va botando encima de la silla, el caballo tendrá la espalda dolorida muy rápidamente y usted misma también acabará agotada. Este riesgo se corre con mayor facilidad cuando se monta sobre una silla de amazona.

A pesar de que también conviene practicar el trote a la inglesa, aunque sólo sea por un rato, es un paso difícil de mantener pues es, además, agotador. No se levante ni se mueva hacia delante y hacia atrás de la misma forma que lo haría a horcajadas, trate más bien de «rodar» sobre el muslo derecho. Utilice un poco la rodilla izquierda como eje, pero sin que recaiga demasiado peso sobre el estribo. Si lo hace, perderá contacto con la silla y se desplazará en esta dirección.

Para reducir la velocidad, aplique las mismas señales que para parar cuando el caballo va al paso; tense los músculos de la espalda y conduzca el caballo, desde la pelvis, hacia la resistencia que oponen las manos.

Giros y círculos

Si está montando sobre la rienda izquierda y quiere hacer girar el caballo, incline su cabeza en la direc-

Arriba: Transmita al caballo las señales del trote con suavidad, ya que es preferible que vaya a un trote lento que a uno largo de grandes zancadas. Para que aumente la velocidad, siéntese con más fuerza sobre la silla.

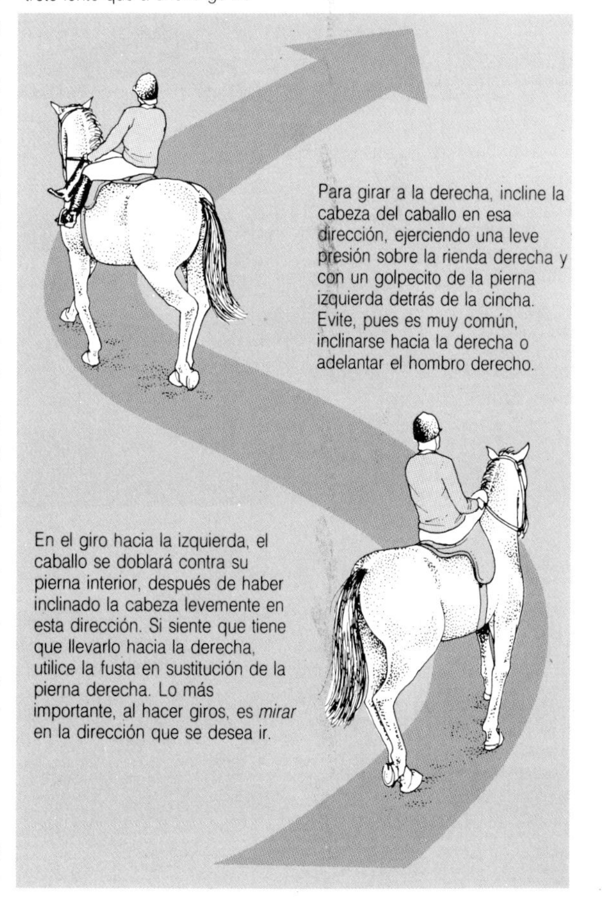

Para girar a la derecha, incline la cabeza del caballo en esa dirección, ejerciendo una leve presión sobre la rienda derecha y con un golpecito de la pierna izquierda detrás de la cincha. Evite, pues es muy común, inclinarse hacia la derecha o adelantar el hombro derecho.

En el giro hacia la izquierda, el caballo se doblará contra su pierna interior, después de haber inclinado la cabeza levemente en esta dirección. Si siente que tiene que llevarlo hacia la derecha, utilice la fusta en sustitución de la pierna derecha. Lo más importante, al hacer giros, es *mirar* en la dirección que se desea ir.

ción deseada, apretando la pierna interna sobre la cincha, para que haga una curva correcta, y golpéelo suavemente con la fusta en el costado derecho detrás de la cincha. Concéntrese y mantenga el hombro derecho hacia atrás, pues la tendencia general es girarlo hacia la izquierda.

Para girar hacia la derecha, incline la cabeza del caballo en esa dirección y hágalo doblar alrededor de la pierna exterior. Puede colocar la fusta sobre la silla, pero seguramente no será necesario. Al ejecutar esta vuelta no eche el cuerpo hacia la derecha.

El factor más importante cuando se hacen giros o círculos, es el mismo que cuando se monta a horcajadas: mirar exactamente en la dirección que desea que el caballo vaya. Mientras mire en la dirección correcta, es casi seguro que el caballo también irá hacia allí. En cambio, si no mira, no espere que el caballo gire en esa dirección.

Galope corto de amazona

El paso más cómodo de la equitación de amazona es el galope corto. Si jinete y caballo van en completa armonía, es también el paso más elegante de admirar. Lo que es algo más difícil, es conseguir ir al galope corto sobre una pata específica. De todas formas, si el caballo ha sido montado antes correc-

Izquierda: Estas tres fotografías muestran el cambio del trote al galope corto de una amazona.
Derecha: El resultado: un galope suave y uniforme. En la fotografía, el jinete ha llevado a su caballo a un trote regular y equilibrado y se dispone a aplicar las ayudas para que el caballo pase al galope corto sobre la pata correcta. Dicho proceso continúa en la segunda fotografía. Para entrar en el galope sobre la rienda izquierda, la cabeza del caballo tendrá que estar inclinada levemente en esta dirección y su pierna apretada contra la cincha. Esto se puede reforzar mediante la presión del hueso derecho del trasero, y, si fuera necesario, con un golpe de la fusta. Para un galope sobre la pata derecha, la cabeza estará inclinada en esta dirección y la presión se aplica detrás de la cincha con el pie izquierdo y el hueso izquierdo del trasero desde la silla. La tercera fotografía muestra cómo el caballo ha respondido correctamente. El jinete se relaja sobre la silla, para que la cintura y las caderas puedan absorber el ritmo del movimiento.

tamente, tendrá ya un punto ganado a su favor. Los caballos aprenden muy deprisa y, generalmente, saben qué es lo que espera su jinete de ellos.

Si monta sobre la rienda izquierda, debería también ir al galope corto con la pata izquierda llevando el paso. En primer lugar, asegúrese que el caballo va atento y que avanza a un trote equilibrado. Para que pase al galope corto, incline su cabeza levemente hacia la izquierda, presione con la pierna izquierda sobre la cincha y adelante el hueso derecho del trasero. Si fuera necesario, golpéelo suavemente con la fusta detrás de la cincha en el otro costado.

Si desea ir al galope corto con la pata derecha marcando el paso, aproveche, por ejemplo, una curva en la cual el caballo se inclinará naturalmente hacia esta dirección. Intente transmitir las señales (fuerte presión de la pierna izquierda detrás de la cincha con el pie izquierdo y presión con el hueso izquierdo del trasero, con la cabeza del animal levemente inclinada hacia la derecha) en el momento en que el caballo se encuentra sobre su diagonal externa, es decir, cuando adelante su mano derecha y la pata trasera izquierda. Para poder relajarse sobre la silla, su cintura y riñones tendrán que absorber el movimiento del galope. No mueva el cuerpo ni curve la espalda.

Asidero de emergencia

Todas las amazonas tendrán que aprender a realizar

Durante los paseos, no existen reglas o regulaciones especiales para las amazonas. Tendrán que ir igual de alertas que cualquier otro jinete, para poder responder o enfrentarse a cualquier situación imprevista. si va con algún acompañante, él o ella irán, por lo general, en el lado derecho para evitar chocar con su pierna izquierda.

el asidero de emergencia. Tal y como indica el nombre, solamente se utiliza en casos de emergencia, por ejemplo si el caballo se asusta o encabrita y tratará de quitársela de encima saltando lateralmente. En un caso así, levante el talón izquierdo de tal forma que la rodilla presione contra el *leaping head*. Conseguirá entonces una sujeción con el *huntinghead* y a la vez asegurar la rodilla contra el *leaping head*. Mientras mantenga el hombro derecho echado hacia atrás, será muy difícil que el caballo consiga desmontarla de la silla.

Técnicas generales

Se dará cuenta que no siempre es necesario utilizar el «asidero de emergencia». En la mayoría de los casos, las travesuras del caballo no serán tan graves como para tirarla de la silla; lo mejor es utilizar este asidero sólo para emergencias reales. Lo que sí es siempre esencial, es evitar echar el hombro derecho hacia delante o hacia la izquierda. Inclusive en una situación normal, la tendencia general es girarse hacia la izquierda, hecho que se pronuncia aún más si el jinete se encuentra bajo stress.

Tanto las amazonas como los jinetes que van a horcajadas tienen que perder el miedo a las caídas, sin olvidar que la silla de las primeras es generalmente más segura. La forma de caída más usual es de espaldas, por el costado derecho del caballo. Suena más desagradable y peligroso de lo que en realidad llega a ser, pues el fiador permite liberar el estribo, de tal forma que no hay posibilidad de quedarse enganchada a la silla y no habrá peligro de que el caballo la arrastre.

Si el caballo se cayera hacia adelante o si usted sintiera que ya no puede volver a recuperar el equilibrio hacia la izquierda, lo más aconsejable es soltarse la falda y saltar por el costado izquierdo del animal. En este caso tampoco tenga miedo por el problema del estribo, pues también se soltará solo. Aunque es difícil poder tener tiempo de coordinar todos estos movimientos, haga en ese momento un esfuerzo positivo por lograrlo. Si el caballo cayera hacia la izquierda, podría caer encima suyo.

Cuando esté aprendiendo este estilo de equitación, ejercite, principalmente, el paso y el trote corto; lo ideal, si el caballo sabe hacerlo, es ir a un «trote arrastrado». Recuerde que se requiere un cierto tiempo para acostumbrarse a la postura lateral y consolidar la seguridad sobre la misma. Hasta que se consigue, suele aparecer una tendencia errónea a utilizar las riendas como soportes para mantener el equilibrio. Es algo que, obviamente, desagradará al caballo y si el hábito persistiera, probablemente se le endurecería la boca y dejaría de tolerar este tipo de montura.

En un principio, sentirá que le duelen bastante los músculos de la rodilla y del muslo derecho. Incluso cuando sea una jinete experta, seguramente le seguirán doliendo, pues su función no es la misma que en la montura a horcajadas.

Cuando monte fuera de la escuela, por ejemplo por una carretera o por el campo, no cambie su técnica sólo porque monte de amazona. Como es usual en este tipo de situaciones, déjese guiar por el sentido común, para que ni usted ni el caballo tengan que enfrentarse a problemas. Recuerde que tendrá que proporcionarse un espacio extra por el costado izquierdo cuando por ejemplo atraviese la puerta de una valla o cabalgue al lado de un seto. Tenga igualmente más cuidado cuando monte por una carretera. Carecerá del apoyo de la pierna derecha, que es la que normalmente utilizaría para que el caballo no se salga del bordillo, y no deje de mantener un firme contacto con su boca a través de las riendas. Si se metiera hacia el interior de la carretera, golpéelo suavemente con la fusta.

Salto de amazona

Para saltar con una silla de amazona no hace falta

Asidero de emergencia

La caída de una silla de amazona puede ser peligrosa, pero, por lo general, es menos frecuente que en el otro tipo de montura. Si las circunstancias y el tiempo se lo permiten, o si el caballo se cayera hacia la izquierda, intente saltar de la montura para evitar el peligro de caer debajo del animal.

Arriba, abajo, derecha: Las ilustraciones muestran la postura normal de la amazona y la postura del asidero de emergencia. Se levanta el tobillo izquierdo para que la rodilla presione contra el *huntinghead.* El tobillo izquierdo se levanta hacia la espinilla izquierda para poder sujetarse. Esta nueva postura de las piernas ayudará al jinete en muchas ocasiones a no caerse de la silla.

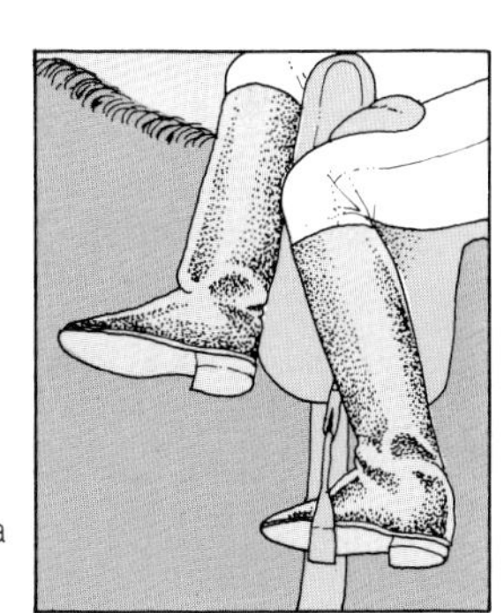

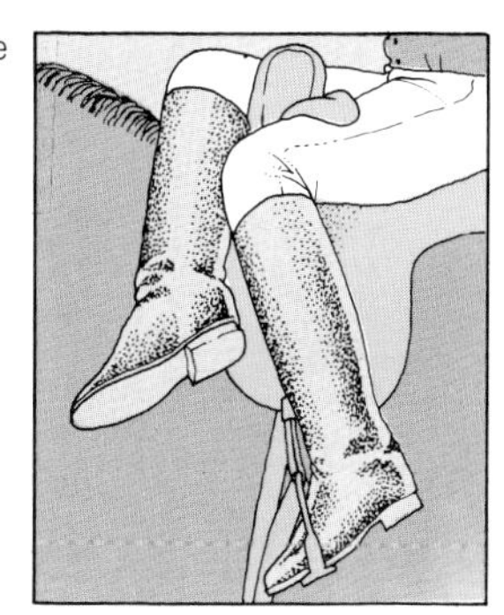

requerimientos específicos, pues se pueden saltar exactamente los mismos obstáculos que con las otras monturas. De hecho, se dice, que los caballos saltan incluso mejor cuando llevan esta silla, pues el jinete generalmente va más relajado que uno a horcajadas, especialmente cuando ya ha adquirido un poco de confianza.

Si el caballo se ha precipitado sobre el obstáculo suele ser porque el jinete, en un intento erróneo de asirse, ha tensado y apretado las piernas contra sus costados. Nunca lo haga, pues impedirá que salte con naturalidad.

A diferencia de las amazonas antiguas, las modernas se echan hacia delante en el momento del salto. Aunque tendrá que levantar un poco el trasero, no lo haga como si estuviera montando a horcajadas, pues no podrá utilizar de la misma forma las rodillas como ejes. Para compensar esta carencia, y dado que el peso cae algo más hacia atrás, es necesario inclinar más la mitad superior del cuerpo; curve la cintura para poder echarse hacia delante. De todas formas, no deje de mantener centralmente el peso y evite, a toda costa, bajar la vista hacia la izquierda.

Hasta que se haya acostumbrado, sentirá mayor inseguridad saltando con una silla de amazona que con una normal. Por ello, es aconsejable, que hasta que consiga realmente sentir la postura, haga bastantes prácticas sobre cavallettis y obstáculos pequeños.

La técnica y los objetivos del salto de amazona son exactamente los mismos que los del jinete a horcajadas. Procure, sobre todo, no interferir en el movimiento de la cabeza del animal; deje que las riendas se deslicen por las manos para que se ajusten a la longitud adoptada por el pescuezo. Cuando el caballo se acerque a la valla, inclínese hacia delante y póngase en la postura de salto, la cual no habrá de abandonar hasta que el caballo haya vuelto a poner los pies sobre la tierra al otro lado del obstáculo. Por último, conduzca derecho el animal hacia el centro de la valla, con un paso uniforme y equilibrado. El resto puede dejarlo en sus manos.

El proceso de aprendizaje de salto de una amazona es muy similar al de un jinete a horcajadas. La postura también es similar puesto que el jinete se echa hacia delante a partir de la cintura, sin necesidad de cambiar de posición los brazos o las piernas. Como no podrá utilizar de la misma manera las rodillas como ejes, incline aún más el cuerpo para adelantarse más.
Arriba izquierda: El jinete realiza los primeros pasos trotando sobre barras. Observe que carece del apoyo del estribo. **Abajo:** El jinete trota por encima de un cavalletti. Observe la gran inclinación del cuerpo que le permite adelantar su peso. La siguiente fotografía muestra un semisalto. Básicamente su postura es correcta, aunque hubiera ido más cómoda si se hubiera echado un poco más hacia delante. La última fotografía muestra el paso final del salto, cuando el caballo toca el suelo. Observe que continúa echada hacia delante, postura que aún mantendrá durante los siguientes pasos. **Derecha:** Practique sin estribos. Al montar sin estribos el jinete adoptará la postura correcta en el momento del salto adelantando bastante el cuerpo de la cintura para arriba.

Errores en el salto de amazona

Quedarse retrasado con respecto al movimiento del caballo, entonces saltará de la silla en el momento del salto.

Sujetarse al *huntinghead* al saltar en vez de al *leaping*.

Inclinarse demasiado hacia adelante o girar el cuerpo al saltar. Lo más probable es que se salga de la silla.

Un caballo propio

El objetivo final de muchos jinetes es llegar a tener un caballo de su propiedad. Este paso, empero, requiere una serie de consideraciones previas, mayores incluso que las de tomar la decisión de aprender a montar. El tipo de caballo que desee comprar no dependerá sólo de lo buen jinete que sea, de cuánto pueda pagar y de cuánto lo quiera montar, también dependerá de cuánto tiempo podrá dedicar a sus cuidados y del lugar que escoja para alojarlo.

La primera decisión que tendrá que tomar es, si lo mantendrá todo el año al aire libre o si lo guardará en un establo siempre o durante algunos períodos de tiempo. Un caballo que vive al aire libre es más barato de mantener y requiere menos tiempo en los cuidados que uno que vive en una cuadra; pero esto significa también que tendrá que seleccionar un animal capaz de resistir los peores cambios del clima. Como consecuencia inmediata esto ya implica que no podrá elegir un caballo pura sangre, ni tan siquiera algún otro tipo de raza pura, pues estos caballos no son nada resistentes.

Si decidiera tener un caballo al aire libre, asegúrese primero que el campo que haya elegido le provea de todas las facilidades necesarias. Éstas las encontrará descritas en las páginas 130 a 149.

Tener un caballo en una cuadra significa que tendrá que disponer de bastante más tiempo en cuidados que si lo tuviera al aire libre y también que le saldrá más caro. De todas formas, un caballo de cuadra suele estar en mejores condiciones y está también más a la mano. Ello también supone que podrá tener un caballo de mejor raza si ése fuera su deseo. Antes de tomar esta decisión, eso sí, piense con tranquilidad de cuánto tiempo podrá disponer para dedicárselo. En este caso encontrará también los requerimientos necesarios entre las páginas 150 y 173.

Una alternativa a estas dos elecciones es mantener el caballo en cuadras de alquiler, donde mozos de cuadra expertos le proporcionarán los cuidados necesarios. Esto le suprimirá responsabilidades y preocupaciones, pero no deja de ser una solución extremadamente cara.

La elección de un caballo

A la hora de elegir un tipo u otro de caballo, probablemente los factores principales a tener en cuenta son el lugar donde lo dejará y el tipo de equitación que realice. De todas formas, existen otros aspectos que también tendrá que considerar, como por ejemplo la altura, edad y sexo del animal.

La altura del jinete influye en la del caballo que

Tener un caballo propio es una experiencia muy diferente a la de montar uno de una escuela y es algo que requerirá una atención constante de su parte. Como es una gran responsabilidad, piense, antes de comprar el caballo, el tiempo y el esfuerzo que ello requerirá. Tanto si desea un caballo para competiciones o sólo de recreo, significa que tendrá que organizarse de tal forma, que pueda alimentar, arreglar y ejercitar a su caballo a diario.

Hasta que no entienda bastante de caballos es mejor que no vaya a las subastas, pues es fácil, después, encontrarse con algún defecto en el animal que en dicha ocasión había sido bien camuflado. **Arriba:** Compradores en un local pequeño de subasta en Inglaterra, con *ponies* de montaña y de pantanos. **Derecha:** Subasta en América —muy diferente—. Se trata de la venta de caballos de pura sangre con elevadísimos costes de compra.

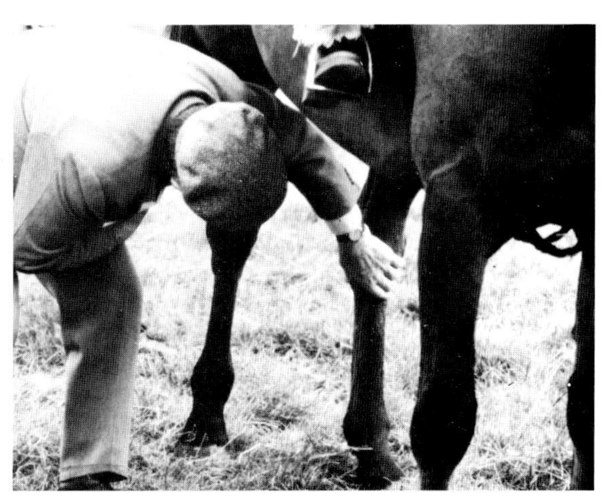

Arriba del todo: Antes de comprar un caballo observe cómo alguien lo monta. Mire detenidamente sus movimientos y su manera de reaccionar hacia el jinete. **Abajo:** Llévese siempre a algún experto para que realice una revisión en general del caballo, especialmente de sus patas. Nunca hay que comprar un caballo sin un previo certificado del veterinario que testifique que el animal está sano.

se desea comprar. Si el jinete es un niño, siempre es mejor elegir un animal más bien algo grande que uno demasiado pequeño. Le dolería mucho tener que venderlo después sólo porque se haya quedado pequeño; lo mejor es distanciar, en la mayor medida posible, ese momento.

La forma del animal es tan importante como su tamaño. Un caballo de lomos anchos no le irá bien a un jinete de piernas cortas y sí, en cambio, uno de la misma altura pero más delgado. Un jinete robusto necesitará un caballo más fuerte que uno liviano, a pesar de que ambos caballos puedan tener la misma altura.

Hasta que el jinete sea un gran experto, siempre es mejor comprar un caballo que ya esté en la madurez y haya sido domado del todo. Esto quiere decir que por lo menos tendrá que tener unos seis años de edad, con lo cual aún le quedarán por delante los mejores diez años de su vida. La mayoría de los caballos podrán desarrollar una vida activa hasta los veinte años aproximadamente.

Por lo general, el sexo del caballo carece de importancia. Una yegua se puede utilizar para la cría cuando se ha desarrollado por completo. Se ha de tener en cuenta, también, que sólo algunos jinetes podrán tener las facilidades necesarias para poder llevarlo a cabo. Se dice que los caballos castrados tienen un temperamento más equilibrado y que a veces son incluso mejores que las yeguas. Solamente los jinetes muy expertos comprarán sementales para montarlos, pues, por lo general, son muy nerviosos y con un carácter bastante impredecible. Tanto si busca un poney para un niño o un caballo para pasear de vez en cuando por el campo, es muy importante que tome en cuenta el carácter del animal. Rechace cualquier caballo que, al acercarse, se ponga nervioso y se aparte, o tenga una mirada mezquina. Puesto que en algún momento tendrá que pasar por una carretera, es muy importante que el caballo no sea demasiado asustadizo, pues ello supondría un grave peligro.

Dónde comprar

Una vez que haya decidido la clase y el tamaño del caballo que desea, podrá empezar la búsqueda. Existen muchos lugares de venta de caballos. A la hora de elegir el animal correcto, los factores que entran a formar parte en la decisión son su propia experiencia en saber juzgar el tipo de caballo y la gente que los vende. Al principio siempre es mejor que alguien, experto en la materia, le acompañe a los lugares de compra.

Principalmente, hay cuatro maneras diferentes de encontrar un caballo a la venta, que son, de oídas, por ejemplo a través de un amigo; yendo a un lugar de venta de caballos; por anuncios en revistas especializadas o a través de algún comerciante. La menos aconsejable de todas suele ser la que nos ha llegado de oídas. Si por ejemplo le compra un caballo a un amigo y posteriormente le surgen problemas, pueden producirse situaciones desagradables que rara vez se resuelven satisfactoriamente. Existen, por supuesto, excepciones; si por ejemplo ha podido observar al caballo durante algún tiempo, sabrá también si es el que le conviene o no.

Si aún no es un gran experto como para poder juzgar un caballo desde una cierta distancia y no está dispuesto a arriesgarse, también es mejor evitar los lugares de venta de caballos. Los anuncios no son tan arriesgados, si sobre todo alguien con experiencia le acompaña a ver el animal. La mayoría de los caballos anunciados en las revistas especializadas, se venden por razones específicas, por lo que siempre tendría que exigir el tiempo necesario para poder examinar el animal con minuciosidad.

Aunque suene extraño, el ir a un tratante o comerciante, es lo más seguro de todo, siempre que elija a uno de reputación y que se cuide de mantenerla. Si éste fuera el caso, él será el primero en interesarse en que la mercancia sea de la mejor calidad.

Otra manera de comprar caballos es en la escuela donde haya aprendido a montar. Hay algunas escuelas que también los venden y esto puede ser una

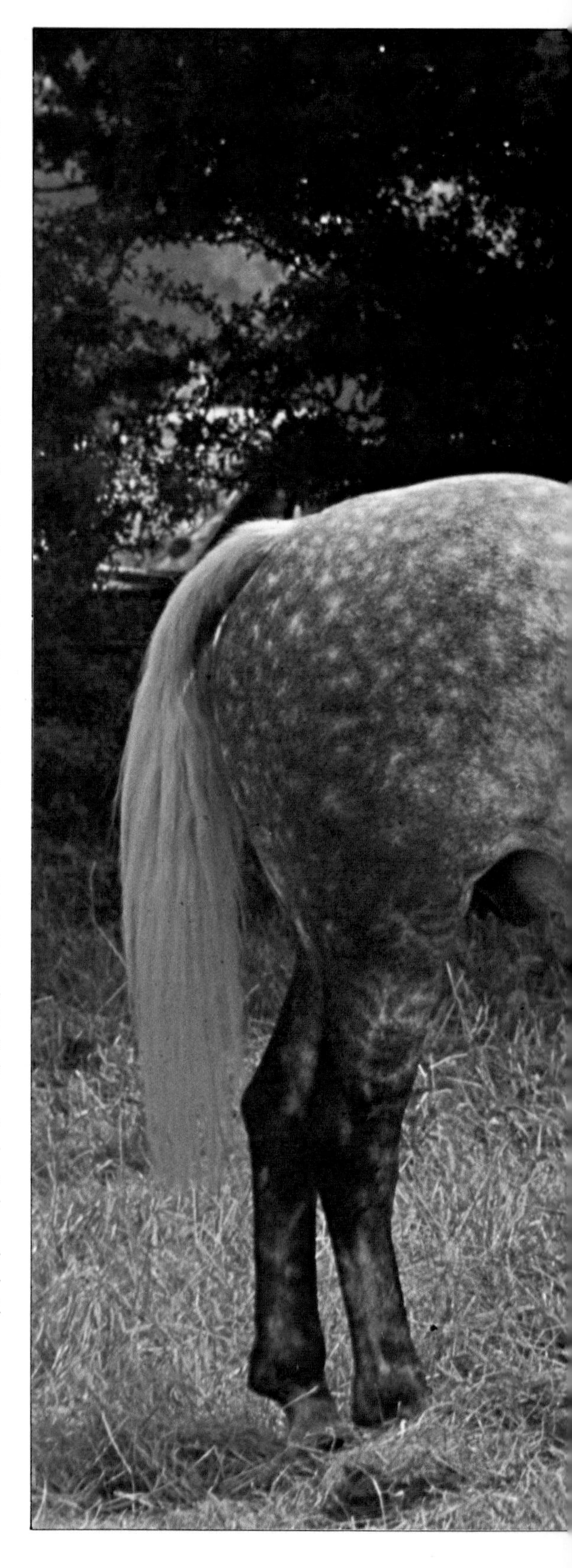

El tipo de caballo que compre dependerá de su propia experiencia como jinete, del tipo de equitación que desee hacer y de las condiciones y tiempo de que disponga para hacerse cargo del animal. **Derecha:** Este bonito y útil caballo es excelente para la equitación de recreo y probablemente llegue a ser, además, un buen ejemplar. No es un pura sangre y podría quedarse al aire libre la mayor parte del año mientras lo cubra con una manta de Nueva Zelanda durante el invierno.

A la hora de comprar un caballo cabe tener en cuenta los puntos resaltados en la ilustración para que estén en las mejores condiciones posibles: 1) Las orejas del animal tienen que estar levantadas, pues cuando están echadas hacia atrás, es un signo de agresividad o de mal carácter. 2) Los ojos tienen que ser grandes y la mirada tranquila, que no sobresalga demasiado el blanco de los ojos. 3) La nariz es más atractiva cuando es ligeramente cóncava. 4) El cuello ha de formar una bella curva y guardar una proporción respecto al cuerpo y la cabeza. Rechaze los animales con un cuello grueso o con un ángulo muy pronunciado entre la garganta y el pecho. 5) Los hombros tienen que caer uniformemente desde la cruz hasta la base del cuello. 6) El cuerpo, sin ser demasiado grande, ha de tener la profundidad suficiente para que los pulmones y el corazón tengan espacio suficiente para funcionar. 7) Los cuartos traseros tienen que tener un aspecto elegante y estar bien redondeados. Asegúrese también que son robustos con respecto al resto del cuerpo. 8) Las patas han de ser robustas y derechas y guardar una relación con el tamaño del cuerpo. Rechace un caballo que tenga cicatrices o hinchazones en las patas. 9) Las manos han de estar limpias, tener una forma redonda y uniforme para distribuir el peso del cuerpo equitativamente.

forma excelente de encontrar el caballo adecuado. Su propio profesor conocerá sus aptitudes y capacidades como jinete, y será, por tanto, un buen consejero.

Montura de prueba

Cuando vaya a comprar un caballo, intente observar cómo se comporta en la cuadra mientras es ensillado, antes de que salga a dar una vuelta. Deje siempre que otra persona lo monte antes que usted, sobre todo si va por una calle o una carretera. Una vez Ud. arriba, ejercite todos los pasos, incluyendo el salto si ello entrara dentro de su preparación, y, sobre todo, tómese todo el tiempo necesario. Antiguamente, los vendedores solían dejar en prueba al caballo durante una semana o quince días. Actualmente y sobre todo por la carestía que suponen estos animales, ya casi no se hace. De todas formas, plantee esta posibilidad al vendedor, pues es la me-

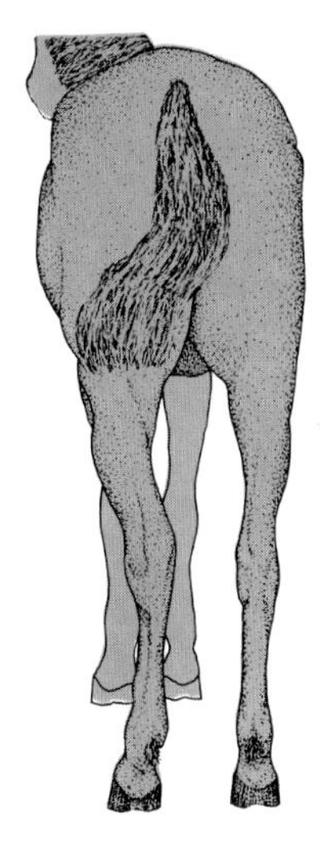

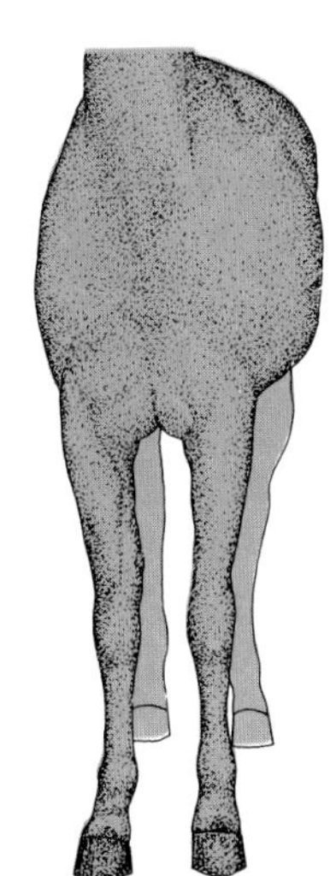

Una buena conformación es probablemente el mejor aspecto que un caballo pueda poseer, aprecie cada detalle con minuciosidad. En general, las patas tienen que estar bien proporcionadas con respecto al resto del animal y ser lo suficientemente robustas para, no sólo llevar el peso, sino, además, saber cobrar el impulso necesario. **Izquierda:** La ilustración de arriba señala algunos puntos que denotan la buena conformación del caballo: 1) La grupa ha de estar en la misma línea que el corvejón y el casco. 2) Visto desde delante, el punto del hombro ha de estar en la misma línea que la rodilla y el casco. **Derecha:** Ilustraciones de algunos caballos con algunos defectos: 3) Patas arqueadas que deformarán los huesos y ligamentos del corvejón. 4) Las rodillas metidas forman una postura muy fea pero esto no es grave siempre que las patas sean fuertes. 5) Patas delanteras juntas, lo que significa que el corazón tiene poco espacio y que al andar pueden ir rozándose mutuamente. 6) Las manos torcidas hacia dentro tienden a deformar las rodillas y a que el caballo tropiece con frecuencia.

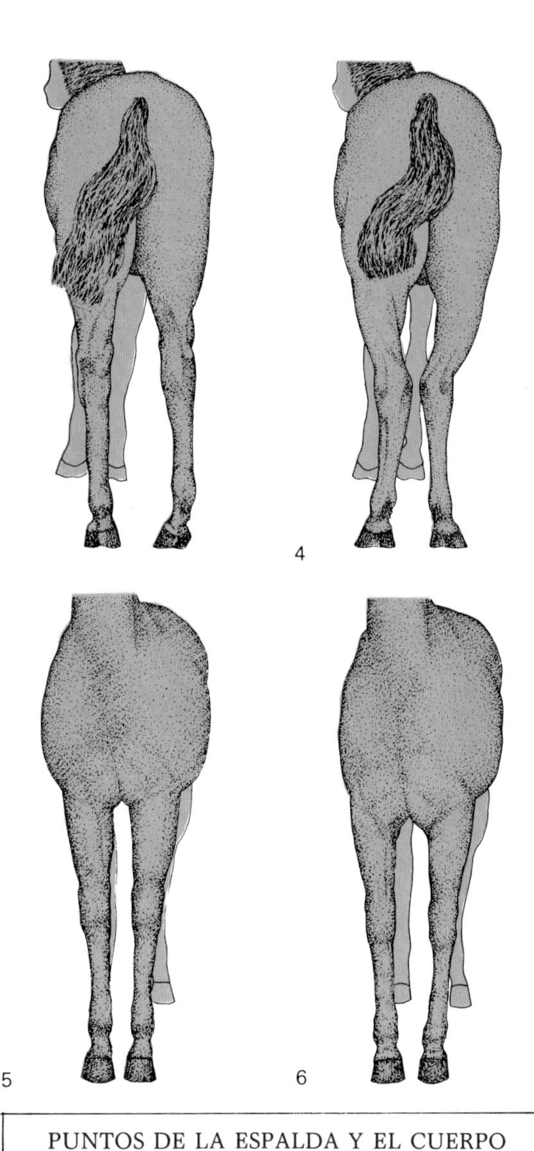

jor forma de conocer realmente el caballo.

Dé la última palabra después de un minucioso examen y juzgue según su mayor capacidad de percepción, siempre después de un examen realizado por un veterinario. Algunos caballos se venden ya con un «certificado de veterinario» que atestigua que el animal se encuentra en buen estado. De todas formas, su propio veterinario conocerá siempre mejor las razones de su compra y podrá reexaminar el caballo, con un criterio para usted más válido.

Haga un chequeo de todos los puntos que se muestran en las ilustraciones, pero mire también el caballo como un todo. Tiene que estar bien constituido y proporcionado, es decir, que realmente cada parte o miembro por separado se ajuste al resto. El animal ha de tener una buena «figura», lo que significa que ha de ser simétrico y no desequilibrado, como ocurre cuando tiene alguna parte desproporcionada.

PUNTOS DE LA ESPALDA Y EL CUERPO

Por razones obvias, la espalda del caballo es tan importante como sus patas. **Abajo:** La espalda derecha restringe el movimiento y probablemente el caballo carecerá de fuerza. **Arriba derecha:** La grupa recta indica poca flexibilidad, mientras que una demasiado oblicua denota falta de fuerza en los cuartos traseros. **Medio:** Un cuerpo poco pronunciado indica poca resistencia y fuerza en los pulmones. **Abajo:** La espalda torcida denota falta de fuerza y, por lo general, indica una avanzada edad del animal.

Tipos y razas de caballos

Al igual que existen innumerables razas diferentes de gatos y perros, existen también muchas razas y tipos diferentes de caballos en todo el mundo. Muchos de ellos son indígenas de algún país o área, donde han vivido y pastado durante generaciones. A lo largo de los años, han variado poco su aspecto físico, pues las características propias a su estilo de vida y su supervivencia se establecieron de forma inherente en el pasado, por lo que, en generaciones posteriores, continúan predominando.

Un buen ejemplo sobre las razas indígenas son los nueve tipos diferentes de poneys que viven en lugares distintos del Reino Unido, desde las islas más nórdicas de Escocia hasta los condados del sur de Devon y Somerset. Conocidos popularmente como las razas de la montaña o de los pantanos, algunos de ellos han vivido en regiones específicas desde la prehistoria. Otros países tienen razas similares que viven desde hace siglos en su tierra. Ejemplos serían los trabajadores poneys pequeños de Islandia que llevaron allí los invasores noruegos hace ya más de mil años, y los bellísimos *ponies* grises de Camargue. Estos últimos viven en la región del delta del Ródano, al sur de Francia, y actualmente siguen casi tan salvajes como lo fueron en el pasado.

El caballo árabe

Una de las razas nativas más bellas e importantes son la que constituyen los caballos árabes. Este magnífico animal, considerado por muchos jinetes como el más exquisito de todos los caballos, ha vivido en los desiertos de África durante miles de años; de hecho, sus orígenes están perdidos en la antigüedad y envueltos en románticas leyendas.

Actualmente, el caballo árabe se cría en casi todos los países del mundo. Las diferentes cualidades que han permitido su supervivencia en condiciones extremas de clima, se deben a que existen diferentes tipos de caballos árabes con características muy propias. Más que ningún otro caballo, los árabes han influido y ayudado a que se reproduzcan «nuevas»

Las ilustraciones muestran algunos de los *ponies* que pueden encontrarse en el mundo. **Izquierda:** Pequeña manada de *ponies* de Camargue, que, según dicen, han vivido desde la prehistoria en las zonas pantanosas del delta del Ródano, al sur de Francia. Generalmente, al nacer son de color negro y, a medida que se van haciendo más viejos, adquieren el característico color gris. El *pony* Fiordo, robusto aunque pequeño, es oriundo de Noruega y aún se sigue utilizando para el trabajo en lugares perdidos de las montañas. Es un caballo pardo con una raya negra en las patas, la crin, la cola y el dorso. La crin tiene una gran cantidad de pelos grises y se mantiene erecta como un cepillo encima del grueso pescuezo. El *pony* de Islandia es también un animal de trabajo para los habitantes de la isla. Aparte de ser muy trabajador, tiene un carácter apacible y posee unas características excelentes para sobrevivir en las condiciones inhóspitas de su tierra. El caballo de Przewalski pertenece a una de las razas más antiguas de caballos o *ponies* y mucha gente cree que pertenece a la misma del *equus caballus,* el caballo prehistórico del cual se dice que descienden todos los demás. Actualmente quedan pocos de estos animales salvajes y los que hay, viven en las zonas desérticas de Mongolia. Los *ponies* galeses de la montaña y de los pantanos son dos de las más antiguas razas nativas de Gran Bretaña. Ambos poseen las características necesarias para sobrevivir en un entorno duro. Ambos son también excelentes ponies de equitación para niños.

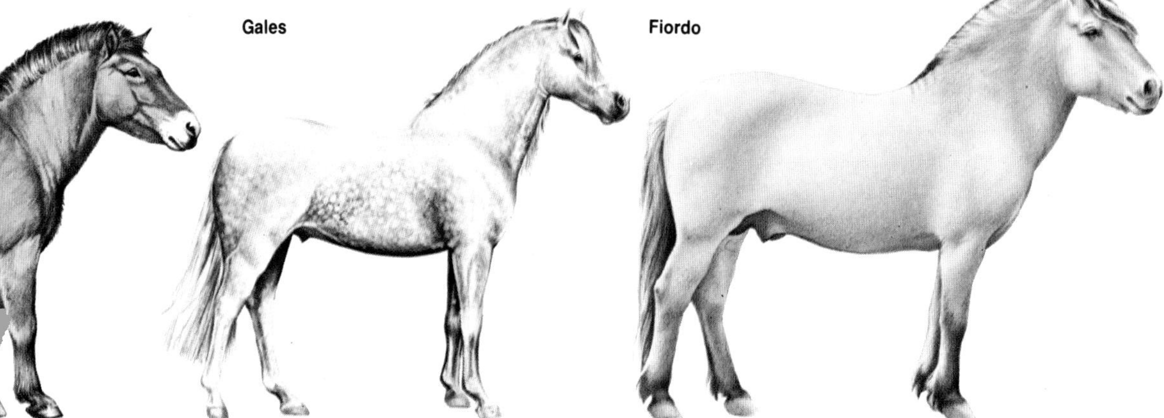

razas que actualmente están firmemente establecidas dentro del mundo de los caballos.

Razas selectivas

Estas razas «nuevas» (término relativo pues muchas existen desde hace cientos de años) son aquéllas que el hombre, como resultado de cruces selectivos, ha producido y desarrollado. Las razones de su existencia son diversas, a veces por necesidad, otras por corresponder a una moda o por satisfacer el deseo de un grupo o una comunidad. Ejemplos muy claros de las razas que ya ha desarrollado el hombre a lo largo de los años, son, por ejemplo, los preciosos caballos de equitación que se pueden encontrar en los Estados Unidos y en la mayoría de los países europeos.

Sin lugar a dudas, la raza más famosa son los pura sangre que se desarrollaron a finales del siglo XVII en Inglaterra, a partir de tres tipos diferentes de sementales árabes. En ese tiempo, las carreras de caballos, consideradas entonces como «pasatiempo del diablo», pasaron a convertirse en «deporte de reyes».

El pura sangre se desarrolló con la única intención de obtener un caballo de gran velocidad para distancias relativamente pequeñas. En las distancias largas, el pura sangre sigue sin ser un rival para su antecesor, el caballo árabe, el cual puede ir a bastante velocidad con mayor aguante y resistencia que los de su descendiente.

El mundo de los híbridos

La mayoría de los caballos que se utilizan en todo el mundo, y muchos de los que se pueden ver tam-

Abajo: El pura sangre es la más famosa de todas las razas que ha producido el hombre a través de cruces selectivos. Existe desde finales del siglo XVIII y sus raíces provienen del cruce entre tres sementales árabes. **Derecha:** El caballo árabe es uno de los caballos más bellos que existen; durante tiempo inmemorial vivió en los desiertos de Arabia. Actualmente se cría en casi todos los países amantes de los caballos, lo que hace que existan innumerables tipos diferentes de esta raza.

357

bién en competiciones son híbridos, es decir, son el resultado del cruce de dos clases de caballos, uno de los cuales puede ser un pura sangre o ambos híbridos a su vez. La carencia de sangre pura en los híbridos significa, por lo general, que son más baratos. Esto, eso sí, no tiene por qué influir en su capacidad como caballos de montura o en su temperamento y disposición. De hecho, los híbridos suelen tener un carácter más templado y son bastante menos nerviosos que sus parientes con pedigrí.

Tipos de caballos

Aparte de las razas específicas y los innumerables híbridos de caballos, existen varios «tipos» reconocidos. En la mayoría de los casos, el tipo de caballo guarda una relación con el trabajo para el cual ha sido criado y para el cual es más apto.

Uno de los tipos más conocidos, es el caballo de caza, así denominado por poseer características especiales para las cacerías con perros. Actualmente se reconocen como tales a diferentes tipos de caballos de caza, debido a que las características que se necesitan para la caza en un lugar determinado, no son en absoluto las mismas que se requieren en un lugar diferente. Por ejemplo, el caballo fuerte y de complexión pesada que necesita un jinete robusto para cabalgar entre lugares vallados de campos pequeños, no le servirá de mucho a una dama, de peso ligero, para ir de caza por campos abiertos con pocas vallas. Es así como han surgido diferentes tipos de caballos de caza los cuales se podrían reunir en tres categorías principales, de poco peso, peso medio y de gran peso. Todos los caballos de caza han de tener en común una cierta energía, audacia y coraje y también ser capaces de saltar los obstáculos que se puedan encontrar durante un día de caza. Asimismo, tendrán que tener la resolución o inteligencia necesarias para enfrentarse o evitar posibles problemas que puedan acontecer.

Caballos de exhibición

Como resultado de los diferentes tipos de caballos de caza, ha surgido «el caballo de caza de exhibición». Este caballo de exhibición, se divide a su vez en diferentes tipos. Posee las mismas cualidades que un caballo normal de caza, pero nunca se lo llevará de cacerías, al menos, no mientras continúe su carrera en las exhibiciones. La causa de ello es que, cualquier herida mínima, un pequeño golpe, por ejemplo contra algún obstáculo en una cacería o una espina enconada de algún matorral que pudiera dejar la más mínima cicatriz, cortará en seco su posibilidad de ser un caballo de exhibición. Su valor en el mercado, descendería considerablemente, por lo que se entiende que muy poca gente esté preparada a correr un tan gran riesgo.

Página opuesta: Este espectacular caballo de Tennessee se caracteriza principalmente por su paso original. De hecho, el movimiento no es corriente, pero es algo innato en ellos y se cuenta que los potros lo ejecutan naturalmente. **Arriba:** El Morgan es una de las razas más pequeñas de los EUA que se crió a principios del siglo pasado. Actualmente esta raza se ha hecho muy popular entre los miembros de la fraternidad de equitación. **Abajo:** El caballo Quarter fue, en sus orígenes, el caballo de trabajo en los EUA, que utilizaban los colonos para cultivar y trabajar las nuevas tierras conquistadas. **Abajo de todo:** El Appaloosa moteado es una raza que criaron los indios de Nez Perce que habitaban en la parte occidental de Washington y en la zona central de Idaho. Su característico pelo moteado aparece en cinco muestras diferentes.

Hacks* y caballos de recreo

Otro tipo de caballo que casi exclusivamente se utiliza para las exhibiciones es el *hack*. Actualmente es, sobre todo, un caballo para señoras, sin embargo, su nombre ha derivado a partir de la palabra francesa *haquenai*, que literalmente significa caballo de montura y que se refiere a cualquier caballo de baja estatura. Gradualmente, se han desarrollado dos tipos de *hacks*. El primero era el *hack* de parque, caballo utilizado sobre todo por señoras (aunque también por caballeros en algunos casos para salir a dar una vuelta de recreo por los campos de sus condados o los parques públicos de los pueblos o ciudades donde vivían). El segundo se conocía como *covert hack* que le servía al jinete para salir con sus podencos, mientras que el caballo de caza (el animal que lo llevaría durante un día de caza) era montado por un mozo de cuadra a un paso mucho más relajado.

El *hack* de exhibición se ha desarrollado a partir del *hack* de parque. Después de todo, la equitación de recreo, era prerrogativa de los ricos y de la aristocracia, pues la gente de menos dinero utilizaba caballos en el trabajo diario por razones más prácticas. De esta forma, cuando los jinetes montaban por un parque querían ser admirados y, consecutivamente, elegían caballos apropiados. Aparte de tener una conformación atractiva, el *hack* había de poseer bellos movimientos y pasos ligeros y, lo que seguramente es más importante, tener una buena educación para que el jinete pudiera estar seguro de que obedecería sus ruegos y no lo tiraría de la silla por ser demasiado altivo. Estas cualidades de conducta impecable

* Se define en el texto.

Página opuesta: No todas las razas de caballo se pueden transformar en *eventer*. Aparte de poseer una gran habilidad de salto, tendrán que demostrar audacia, velocidad y vigor.

Arriba: De la misma forma, aparecerán diferentes tipos de caballos en las competiciones de salto. Incluso aun más que el *eventer*, este caballo ha de ser un atleta superior.

y bella apariencia, son los factores que determinan el *hack* de exhibición de nuestros días.

El *hack* es de todas formas también un caballo que sirve para la equitación de recreo. En los Estados Unidos también hay caballos para la montura de recreo y se muestran en exhibiciones. Este término se refiere a casi todos aquellos caballos que sirvan para la equitación de placer. Aunque existen muchos tipos diferentes de híbridos de caballos, al igual que razas específicas, todos han de reunir las exigencias que correspondan a cada caso particular.

El pony de exhibición

Otro tipo de caballo, o más particularmente de poney, que casi exclusivamente se utiliza en exhibiciones, es el poney de exhibición. Este elegante animal pequeño no está clasificado como raza, pero probablemente se ha reproducido a partir de cruces de pequeños puras sangres con otros híbridos de excelente calidad o poneys nativos (en lo que a conformación se refiere). Un *pony* de exhibición es un *pony* impecable en su físico y en su conducta, para que pueda entrar a competir con sus semejantes. A la hora de tomar una decisión, los jueces también tendrán en cuenta sus movimientos y sus ejecuciones en general.

Jacas

La jaca es otro tipo de caballo. Aunque muchas ex-

Arriba: Los caballos de exhibición de los EUA suelen llevar, al igual que sus jinetes, un equipo extremadamente sofisticado.
Abajo: Los *ponies* de exhibición no constituyen una raza específica, pero se clasifican como tipos. Con una apariencia y físico perfectos, han de realizar con gran limpieza los ejercicios.
Derecha: Las jacas, montadas siempre por señoras, suelen ser pura sangre y, al igual que los *ponies* de exhibición, han de demostrar unos modales y un aspecto físico impecables.

hibiciones de caballos de alta calidad incluyan muestras de jacas, por lo general es un animal que más bien se considera de recreo, muy adecuado para aquellas personas que deseen una montura tranquila y bastante plácida. Las características principales de una jaca son sus miembros robustos y su fuerte musculatura. Por lo general es más compacto y grueso que un caballo de caza, incluso comparado proporcionalmente con un animal vigoroso de este tipo. En un pasado no muy lejano, las jacas servían como caballos de arreos; también en este caso y debido a la popularidad del deporte de la equitación, van apareciendo cada vez más en dicho campo.

Existe un tipo de jaca, la jaca galesa, que se reconoce como raza. Al igual que su pariente el *pony* galés de la montaña, es oriunda de la zona montañesa de Gales y se piensa que desciende del cruce de caballos españoles con los *ponies* nativos más pequeños. Sea esto o no verdad histórica, las jacas galesas han continuado reproduciéndose como raza en esta parte de Gran Bretaña durante cientos de años. Hay otro tipo de jaca que viene de Irlanda, donde, también, se ha desarrollado durante siglos. Denominada jaca irlandesa, no recibe, generalmente, el mismo status de raza que el de la jaca galesa. Otras jacas o tipos de jacas se dan por lo general debido al cruce de caballos de caza con caballos pequeños y bien conformados que seguramente han tenido sangre pura en sus ascendientes. Aunque la jaca sea un animal robusto, tiene como características las orejas pequeñas y la crin y la cola ligeras, propias de los *ponies*.

Caballos de salto de exhibición y eventers[1]

A raíz de la enorme popularidad que han ido adquiriendo las exhibiciones de salto y los *eventings*[2], han aparecido algunos tipos de caballos denominados de salto o eventers. Aparte de que no se reconocen como razas, tampoco poseen un físico tan perfecto como el resto de los caballos mencionados anteriormente. En ambos casos, el nombre designa más bien la habilidad del animal que su físico.

Más que ningún otro tipo de caballo, el de exhibición de salto tendrá que ser un atleta de gran talento, con la habilidad necesaria para saltar grandes vallas y con la voluntad de hacerlo a sangre fría, es decir, sin, por ejemplo, el incentivo de la persecución en la caza. También tendrá que ser ágil, sobre todo para saltar en lugares cerrados, donde la reducción del espacio exige con frecuencia la realización de giros bruscos a gran velocidad. Los caballos que sirven para este tipo de competiciones suelen tener un temperamento bastante tranquilo para que no se exciten con facilidad ante la luminosidad de los focos en una atmósfera muchas veces tensa y eléctrica. Basta echar una mirada superficial a los caballos que participan en las competiciones de saltos para poder ver que son de variadas conformaciones y tamaños diferentes, pues no existe, lo que podríamos denominar, un tipo especial de caballo atlético. Las características que todos estos caballos tienen en común, son los cuartos traseros y corvejones robustos, pues la fuerza e impulso que necesitan para salvar los obstáculos provienen de estas partes.

El eventer es, probablemente, el caballo más valiente y de mayor talento, aunque, reiteramos una vez más, es un tipo de caballo de diferentes formas y tamaños. Sus tres características más importantes, la doma, el salto de obstáculos en el campo y en una exhibición, hacen que sea un caballo de pasos fluidos y gran precisión de movimiento, de una considerable velocidad y energía, así como de una gran habilidad de salto. Son, sobre todo, muy obedientes, pues han de estar atentos para responder en seguida las órdenes de su jinete. En términos generales, se puede decir, que el *eventer* tiene una sangre bastante pura, es decir, una gran cantidad de pura sangre en sus venas, mezclada, probablemente, con la de un caballo de caza. Estos dos tipos de caballos conforman juntos el animal con las cualidades necesarias para ser un *eventer* de primera calidad, el instinto del caballo de caza da la parte de agresividad y coraje y el pura sangre posee las características del refinamiento, la obediencia y la elegancia.

(1) Caballo de salto.
(2) Acontecimientos (hípicos en nuestro caso).

Cuidados al aire libre

Sale más barato, y requiere menos tiempo, guardar un caballo al aire libre que en una cuadra. Hay que tener en cuenta que no todos los caballos pueden sobrevivir todo el año íntegro a la intemperie, y que necesitarán una cuadra para los meses más fríos, al menos por las noches. Los caballos que trabajan duramente algunos períodos del año, por ejemplo durante la época de caza, se merecerán, después, un buen descanso al aire libre.

El apacentamiento y las necesidades mínimas son las mismas tanto si el caballo permaneciera fuera sólo algunos meses del año o constantemente.

El tamaño del lugar depende en gran medida de la calidad del apacentamiento; en términos generales se puede decir que un caballo necesita 0.8 hectáreas (2 acres) de hierba como mínimo para poder alimentarse durante seis meses. A pesar de que los caballos no necesiten tanta cantidad de hierba como el ganado, son animales mucho más sibaritas y no se comerán, por ejemplo, una hierba que sepa amarga o que simplemente encuentren inapetecible. De esta forma, un campo lleno de malas hierbas y ortigas será inservible a no ser que se lo transforme en un buen pastizal. Tendrá que limpiar los lugares con demasiada hierba mala y plantar semillas de hierbas comestibles, como por ejemplo hierbas de prados o las variedades del centeno. Estas últimas crecen mejor en suelos duros.

Tendrá que revisar también el suelo por si hubieran plantas venenosas (véase pág. 134) u objetos dañinos, como por ejemplo trozos de botellas y latas, bolsas de polietileno o residuos similares. Haga una minuciosa revisión, sobre todo en verano, pues siempre cabe la posibilidad de que hayan ido domingueros.

Las vallas tendrán que ser sólidas y seguras. El material utilizado tiene que ser fuerte para que no se estropee si, por ejemplo, el caballo se apoya o se frota contra él. Las mejores vallas son las que se hacen con postes o barrotes de madera, pero también son las más caras. Como alternativa se pueden poner cables de alambre (nunca de espino) tensados entre los postes de madera, siempre que el alambre más bajo quede lo suficientemente alto para que el caballo no se le enganche la pata si tratara de estirarse para coger hierba del otro lado de la valla. También sirven las vallas de piedra o de setos siempre que se encuentren en buen estado y no contengan ninguna

Aunque el hecho de tener el caballo al aire libre requerirá invertir menos tiempo por su parte, las estadísticas demuestran que un caballo que vive a la intemperie está más expuesto a sufrir accidentes que uno que vive en la cuadra. Las vallas han de ser sólidas, seguras y a prueba de golpes o de intentos de salto. Regularmente tendrá que examinar el campo donde se encuentra el animal, tanto para comprobar que no hayan nacido plantas venenosas, como para estar seguro de que no han caído objetos peligrosos, como cristales o bolsas de plástico. Un caballo que vive a la intemperie se encontrará en una situación ideal para satisfacer su apetito exigente siempre que el campo se mantenga en buenas condiciones.
Izquierda: Algunos de los tipos de hierbas más comunes que les gustan a los caballos, entre las que se encuentran la hierba perenne de centeno, el Timothy y el Cocksfoot; estas dos últimas son muy nutritivas y apetecibles. El diente de león y el *ribgrass* tienen un alto contenido de minerales a pesar de que sean malas hierbas. El agua también es un factor esencial, y si no tiene la suerte de poseer un arroyo natural en su campo, tendrá que suplirlo por abrevaderos de agua. Cerque las charcas estancadas que pueda haber.

ACCESORIOS:

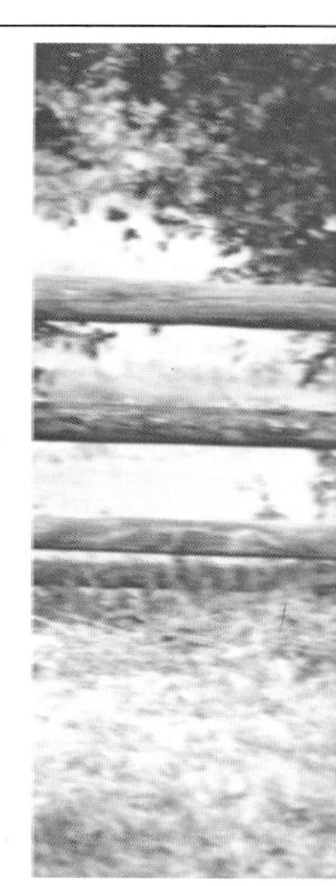

Izquierda: Provea a los caballos que viven a la intemperie de algún tipo de refugio. El más idóneo es una construcción hecha de madera con un lado totalmente abierto, de tal forma que el caballo pueda salir y entrar sin ninguna dificultad. Este lado no tiene que mirar hacia el norte o en alguna otra dirección donde soplen vientos fuertes. A pesar de que el caballo utilizará el cobertizo principalmente para refugiarse del frío y de las lluvias, muchas veces, en el verano, también se meterá en él para huir de las moscas.
Abajo: Otro factor esencial es que el caballo siempre tenga agua limpia a su disposición. Lo más idóneo es tener un abrevadero sólido de hierro donde el agua entre a través de un grifo de flotador. Cuando el agua esté un poco turbia o el tanque empiece a llenarse de cieno, vacíelo y límpielo. Al hacerlo, no utilice ningún tipo de detergente.

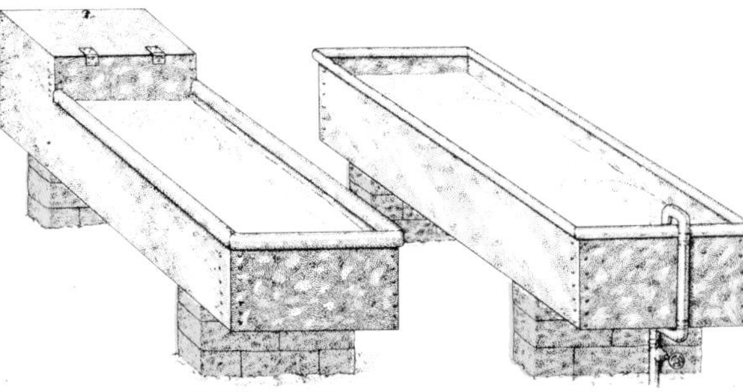

planta venenosa. Cualquiera que sea el tipo de valla elegido, tendrá que ser revisado regularmente para comprobar que no se ha estropeado en algún punto. Si esto llegara a ocurrir, el caballo encontraría rápidamente el lugar debilitado y no dudaría en escapar. Cualquier daño que pudiera causar en otra propiedad será responsabilidad del propietario del caballo, el cual, también puede ser sancionado, si el animal apareciera en una carretera.

Las puertas también han de ser sólidas y operar con efectividad, es decir, se tienen que abrir lo necesario y cerrar con seguridad sin necesidad de atarlas con trozos de alambre. Las mejores puertas son las de madera o de acero tubular. Tendrán que ser lo suficientemente anchas para que caballo y jinete puedan atravesarlas uno al lado del otro sin que ninguno de los dos se golpee contra los postes. Las barandillas ajustables que se enganchan a resistentes aros de metal sirven también, aunque no son tan buenas como las puertas propiamente dichas.

La importancia del agua

Aunque sólo saque al caballo un rato al día, siempre tendrá que disponer de agua fresca. A pesar de que los arroyos naturales son seguramente lo mejor y la forma más simple de proveer agua, la tierra que los rodea suele quedar muy revuelta y fangosa. Lo más común es instalar un abrevadero que le proporcione agua. El mejor es uno que posea un grifo de flotador, de tal forma que, en cuanto descienda el nivel del agua, se vuelva a llenar automáticamente. Mantenga resguardado el mecanismo del grifo para que el caballo no lo pueda alcanzar con la boca, pues si pudiera, jugará con él hasta que se rompa. El abrevadero no tiene que tener esquinas puntiagudas que

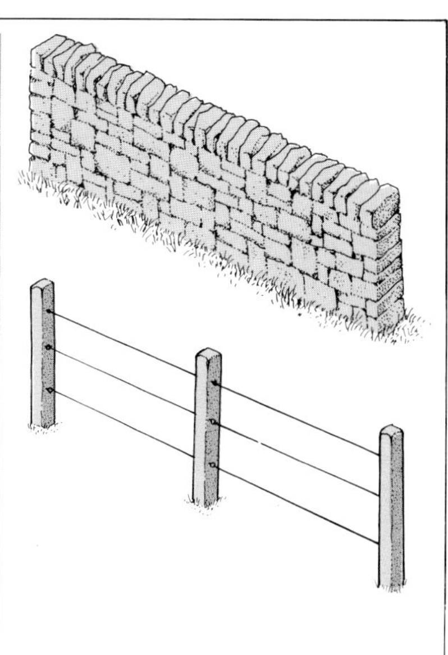

Izquierda y arriba: Las vallas de una tierra donde pastan caballos han de ser fuertes y sólidas. Los postes y barrotes de madera son seguros y de larga duración aunque salen muy caros. Como alternativas se pueden usar muros y cables tensados entre los postes de madera; examine, eso sí, ambos con cierta regularidad, por si se hubieran producido quiebras o agujeros.
Izquierda: La puerta es otro factor a tener en cuenta. Tiene que ser fuerte y segura y abrirse y cerrarse con facilidad. El cierre tiene que ser seguro, sin necesidad de atar trozos de cable accesorios.

puedan lastimar las rodillas del animal. Si por ejemplo tuviera que utilizar algún tipo de contenedor, como una bañera vieja, cubra sus lados de tal forma que desaparezcan los bordes sobresalientes. Revise con frecuencia el agua para comprobar que el grifo de flotador opera bien. Cuando empiece a aparecer cieno verde en los bordes del tanque, limpie el abrevadero. Vacíelo y enjuágelo con agua limpia antes de volver a rellenarlo.

Tipos de refugio

Los caballos que están al aire libre necesitan algún tipo de cobertizo para poderse proteger de los vientos fríos y de la lluvia en invierno, y de las moscas en verano. El más idóneo es un cobertizo de tres lados; lo mejor es que el lado abierto esté colocado justo en frente de una línea de árboles o de un seto alto. No lo ponga cara al norte. Los mejores son los cobertizos de madera o de ladrillo. En la medida de lo posible, el suelo tendría que ser de un material duro, como por ejemplo cemento. Si además lo extiende por el área que hay justo en la parte exterior del refugio, evitará que el suelo se humedezca demasiado con las lluvias.

El tamaño del cobertizo tendrá que ser lo suficientemente amplio para que el caballo pueda girarse tranquilamente y tumbarse con comodidad. Si tuviera dos caballos, el refugio ha de tener la capacidad de albergar a ambos y su lado abierto ha de tener una anchura suficiente para que quepan los dos sin necesidad de golpearse. Ponga algo de paja sobre el suelo del cobertizo para que el caballo pueda tumbarse si así lo deseara. No se sorprenda demasiado si, durante el verano, observara que el refugio se utiliza sobre todo para huir de las moscas.

Sea cual fuere el campo donde deje al caballo, revíselo con cierta regularidad para que no queden posibles objetos humanos o naturales que pudieran perjudicar al caballo. Los que, obviamente, pueden ser más peligrosos, son los cristales, las latas y la basura. Las bolsas de plástico poseen un atractivo especial para los caballos y si se las tragaran podrían ahogarse y morir. Las plantas venenosas pueden enfermar gravemente al caballo e, incluso, matarlo. Conviene, por ello, ser capaz de reconocer los tipos más comunes; el campo se habrá de revisar con cierta regularidad por si hubieran brotado nuevas plantas. Las plantas tóxicas se eliminarán por completo, pues si se las deja morir cabe la posibilidad de que se vuelvan a reproducir. Examine también el heno y el lecho del animal para poder quitar posibles plantas dañinas. Afortunadamente, la mayoría de los caballos no poseen una atracción natural hacia las plantas más tóxicas, pero si estuvieran hambrientos, cabe la posibilidad de que ingieran, por ejemplo, belladona. El tejo y la alheña son más comunes y, si el caballo las tiene a su alcance, se las comerá.

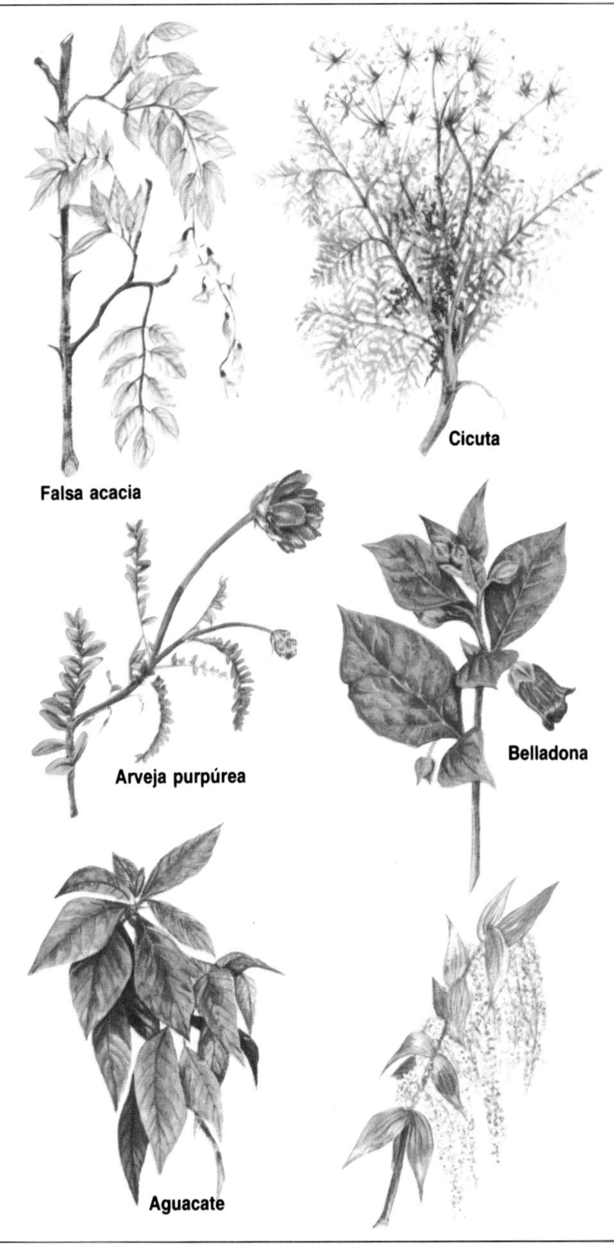

Plantas venenosas
Cualquier campo que se quiera utilizar para el apacentamiento de caballos tendrá que ser revisado por si tuviera plantas venenosas. Las más frecuentes son el tejo, la belladona, la cicuta, la hierba cana, el codeso y la dedalera. La alheña y el laurel también se consideran venenosas, aunque muchos caballos las pueden ingerir sin que por ello les causen trastorno alguno.

Los árboles como el tejo y el codeso tendrán que ser protegidos de tal forma que el caballo no pueda alcanzar sus ramas. Los caballos suelen encontrar especialmente apetecibles las ramas caídas del tejo, y éstas son mortales. Saque de raíz el resto de plantas venenosas, remueva el campo y quémelas. Nunca las deje amontonadas sobre el campo para que se pudran y mueran allí.

Si sospechara que su caballo ha ingerido alguna planta venenosa, llévelo a la cuadra o al cobertizo mismo y mande buscar de inmediato a un veterinario. Los síntomas más visibles son temblores raros moviendo la cabeza o frotándose con la boca el es-

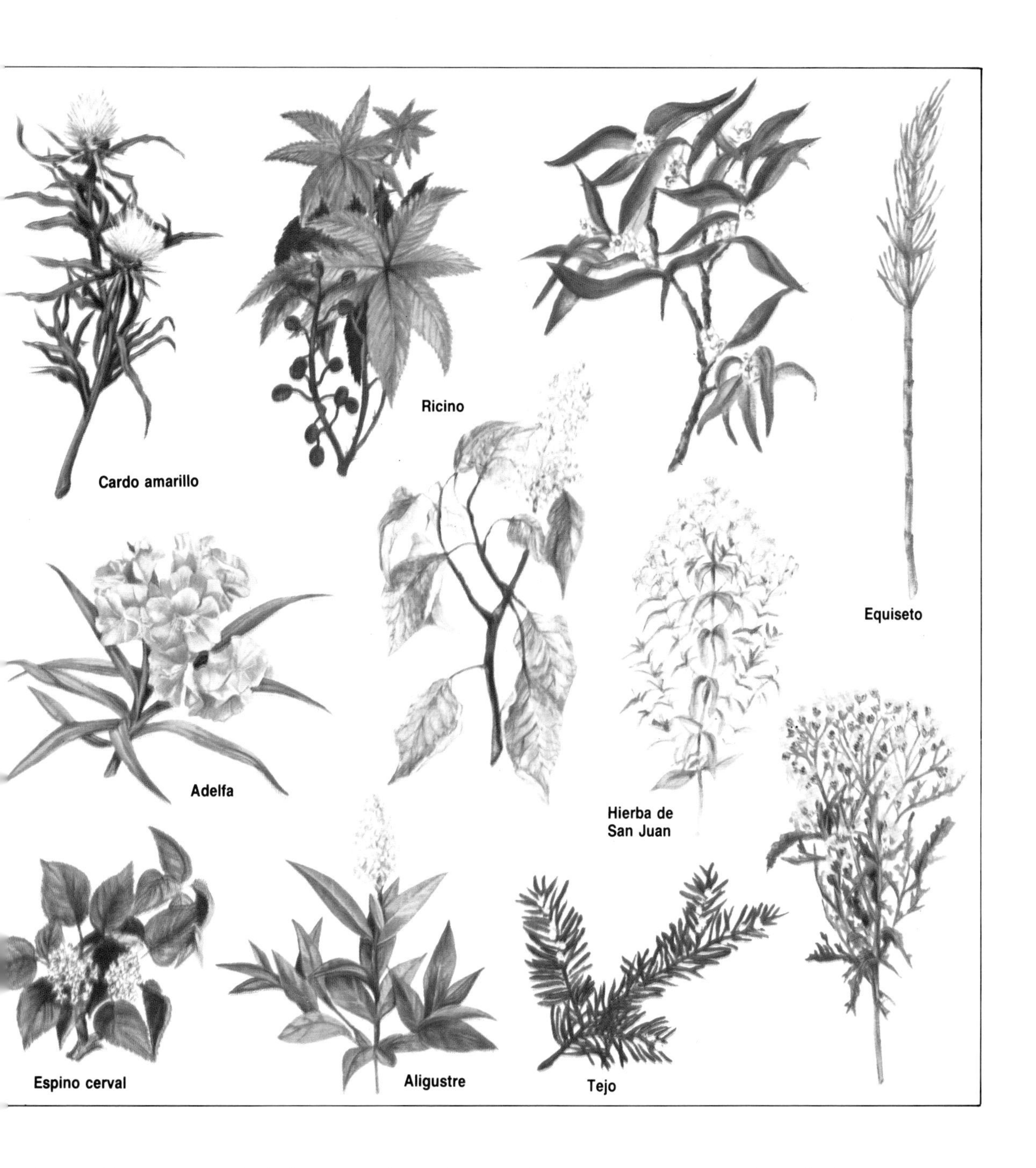

tómago. Puede que también le salga saliva y tenga algo de fiebre.

Cuidados del apacentamiento

Es difícil poder encontrar una buena tierra de apacentamiento y si la hallara no le será fácil tampoco mantenerla en buenas condiciones. Lo principal es dejarla descansar parte del año, pues si no, se desgastaría; la hierba se volvería tosca e inapetecible y probablemente se llenaría de muchas lombrices que viven como parásitos en los caballos.

La hierba nueva empieza a crecer en la primavera; la mejor y la más rica es la del verano. Durante este período de tiempo el campo tendría que descansar, tanto para que la hierba tenga oportunidad de brotar como para que el caballo no coma demasiado del abundante pasto, pues le puede producir desarreglos, como, por ejemplo, una excesiva obesidad. Si el caballo posee un gran área de buen pasto, solamente se alimentará de las mejores hierbas, estropeando, al pisar, gran parte de las restantes, que por

El hecho de tener el caballo a la intemperie requerirá la misma atención por su parte que si lo tuviera en la cuadra. **Arriba:** La fotografía muestra un caballo en condiciones muy pobres; es peligroso el caballo en campos fangosos pues puede resbalar, además de que un lugar de poco drenaje tampoco le proporcionará mucha comida. **Derecha:** Un factor necesario si mantiene su caballo al aire libre, es limpiar cada día el campo de excrementos, pues si no los retirara, se producirán bichos que pueden causar infecciones al caballo.

otra parte, aceptaría gustoso si sus raciones fueran menos abundantes. El pasto pisoteado ya no sirve para nada, porque el caballo ya no lo comerá y las pérdidas son muy grandes.

Si el campo fuera lo suficientemente amplio como para dividirlo en dos, es muy útil hacerlo utilizando un vallado eléctrico. Un caballo entiende rápidamente qué es lo que le sucede cuando toca el alambre y no se acercaría más. Si el tamaño del campo no lo permitiera, tendrá que buscar otro para poder alternar. Recuerde que, al dividir un campo en dos partes, el caballo seguirá necesitando agua fresca y un cobertizo en ambos lados.

No abandone el caballo a su suerte sólo porque al estar al aire libre tenga más ventajas, como, por ejemplo, cantidad buena y constante de comida, un sitio casi ilimitado para ejercitarse, compañía y entretenimientos. **Izquierda:** Caballos apacentando tranquilamente en el lugar, probablemente más idóneo, para ellos; pero observe que han sido cubiertos cuidadosamente con mantas de Nueva Zelanda para protegerlos contra el frío. Durante el verano conviene cubrirlos con una manta ligera o con una sábana, para protegerlos así de las moscas y de los rayos de sol.

Mantenimiento diario

Deje reposar el campo o campos a finales de la primavera y principios del verano. Éste es el período de mayor crecimiento. Si además llegara a ser particularmente fértil, puede además cortarlo para tener forraje durante el invierno. A mediados del otoño, la hierba deja ya de crecer hasta la primavera siguiente.

Como ya se había mencionado anteriormente, los caballos son bastante sibaritas. Aparte de que rechazarán todo aquel pasto que no encuentren bueno, tampoco comerán en las zonas donde haya orina o excrementos. Por un lado esto es bueno, ya que por lo general estas zonas suelen albergar muchos gusanos, pero por otro lado también se puede perder abundante pasto bueno. Servirá de mucho que cada día salga con un cubo y una pala para apartar los excrementos. Si por alguna razón no lo pudiera hacer, al menos entonces una vez a la semana rastríllelos y quítelos del suelo.

También es conveniente para el pasto que, de tanto en tanto, paste ganado. Éste limpiará uniformemente el campo, comiéndose incluso hierbas que el caballo haya rechazado. Otra alternativa para los sitios donde queden largas hierbas toscas, como resultado del apacentamiento del caballo, es la siega de los mismos para que así puedan brotar nuevas plantas. Arar la tierra y alimentarla con algunas sustancias, como por ejemplo, con cal, ayuda también a mejorar el crecimiento de las plantas. Si las malas hierbas empezaran a reproducirse en grandes cantidades, siempre es mejor aplicar alguna sustancia que las mate, pues si no, se multiplicarán y ahogarán el pasto. Esto, por supuesto, se hace cuando el caballo no esté pastando en el campo. También, al cortar la hierba alta, puede aprovechar y arrancar las malas hierbas.

Establecer una rutina

Si decide sacar a su caballo al aire libre por un período de tiempo, haga el cambio de forma gradual. Durante una semana o dos, déjelo en el campo durante el día y métalo en la cuadra por las noches, o viceversa. Especialmente cuando sea primavera, conseguirá de esta manera que no abuse de la hierba rica, lo que, después de un invierno alimentado con grano, puede trastornar bastante su sistema digestivo. Cualquier cambio en la dieta del caballo se ha de realizar gradualmente, nunca de un día para otro. Tendrá que cuidar sus cascos también, aunque no esté siendo utilizado. Al menos una vez al mes el herrero tendría que hacerle una revisión para recortar las puntas que sobresalgan y que pueden, a la larga, resquebrajar los cascos. Para evitarlo, lo mejor es poner al caballo unas herraduras especiales denominadas «puntas para el pasto» (pág. 192).

Procure no elegir la temporada alta del verano para dar un descanso a un caballo que haya trabajado bastante. Si hace demasiado calor, no solamente se encontrará con un suelo duro y polvoriento con poco pasto, sino que además las moscas podrán acosar al caballo. Así, en vez de descansar, los animales pue-

A la mayoría de los caballos les gusta tener compañía cuando están en el campo. Ésta puede ser otro caballo, como muestra la fotografía de la derecha, aunque no necesariamente tiene por qué serlo. De tal forma, un burro y un caballo fácilmente se volverán amigos inseparables, y, quizá, sólo será motivo de disgusto, para aquéllos que tengan que aguantar los desconsolados gemidos del burro cuando el caballo haya salido a paseo. Si no encontrara otros caballos o un burro, hay algunos campesinos que permiten que el caballo se quede con el ganado. Esto, claro, dependerá del tipo de caballo, si no alborota el ganado o no provoca estampidas.

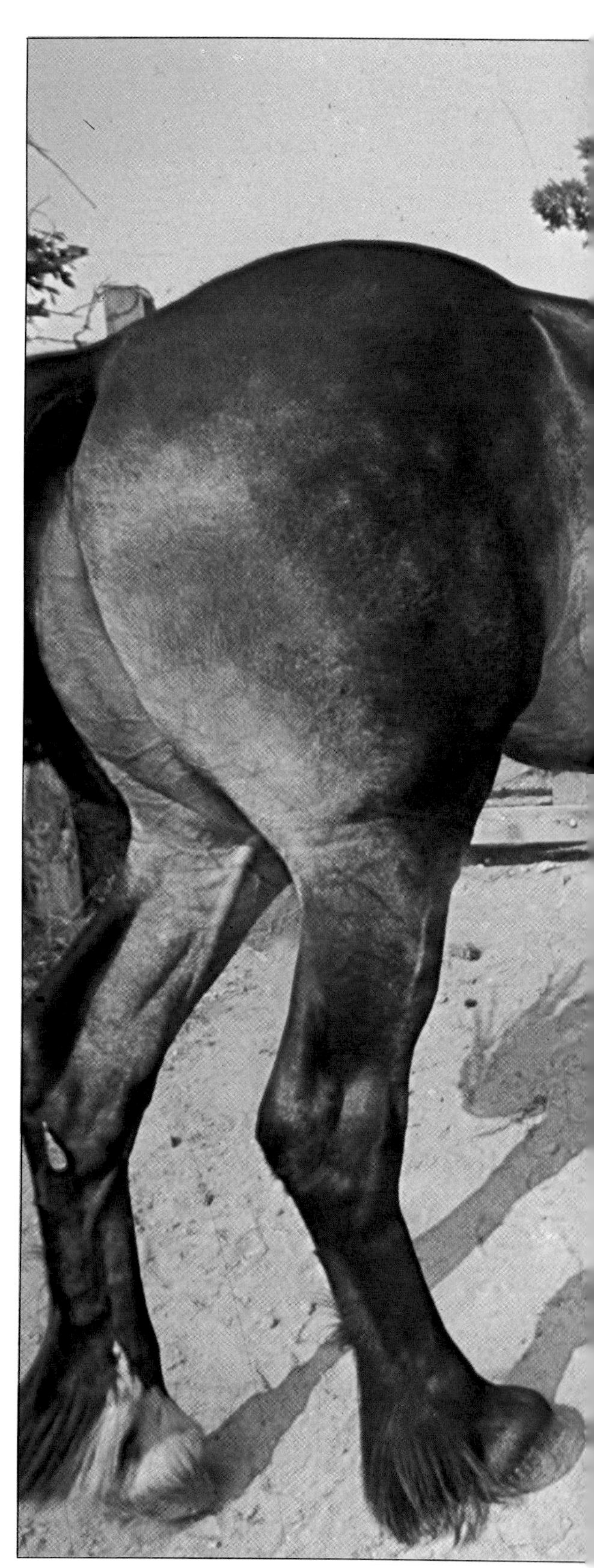

Para coger un caballo suelto tendrá que tener paciencia, algo de comida y utilizar un tono de voz amable. Acérquese tranquilamente a su caballo o colóquese en un sitio donde éste pueda verlo. Con la correa frontal sujeta en una mano, ofrézcale comida con la otra. Mientras come de su mano o de un cubo, pase despacio la correa por encima de su cabeza. **Abajo:** Cuando ate al caballo, aunque sólo sea por un momento, tendría que saber hacer estos nudos fáciles de abrir. Si el caballo tira, se asirá aún con más fuerza, en cambio, tirando del extremo libre, el nudo se deshará fácilmente.

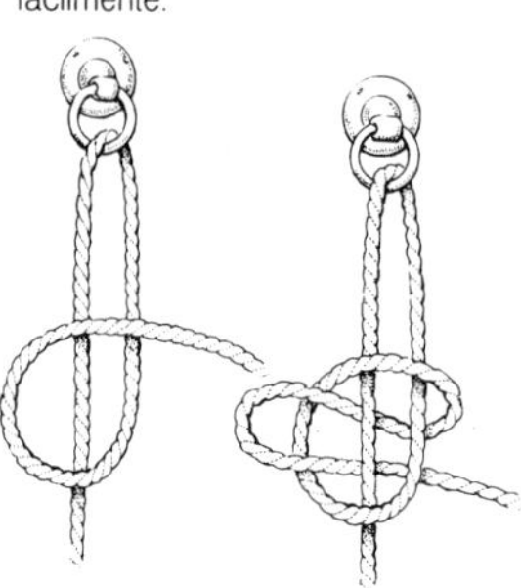

den volverse locos con el enjambre de moscas y no dejarán de andar en un vano intento de deshacerse de ellas, hecho que sólo conseguirá agotarlos. En casos similares, lo mejor es sacar al caballo de noche y guardarlo durante el día en la cuadra o en el cobertizo para evitar las moscas lo más posible.

La compañía

Los caballos se dejan al aire libre por diferentes razones. A veces se quedan allí durante todo el año porque es la mejor manera de que el propietario pueda hacerse cargo de ellos. Otras se quedan al aire libre para descansar después de un período de mucho trabajo, como por ejemplo la participación en cacerías a lo largo del invierno o en competiciones durante la primavera y el verano. Sea cual sea el caso, les gusta tener compañía. Los caballos son animales sociables y con gran facilidad se sienten solos o aburridos si se quedan aislados. Algún otro caballo, o incluso un burro, les ayudará a pasar el tiempo y frenará sus impulsos por escaparse.

El sistema combinado

Hay mucha gente que tiene sus caballos parte del tiempo fuera y parte dentro de la cuadra. Con este sistema, denominado técnicamente «combinado», el caballo permanece por lo general en la cuadra durante la noche y puede corretear por el campo durante el día, llevando una manta de Nueva Zelanda como protección durante el invierno. En las épocas de verano, se suele hacer lo contrario, es decir, se guarda el caballo durante el día y se lo saca por la noche. Esto ayuda a sobrellevar el problema de las moscas explicado anteriormente y reduce, también, su tendencia a atiborrarse de hierba, puesto que los caballos comen mucho menos durante las horas de oscuridad que durante las diurnas.

Este sistema implica que el propietario tendrá que dedicarle más tiempo que si lo tuviera afuera permanentemente, aunque hay ventajas que compensan este esfuerzo. Durante el verano, siempre tendrá el caballo a mano en la cuadra si lo desea montar, y, a su vez, tampoco tiene que montarlo tanto como si estuviera permanentemente encerrado, pues él mismo ya se ejercita cuando se queda al aire libre por las noches. El hecho de que el caballo esté fuera durante los días de invierno le supone al propietario mucho menos trabajo que si lo tuviera constantemente en la cuadra y además, incluso, lo podrá tener más sano y con un mejor aspecto físico que si lo tuviera día y noche a la intemperie.

Coger el caballo

Aunque no lo vaya a montar, conviene coger el caballo que se encuentra en el prado una vez al día. De esta manera, no sólo podrá comprobar si se ha hecho alguna herida, sino que además es algo que no le hace perder la costumbre del trato. Un caballo que sólo se coge cuando se va a montarlo, sabrá en

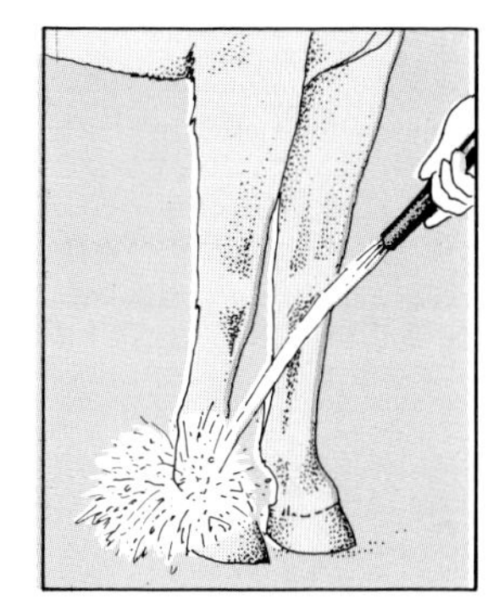

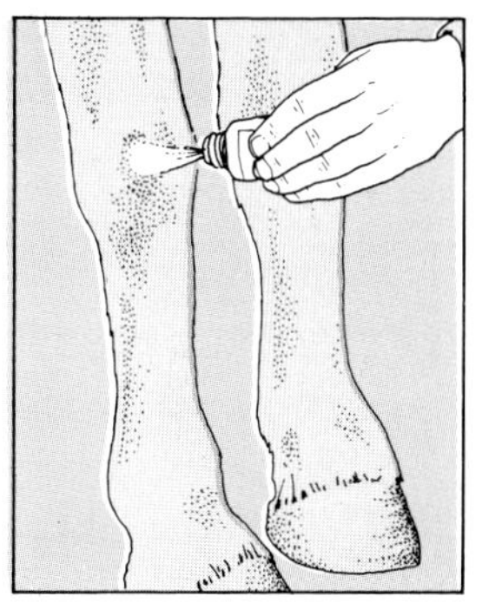

Algo que tendrá que adoptar como norma, es un examen regular del caballo. Es especialmente importante cuando el caballo se encuentra al aire libre, pues no podrá estar siempre encima suyo. Haga un chequeo minucioso de todo su cuerpo, sobre todo de las patas y los cascos, ya que son las partes más propensas a cortes e infecciones, bien en el campo mismo o bien en la cuadra. Con el caballo atado suba y baje las manos por sus patas para poder descubrir alguna hinchazón posible, ante la cual el caballo reaccione con dolor. **Arriba:** Lave a fondo con agua y luego aplique algún antiséptico sobre cualquier herida que encuentre, por muy pequeña que sea. Nunca hay que dejar correr una herida o un corte.

seguida que conseguirá no trabajar simplemente no dejándose atrapar.

La mayoría de los caballos no presentan ningún problema a la hora de ir a cogerlos, sobre todo si se los trata suavemente y con amabilidad. Hay algunos, en cambio, que se asustan y siempre resultará difícil cogerlos. La forma correcta de coger un caballo que esté en el campo, es acercándose tranquila pero directamente hacia él y hablándole, quizás pausadamente, para no asustarlo. Lleve una correa frontal y algún bocado sabroso para atraerlo hacia usted. Mientras le coge la comida de la mano, pase la cuerda de la correa frontal alrededor de su pescuezo y colóquesela. Llévelo al cobertizo o a la cuadra para limpiarlo, comprobando que ningún otro compañero aproveche la oportunidad para escaparse por la puerta. Si algún caballo en particular fuera muy difícil de atrapar, sáquelo con la correa frontal y coloque la golosina en un cubo (por ejemplo un puñado de *poney nuts*[1], de tal forma que, al sacudirlas suavemente, consiga atraer su atención. Esto suele resultar, incluso, con los caballos más testarudos.

Revisiones de heridas

Es bastante obvia la necesidad de revisar el caballo

(1) Nueces de Pony.

Descarga por los ojos y los ollares: Por lo general indica catarro o resfrío.

Pescuezo delgado: Al igual que las costillas demasiado salidas, puede indicar desnutrición o una salud precaria.

Un caballo sano y feliz siempre ejecutará sus ejercicios y responderá mucho mejor que otro que haya estado solo y no haya recibido los cuidados necesarios. Llevará la cabeza levantada, las orejas alertas y los ojos brillantes, atento hacia todo lo que ocurre a su alrededor. Ya que un caballo que sea suyo, como cualquier otro animal que posea, dependerá totalmente de usted a la hora de reconocer cualquier síntoma de enfermedad o de lesión, conviene entonces que conozca estos síntomas y esté siempre alerta. Si ve que su caballo hace cosas raras o actúa de forma no natural y eso le creara algún tipo de preocupación, no dude en llamar a su veterinario.

Pelo: Cuando sale pobre, quiere decir que la salud general del caballo no es buena o que no lleva la silla bien puesta.

Cola: Si el caballo la lleva metida hacia dentro, es un signo de que no se encuentra bien. Llame a un veterinario.

Costillas: Si sobresalen, el caballo está desnutrido o sufre de alguna indigestión.

Patas delanteras: Examínelas con regularidad por si tuvieran heridas o hinchazones. Importa descubrir inmediatamente si el animal sufre de laminitis.

Patas traseras: Si el caballo está apoyado sobre una de ellas, significa que tiene una herida en la pata opuesta.

periódicamente por si se hubiera lastimado. Hay que examinarlo por si tuviera algún corte, arañazo o magulladura y comprobar si su estado físico en general es bueno. Pase la mano por encima del pelo por si tuviera algún bulto, especialmente por las patas. Las magulladuras se comprueban fácilmente pues se producen áreas blandas o calientes o si no hinchazones. Levante casco por casco por si se hubiera dañado al pisar algo afilado.

Por lo general, los cortes pequeños, necesitan pocos cuidados. Lávelos bien, preferiblemente utilizando agua corriente de alguna manguera para que, una vez limpios, pueda deducir el tamaño real de la herida. Cúbralos de polvos antibióticos que le podrá proporcionar el veterinario, algo que por lo demás, siempre tendría que tener a mano.

Si el caballo tuviera una herida más grave, por ejemplo el corte de un cristal que alguien haya arrojado en el campo, no dude en llamar al veterinario. Una buena atención médica para estos casos no sólo acelera la cura, sino que además, en muchos casos, evita que el caballo se quede con alguna señal o cicatriz posterior.

Estado de salud del caballo

Para saber si el caballo está o no enfermo, tendrá primero que aprender a reconocer los signos exteriores que lo demuestran. Estos síntomas son bastante evidentes: si el caballo está sano, estará alerta ante cualquier suceso del exterior y denotará felicidad. Su pelo, aunque pueda estar largo y quizá revuelto, nunca ha de tener un aspecto pobre con zonas calvas. Tendrá los ojos brillantes y moverá las orejas hacia delante y hacia atrás, como signo de estar alerta. Las costillas no tienen que sobresalir entre el pelo por estar demasiado delgado, ni tampoco estar tan grueso que le cueste moverse. Cuando esté descansando, el peso del cuerpo ha de recaer uniformemente sobre las cuatro patas, quizá se apoye sobre una pata trasera, pero nunca sobre una delantera.

Un caballo enfermo contraviene algunos o todos estos síntomas. Estará apagado y decaído, refugiado con desgana en algún rincón del campo, con la cabeza caída, las orejas quietas y echadas hacia atrás y con el cuerpo como «encogido». Sus ojos seguramente tendrán una mirada apagada, con los párpados algo rojos en vez de rosados, y quizá con algo de agua en el ollar. El pelo también se verá pobre y puede que esté sudando o incluso temblando.

Diagnosticar qué es lo que le sucede al caballo es algo que está, preferentemente, en manos de algún experto. Si salta a la vista que algo no funciona bien, lo mejor es ir a llamar a un veterinario. Hasta que éste acuda, lleve al caballo al cobertizo o a la cuadra y manténgalo allí caliente y tranquilo.

Un caballo que vive a la intemperie suele ser más sano que uno que vive en la cuadra y seguramente contraerá menos enfermedades. De todas formas, siempre cabe la posibilidad del riesgo y hay que estar alerta.

Toses, resfriados y cólicos

Las toses y los resfriados se producen igualmente en caballos que viven fuera como en los que están en cuadras. Los síntomas son exactamente los mismos que presenta un ser humano que los padeciera. El animal estornudará, le caerán mocos de la nariz y seguramente tendrá los ojos llorosos. Tendrá un aspecto físico lamentable, el pelo se verá apagado y puede que tenga fiebre. No lo monte y consulte con su veterinario el tratamiento idóneo. Puede que le recomiende que lo guarde en la cuadra, durante la noche por lo menos; aunque, cabe destacar, que un caballo acatarrado estará mejor al aire puro que guardado dentro de la cuadra.

Los cólicos son trastornos que todos los caballos pueden llegar a sufrir también. Es un tipo de indigestión grave, que, como resultado, produce fuertes dolores de estómago, cuya intensidad varía ya que han podido ser efectos de diferentes causas. Entre ellas están el haber ingerido demasiada cantidad de alimento, o el haber comido algo en mal estado, por ejemplo, comida demasiado vieja o podrida, o el que el caballo haya hecho ejercicios en demasía o que lo hayan lavado después de una comida pesada o, también, por un exceso de lombrices en los intestinos. Un caballo con cólico saltará nervioso de una pata a la otra, moviendo la cola y, quizás, sudando. Puede que se muerda el vientre o que lo golpee con las patas traseras. Lo peor que pudiera llegar a ocurrir es que consiga tumbarse y empiece a rodar. Hay que detenerlo inmediatamente en tal caso, pues si no se golpeará los intestinos con tanta fuerza que puede llegar a ser peligroso. Si el caballo sufre un cólico procure mantenerlo caliente y trátelo con *sumo cuidado* mientras otra persona, si es posible, va a llamar al veterinario. Si se encontrara solo en un caso así, ate el caballo con una cuerda corta mientras usted mismo va a llamarlo.

Otras enfermedades comunes

Si a los caballos, que son glotones por naturaleza, les permite atiborrarse de pasto fresco durante el verano, corren el peligro de contraer una enfermedad denominada laminitis. De hecho, existen otras dos causas de esta enfermedad también; los caballos de pies planos son más propensos a contraerla que otros y también aquellos animales que, no estando en buenas condiciones físicas, tienen que realizar un trabajo pesado sobre un suelo duro. La laminitis es, de hecho, una fiebre en los pies, donde la zona que se encuentra detrás de la pared de los cascos se infecta. Las pezuñas se calentarán mucho y es algo que duele bastante, como podrá observar ante la resis-

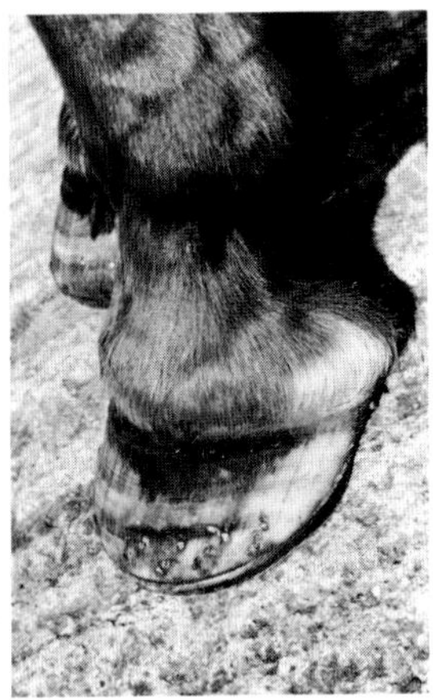

Izquierda y derecha: Los síntomas y las secuelas de la laminitis, una enfermedad que ataca la lámina sensible interior situada justo detrás de la pared que cubre el casco.
Derecha: Los caballos que padecen esta enfermedad, suelen adoptar esta postura característica para intentar reducir el dolor.
Izquierda: Las estrías verticales del casco indican que el caballo ha sufrido dicha enfermedad.
Derecha: Incluso cuando deje al caballo fuera durante mucho tiempo para que descanse, no deje de examinar periódicamente sus cascos pues, si no, a la larga, aparecerán resquebraduras. La ilustración muestra, de izquierda a derecha, resquebraduras que empiezan en la parte inferior del casco y que como resultado deterioran la parte superior del mismo, que después necesitará un tratamiento del veterinario. La última, muestra un casco herrado, con un tipo de herradura especial que sirve para aguantar estos cortes.
Izquierda: Engrasar los cascos no es sólo un ejercicio de cosmética sino que sirve también para evitar que se sequen.

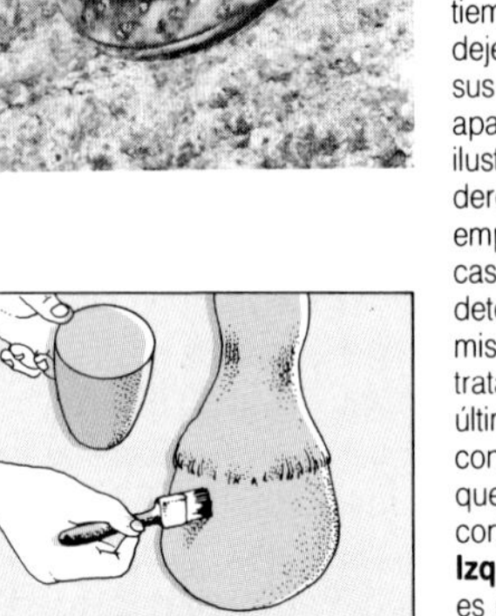

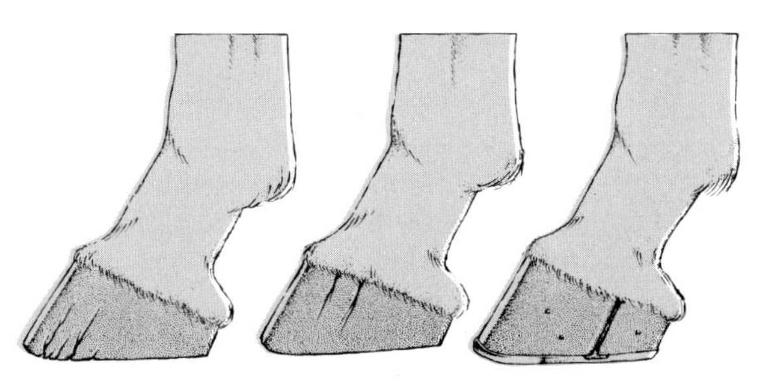

tencia que opone el animal a moverse. Es una enfermedad que tendrá que ser tratada por un veterinario el cual recomendará cambiar las herraduras del caballo y poner cataplasmas frías para reducir la temperatura. Tendrá que retirar del pasto en verano y durante parte del día, a aquellos caballos afectados, pero asegúrese de que quedarán en un *box* lo suficientemente amplio para que tengan espacio de moverse. Empeorarán si están forzados a quedarse quietos y de pie.

Seguramente, los caballos que viven a la intemperie sean más propensos a los mordiscos y picaduras de insectos que los que son guardados en cuadras. Los síntomas son unas hinchazones que, por lo general, se quitan al cabo de unas horas. Si viera que alguna picadura o mordisco está molestando al caballo, especialmente en la cara, lávelo suavemente con agua fría, pues eso lo aliviará y reducirá la hinchazón.

Todos los caballos sufren de rozaduras por culpa de las cinchas o de las sillas. Les sucede con mayor frecuencia a los animales que viven fuera, pues, al ser montados con menor frecuencia, se encuentran en condiciones físicas distintas. Después de un período de descanso a la intemperie, los caballos se transforman en candidatos idóneos para heridas provocadas por la silla, a no ser que tome extremas medidas de precaución antes de reiniciar la montura. Las heridas causadas por la silla o las guarniciones pueden aparecer en cualquier parte del cuerpo donde se ajuste el equipo del animal. Las heridas causadas por las cinchas se producen por roces de éstas contra la suave piel del lado del codo. No se ha de volver a montar un caballo hasta que se le hayan curado las heridas ocasionadas por la silla. Como también son signo de una mala equitación (mala colocación del equipo, mala montura o falta de consideración con el caballo cuando se está encima del mismo), lo mejor es esperar a que se hayan curado del todo.

Si la piel estuviera abierta, la rozadura o herida se ha de tratar consecuentemente. Lávela con agua y sal y cuando haya sanado, dele unos toques de alcohol metílico, pues le ayudará a fortalecerse.

Medicina preventiva

Las lombrices son también una constante problemática. Todos los caballos, vivan dentro o fuera de las cuadras, padecen de enfermedades causadas por lombrices que viven de forma parasitaria en sus intestinos. Aunque el daño que pueden ocasionar es mínimo, siempre, eso sí, que se encuentren en pequeñas cantidades, no deje nunca de ejercer un control. La manera de hacerlo es dando una dosis regular de algún preparado antiparásitos. Entre éstos hay varios tipos; incluyen polvos que se mezclan con la comida y líquidos que se entuban directamente al estómago con una jeringuilla por la boca. Consulte

Izquierda: Si el caballo muestra cualquiera de los síntomas de tener un cólico, no permita que se tire al suelo pues podría golpearse muy fuertemente los intestinos.
Arriba: La tos es uno de los malestares más comunes que puede tener un caballo y puede aparecer por muchas causas. Interrumpa su trabajo y mande buscar a un veterinario.

siempre antes a su veterinario. Constantemente aparecen nuevos medicamentos en el mercado y no hay que utilizar los mismos siempre, pues si no las lombrices al final terminarán por ser inmunes.

Los caballos que viven fuera son más propensos a las lombrices que los que se guardan en cuadras, especialmente cuando tienen unos tres años de edad. Lo mejor es que los potros y los caballos jóvenes ingieran estas soluciones antilombrices una vez al mes como profilaxis, sino se verán constantemente afectados por éstas. Por las estadísticas se ha podido verificar que nueve de cada diez caballos que no reciben tratamiento, sufren de algún desarreglo causado por la presencia de lombrices durante largos períodos de tiempo.

Después de los tres años de edad, los caballos que se guardan a la intemperie, tendrán que tomar soluciones antilombrices durante el verano cada seis semanas para ajustarse al ciclo de vida de éstas que dura también seis semanas. Los caballos de las cuadras requieren dosis menos frecuentes, pero consulte siempre antes a su veterinario cuándo las necesitarán y cuál ha de ser el tipo de solución que hay que utilizar. Lea con minuciosidad las instrucciones.

La importancia de las vacunas

Cualquier propietario responsable tendría que vacunar a sus caballos para protegerlos contra posibles enfermedades. Las dos principales que se pueden prevenir mediante la vacunación, son el tétano y la gripe.

El tétano es una mala enfermedad causada por una infección en una herida. Incluso la más pequeña, una que sea fácil de pasar por alto en el examen diario, puede producir tétano. Por esta razón, lo más aconsejable es asegurarse que el caballo tiene una inmunidad permanente contra esta enfermedad. Por lo general, a los caballos más jóvenes se les aplica una serie de inyecciones antitetánicas. A la edad de dos meses se les pone la primera y la segunda un mes más tarde y posteriormente una revacunación al cabo de seis meses, aunque el período exacto dependerá del suero y del tipo de tratamiento que recete cada veterinario. Más tarde, el caballo tendría que recibir una revacunación anual, con una inyección adicional si sufriera algún corte grave. Ésta se ha de poner dentro de las veinticuatro horas siguientes a la aparición de la herida. Cuando compre un caballo, averigüe si ha recibido las vacunas cuando era un potro; si no fuera el caso, hágaselas poner por un veterinario en el momento de la adquisición.

La gripe es la enfermedad más infecciosa y contagiosa de todas; cuando no es fatal, debilita muchísimo al caballo. Proteja a su caballo con dos vacunas y, posteriormente, con una revacunación anual.

Forraje suplementario

Cuando el pasto no sea demasiado nutritivo, los ca-

Izquierda: En la cuadra o en el campo, ate el heno a un anillo y nunca lo cuelgue de ganchos pues podrían herir al caballo. Cuando haya colocado la alpaca, suba la cuerda y átela al anillo con un nudo seguro y fácil de abrir.

ballos que viven a la intemperie necesitarán un forraje suplementario. Esto quiere decir que, durante los meses de invierno, tendrá que sacar constantemente más comida. También lo tendrá que hacer cuando el tiempo sea tan seco y caluroso que eche a perder el pasto.

Los caballos robustos sobrevivirán al invierno afuera sólo con heno como forraje suplementario. Existen dos tipos de heno, el de pasto y el de semilla. El primero suele poseer una mayor variedad de hierbas pues se recoge de un pasto normal, mientras que el segundo se recoge de pastos sembrados exclusivamente para el heno. Ambos son igual de buenos, siempre que el heno sea de buena calidad y se encuentre en buenas condiciones. Tiene que tener un aroma dulce o fresco, no viejo y mohoso; no tiene que estar lleno de polvo o de trozos enmarañados y cardos espinosos, y tampoco tiene que tener trozos húmedos o podridos. El color variará ligeramente según el tipo y será de un verde pardusco o marrón dorado. Nunca tiene que ser amarillo o marrón oscuro, pues ambos colores indican que se trata de un heno de mala calidad.

Rutina alimentaria

Los caballos tendrán, como mínimo, dos cantidades de heno al día, una por la mañana y otra al atardecer. Si lo consumieran muy ávidamente, deles otra ración más al mediodía. Algunos caballos también necesitarán aparte grano, pues les ayuda a mantenerse en forma. El caballo que pierde peso en otoño o invierno, ya no lo recuperará seguramente hasta la primavera siguiente. La grasa acumulada es la que proporciona calor al cuerpo y mantiene su salud; cuando falta, el caballo está más expuesto a resfríos u otras enfermedades del invierno.

En las páginas 162 hasta 167 se exponen los productos alimenticios concentrados más comunes para las caballos; entre éstos, los mejores para los caballos que viven al aire libre son probablemente los *nuts* (nueces). Éstos se pueden mezclar con salvado mojado para evitar que el caballo los ingiera demasiado deprisa. La cantidad de avena que recibirá el animal es algo que su propio sentido común le indicará. Si la cantidad es excesiva, el caballo que no haga mucho ejercicio, probablemente quedará acalorado y excitado. Como regla general, la observación es la clave de una alimentación satisfactoria. Si su animal empezara a perder peso y ve claramen-

Arriba: Aunque deje el caballo fuera, dele como mínimo dos raciones diarias de heno y, si observa que las acaba muy rápidamente, podrá darle otra al medio día. No ponga el heno en el suelo, pues su caballo lo pisaría.

te que está hambriento, aumente las raciones. A no ser que le dé cantidades muy pequeñas, lo más idóneo es dar dos raciones de comida al día, una por la mañana y otra al atardecer. Una vez que haya elegido las horas, manténgalas a diario, pues el caballo se acostumbrará y no entenderá la razón de un cambio en su dieta.

Limpieza de los caballos al aire libre

Si tiene a su caballo fuera todo el año, probablemente lo cogerá muchas veces para montarlo y no sólo para comprobar que se encuentra bien y sano. Cójalo de la misma forma que si lo fuera a examinar y después, antes de montarlo, proceda a limpiarlo.

En verano, los caballos que viven a la intemperie se limpian de la misma forma que los caballos de cuadra (pág. 158) para que tengan el pelo brillante y una buena apariencia en general. En cambio, durante el invierno, no hace falta que haga limpiezas demasiado exhaustivas, pues eliminaría la grasa natural de su pelo que le sirve como protección contra el frío y la lluvia. Es una capa impermeable que evita que la lluvia pase. Si desaparece esta capa de grasa, la lluvia empapará al caballo y es bastante probable que coja algún resfrío.

Si saliera a dar una vuelta, es más bien un pro-

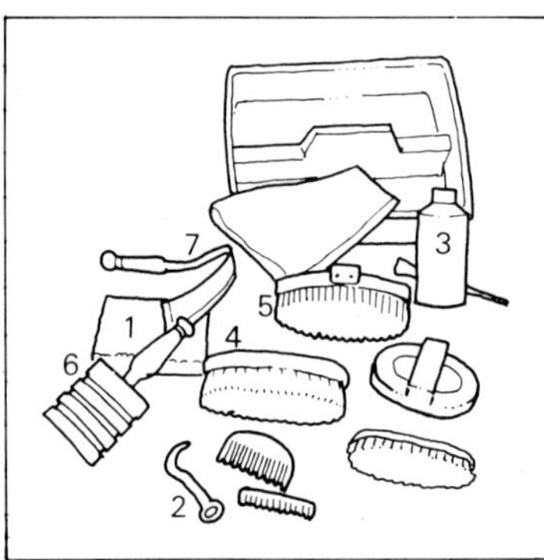

Arriba: Durante el verano, tendrá que limpiar el caballo que vive a la intemperie igual que si fuese un caballo de cuadra. Durante el invierno, en cambio, la limpieza no ha de ser tan exhaustiva, pues el caballo podría perder la grasitud natural de su pelo que le sirve de impermeable y lo protege del frío.
Derecha: Éste es el equipo básico necesario para limpiar el caballo que vive en el campo: 1) esponja, 2) ganzúa, 3) aceite para los cascos, 4) cepillo dandi, 5) cepillo para el cuerpo, 6) peine de goma, 7) rascador de sudor.

LIMPIEZA:

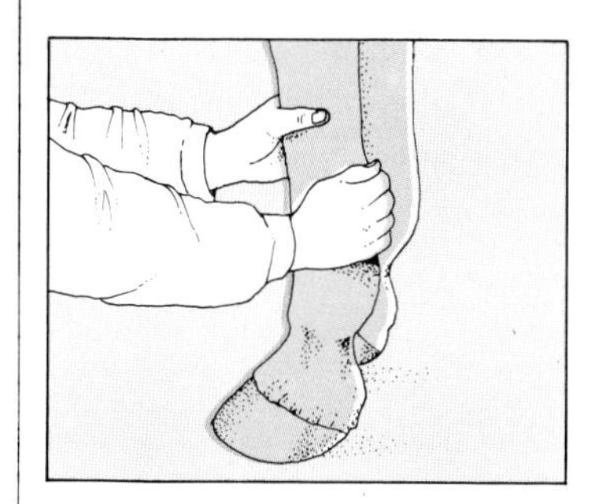

Cada vez que limpie el caballo, examine todo su cuerpo por si tuviera alguna herida o corte. Revise sobre todo las patas.

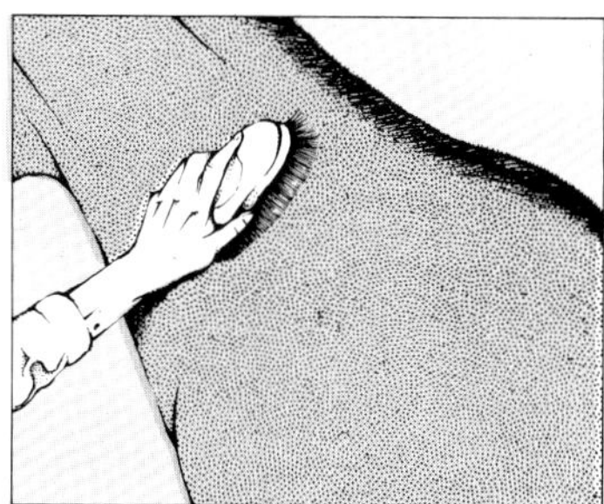

Para quitar el fango y el sudor de la silla, utilice el cepillo dandi.

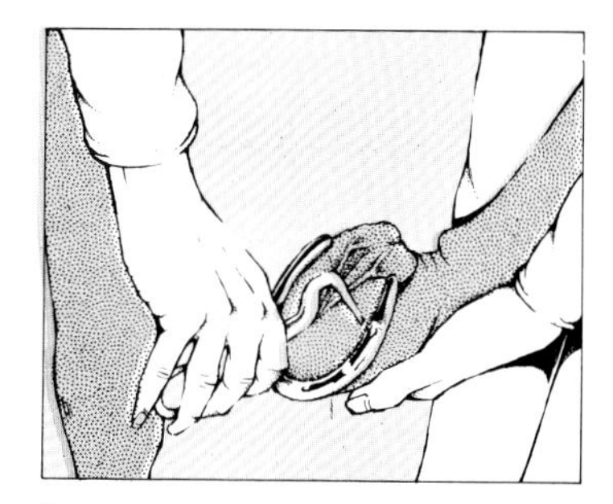

Pase la ganzúa desde las ranillas hacia la punta, para quitar así posibles piedras o basuras que se hayan quedado dentro del casco.

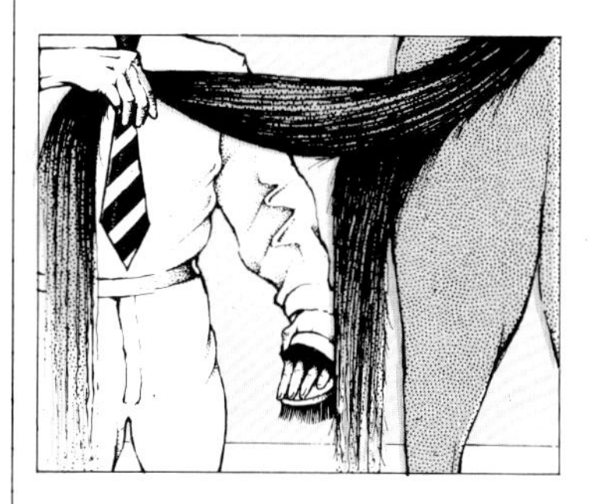

Limpie la cola con el cepillo del cuerpo, cogiendo pequeños mechones y empezando por la parte extrema inferior de la misma.

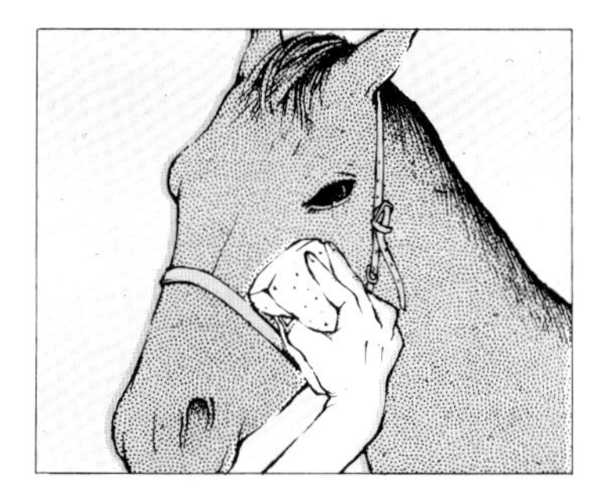

Con una esponja húmeda y caliente, limpie los ojos, labios, ollares y boca del caballo. Para el maslo utilice otra esponja.

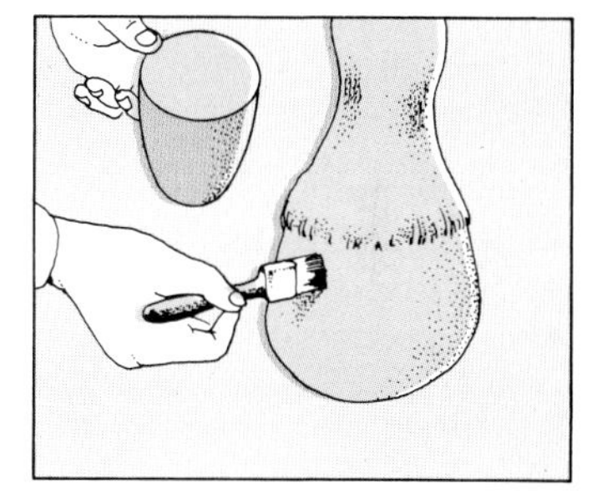

Ponga aceite en los cascos para protegerlos de posibles requebraduras y para que no se sequen.

blema de orgullo personal y sentido común, el hecho de llevar el caballo presentable; no hay excusas válidas para sacar el caballo con el pelo apelmazado por el fango.

Preparación de un caballo mojado
Si al ir a coger a su caballo para salir a dar una vuelta estuviera muy mojado, pásele el rascador de sudor por el pescuezo y cuerpo. No intente cepillar un pelo o unas patas que estén mojadas; frote con puñados de paja seca por encima en dirección del pelo. Antes de poner la silla, asegúrese que la espalda esté seca. Si no lo estuviera, cúbrala de paja y eche por encima un trozo de arpillera; abróchela con una sobrecincha.

Limpieza después del ejercicio
Cuando vuelva de un paseo a caballo procure siempre ir al paso la última media hora más o menos. Un caballo sudado tendrá así tiempo de enfriarse. Si al llegar al campo, aún continuara sudando, séquelo y enfríelo antes de soltarlo, pues si no hay bastantes probabilidades de que coja un resfrío. En este caso también podrá ponerle paja seca y una arpillera durante unos 30 minutos aproximadamente. Antes de dejarlo otra vez en libertad, revise sus cascos por si se hubiera quedado alguna piedra en la suela.

Si después de un paseo vuelve con el caballo mojado, séquelo bien y cúbralo para que no se resfríe, sobre todo si ha hecho mucho ejercicio. Pase primero el rascador de sudor para eliminar todo el exceso de agua. Con un manojo de paja, golpee suavemente encima de sus músculos siguiendo la dirección del pelo, y cúbralo bien después con una manta.

Cuidados en la cuadra

Anteriormente ya se han resumido las ventajas que supone tener un caballo en la cuadra. El caballo, por lo general, estará más limpio, mejor alimentado y más a la mano que el que vive en el campo. Las desventajas son que el caballo no podrá disfrutar de la misma salud y existencia natural que aquél que viva a la intemperie y, además, al propietario le saldrá más caro y tendrá que invertir mucho más tiempo.

Antiguamente, los caballos se guardaban en cuadras, es decir, en un gran edificio dividido en diferentes compartimentos con tres lados, donde los caballos estaban atados. Actualmente, es más común utilizar cuadras en forma de *boxes* amplios. Son espacios individuales en los cuales el caballo no necesita estar atado. Puede tener uno, si no tuviese más que un caballo, o varios, colocados uno al lado del otro, si tuviera varios animales.

Requisitos exteriores

Tejado. Aunque salen más caras, las tejas o las pizarras son los mejores materiales para los tejados. También es bastante común utilizar techos de madera cubiertos de fieltro impermeable, pues dan muy buen resultado. En la medida de lo posible, evite utilizar acero ondulado; es un mal aislante, que hace que en verano haga demasiado calor y en invierno demasiado frío.

Muros. La mayoría de los *boxes* prefabricados (el tipo de construcción más común) están hechos de madera. Por dentro tendrán que ir recubiertos de fuertes tablones para evitar cualquier daño que pudiera hacerse el caballo si las golpea. Otros materiales buenos son también el ladrillo o los bloques de carbonilla de hormigón, sobre todo si van forrados de tablas.

Ventanas. Por lo menos necesitará una ventana, ya que la ventilación del *box* tiene gran importancia. Las mejores son las que llevan bisagras por la esquina inferior horizontal, de tal forma que el aire fresco entre directamente hacia arriba en el *box*.

Puerta. El marco de la puerta tendrá que tener una altura suficiente para que el caballo no se golpee con la cabeza si la levantara repentinamente debajo de la puerta. Tendrá que ser también suficientemente amplia para que caballo y jinete puedan pasar sin que ninguno de los dos se golpee. Las puertas de las cuadras se abren en dos secciones, la mitad inferior suele tener una altura de unos 105-120 cm aproximadamente. Es conveniente que la mitad superior

Las ventajas de tener su caballo en la cuadra son muchas: Estará más sano y más feliz y en mejores condiciones físicas que el que vive a la intemperie. Por otro lado, tendrá que dedicarle más tiempo y más esfuerzo y le saldrá también más caro. Antes de tomar cualquier decisión, considere los aspectos mencionados.

NOS

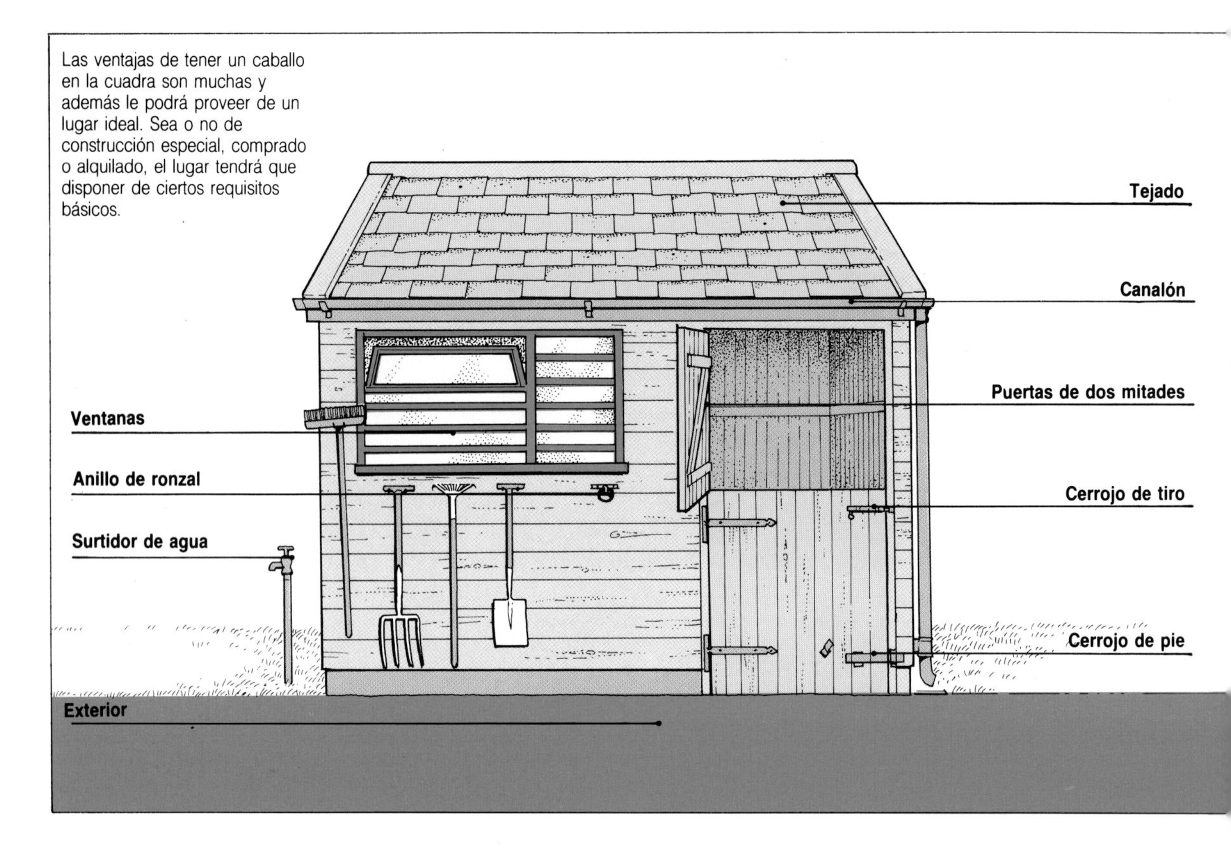

Las ventajas de tener un caballo en la cuadra son muchas y además le podrá proveer de un lugar ideal. Sea o no de construcción especial, comprado o alquilado, el lugar tendrá que disponer de ciertos requisitos básicos.

permanezca siempre abierta (fíjela en la pared) para que entre luz y ventilación en la cuadra y también para que el caballo, pudiendo mirar hacia afuera, no se aburra tanto. La puerta inferior tiene dos cerrojos o pestillos en la parte de fuera. El más alto es un cerrojo que se echa y se baja para mayor seguridad. En la parte baja lo mejor es instalar un pestillo de columpio que se pueda abrir con el pie.

Suelo de la puerta. El área que está justo en la parte exterior de la cuadra tiene que ser sólida (el hormigón y las losas de piedra son las superficies más idóneas), pues la tierra ensucia mucho y además se puede poner fangosa.

Aspecto. Lo ideal es que el box mire hacia el sur. En la medida de lo posible, evite ponerlo cara al norte, pues la vivienda del caballo estará oscura y fría.

Anillo de ronzal. Para atar al caballo fuera de la cuadra.

Pila de agua. Cuanto más cerca esté de la cuadra, más fácil le resultará llenar el cubo de agua del caballo.

Requisitos en el interior

Luz eléctrica. Pueden estar en la parte alta de las paredes o en el techo, siempre fuera del alcance del caballo. La bombilla tendría que estar protegida por una caja de alambre. El interruptor tendría que ir en la parte exterior del establo, fuera del alcance del caballo.

Suelo. No tiene que ser resbaloso ni absorbente, sí rápido de secar, duro y, si fuera posible, un poco inclinado para que tenga un buen drenaje. Las cuadras antiguas suelen tener ladrillos de entarimados firmes, pero actualmente son caros y difíciles de obtener. El hormigón también sirve, siempre que sea grueso y con la superficie no lisa del todo para que no resbalen los cascos.

Anillo de ronzal. Estará en una de las paredes, a una cierta altura, para atar al caballo cuando sea necesario.

Pesebre. Algunas cuadras tienen un pesebre en una de las esquinas donde se puede poner el forraje. Su anchura tiene que permitir al caballo alcanzar el fondo, y la profundidad suficiente para que no tire la comida fuera con la boca. Los pesebres ajustables, con una caja o un cubo cambiable, son mejores que los fijos, pues es más fácil limpiarlos (tanto el container como la cuadra). Si no tuviera un pesebre ajustable, utilice entonces una caja o un cubo pesados. La única desventaja es, que si el caballo volcara el container, la comida se mezclaría con el lecho y se echaría todo a perder.

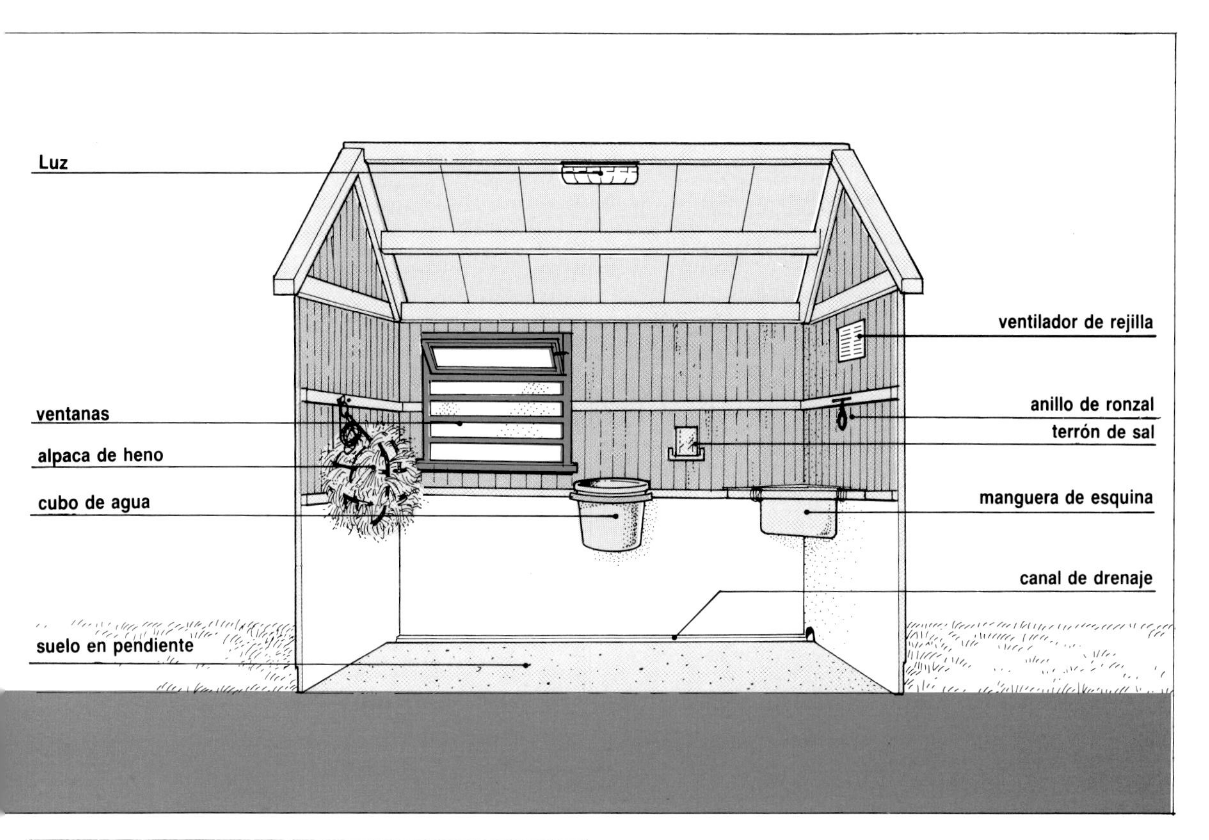

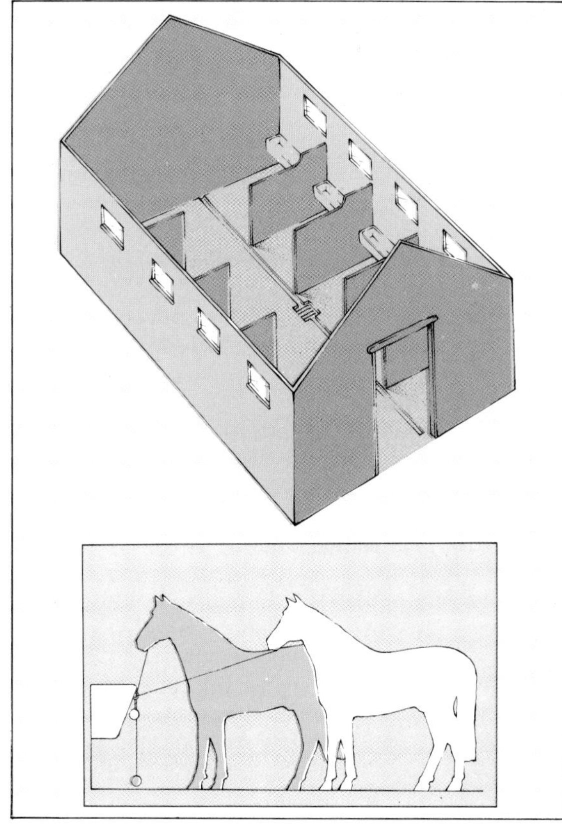

Cubo de agua. En la cuadra el caballo siempre ha de tener acceso al agua fresca. Lo más indicado es un gran cubo de goma colocado firmemente en una esquina para que no se dé la vuelta. Algunas cuadras están provistas de unos anillos donde se puede colgar el cubo con seguridad. También pueden instalarse sistemas automáticos de provisión de agua que el mismo caballo maneja cuando desea beber; de todas formas, es difícil mantenerlos limpios y hay que examinarlos con regularidad por si se hubiesen estropeado.

Alpacas de heno. La forma más económica y mejor de colocar el heno, es colgando alpacas en un sitio ajustable de la pared. Si es posible, utilice otro anillo de ronzal (nunca ganchos pues podrían herir al animal) que, aproximadamente, esté a la altura de la cabeza del caballo. Antes se utilizaban rejillas de heno colocadas en la pared. Actualmente, ya no se usan tanto, pues cuando el caballo come le caen partículos de heno y polvo en los ojos.

Izquierda, arriba: Las cuadras tradicionales tienen menos espacio que los *boxes* y son por tanto más baratas y más fáciles de mantener. Las escuelas que tienen muchos *ponies* las suelen utilizar.
Abajo: El método de **'rope and ball'** es un método seguro para las cuadras. La cuerda de la cabeza pasa por un anillo de metal y está sujeto a una bola pesada de madera. Tiene que ser lo suficientemente larga para que el caballo pueda tumbarse.
[1] Un sistema particular de sujeción del animal.

Trozo de sal. A la mayoría de los caballos de cuadras les encanta la sal; coloque un buen trozo en un pequeño hueco de la pared. Les gusta tanto porque cuando hacen mucho ejercicio, pierden también mucha sal con el sudor.

Paredes. Si las quiere pintar, utilice una pintura que no sea tóxica. Muchos caballos de cuadras lamen las paredes por aburrimiento.

La rutina diaria

Un caballo de cuadra necesitará a lo largo del día muchos cuidados y atenciones para poder estar en plena forma. La rutina diaria empieza temprano por la mañana. En la primera visita del día examine al caballo por si tuviera algún tipo de lesión (véase pág. 162), ajuste las mantas, dele agua fresca y una alpaca de heno; aproveche quizás para retirar las partes más sucias de la camada. Recién dará el trabajo por terminado, tarde en la noche, cuando le haya preparado el lecho y le haya vuelto a dar agua y heno. Mientras tanto, saque los excrementos de la cuadra a intervalos regulares durante el día. También el caballo tendrá que hacer ejercicio a diario.

RUTINA DIARIA PARA EL CABALLO DE CUADRA:

7:30 mañana:	El primer trabajo consiste en examinar el caballo por si tuviera alguna herida o síntoma de enfermedad. Después, dele agua fresca, límpielo y proporciónele una alpaca de heno fresco para mantenerlo ocupado mientras limpia la cuadra y coloca una capa de paja limpia. Con el caballo aún atado, levante sus cascos y límpielos con una ganzúa. Después, desátelo.
8:00	Dele la primera comida del día.
9:30	Retire los excrementos más recientes. Quítele las mantas al caballo, póngale la silla y sáquelo a hacer ejercicio. A la vuelta, retire la silla y las bridas, y cubra el caballo con una manta si fuera necesario. Dele agua fresca.
11:30	Después del ejercicio limpie a fondo el caballo. Póngale las mantas de día, desátelo y dele la segunda comida de la jornada.
17:00 tarde	Ate el caballo y retire los excrementos que pudiera tener en la cuadra. Limpie los cascos. Dele agua fresca y póngale la manta de noche. Proporciónele su tercera comida. Limpie el equipo.
18:30	Quite los excrementos de la camada del día, dele agua fresca y heno otra vez y la cuarta y última comida del día.

Tipos de lechos

Los caballos de las cuadras tienen que tener un lecho; cuanto más grueso sea y más limpio esté, más le agradará al animal. Si un caballo tuviera que estar todo el día sobre un suelo desnudo, no sólo pasaría frío (un buen lecho grueso aísla) y estaría incómodo, sino que además no descansaría lo suficiente. El hecho de estar sobre una superficie dura durante prolongados períodos de tiempo, le estropería igualmente las patas.

Existen diferentes tipos de material para hacer lechos. El más común es la paja y, además, es el que mejor resultado da. La mejor es la paja de trigo; es fácil de obtener, relativamente barata y contiene buenas propiedades de drenaje. La paja de avena y de centeno no son tan buenas; la primera tiende a aplastarse, lo que hace que el lecho no sea muy confortable y además los caballos la encuentran sabrosa. La segunda también se aplana demasiado y a algunos caballos les irrita la piel.

La turba a veces es difícil de conseguir y, además, una vez que está usada, no es tan fácil de quitar como la paja. Es bastante buena para las camadas, sobre todo para los caballos que les gusta comer paja, pero tiene el inconveniente que hay que mantenerla muy limpia. Al ser muy absorbente y poseer cualidades «desodorantes» no es fácil encontrar los trozos manchados. Tendrá, sin embargo, que encontrarlos igualmente y quitarlos; pase la horca cada día por encima minuciosamente para que la turba se mantenga suave y limpia. Conserve un grosor de unos 20 cm aproximadamente y no deje que se pudra en la cuadra. No pierda de vista las patas del caballo, si se llenaran de turba pastosa que no se limpiase con cierta regularidad, fácilmente podría tener problemas.

Para los caballos que se comen la paja del lecho también es bueno poner virutas de madera, aunque no son tan buenas como la turba. Ponga serrín y por encima una capa de virutas de madera (el serrín sólo se calienta cuando se humedece); este tipo de camada necesitará estar muy limpio. También tendrá que examinar con regularidad los pies del caballo para que no pueda tener ninguna infección.

Limpieza a fondo

Una de las faenas diarias más importantes es mantener la camada limpia y fresca. Nunca lo pase por alto, pues pone en juego la salud de su caballo. A parte de las limpiezas a fondo de la cuadra, los excrementos y la paja sólida tendrán que ser retirados igualmente a lo largo del día.

En su primera visita de la mañana, quite todos los excrementos que no se hayan mezclado con la camada y también los trozos de paja sólida. Esto se denomina *Skepping out*[1], y es algo que se tendría que repetir a lo largo del día. Los excrementos y la paja se retiran con la horca y se vacían en el ester-

(1) Limpieza específica de la camada.

TIPOS DE LECHOS

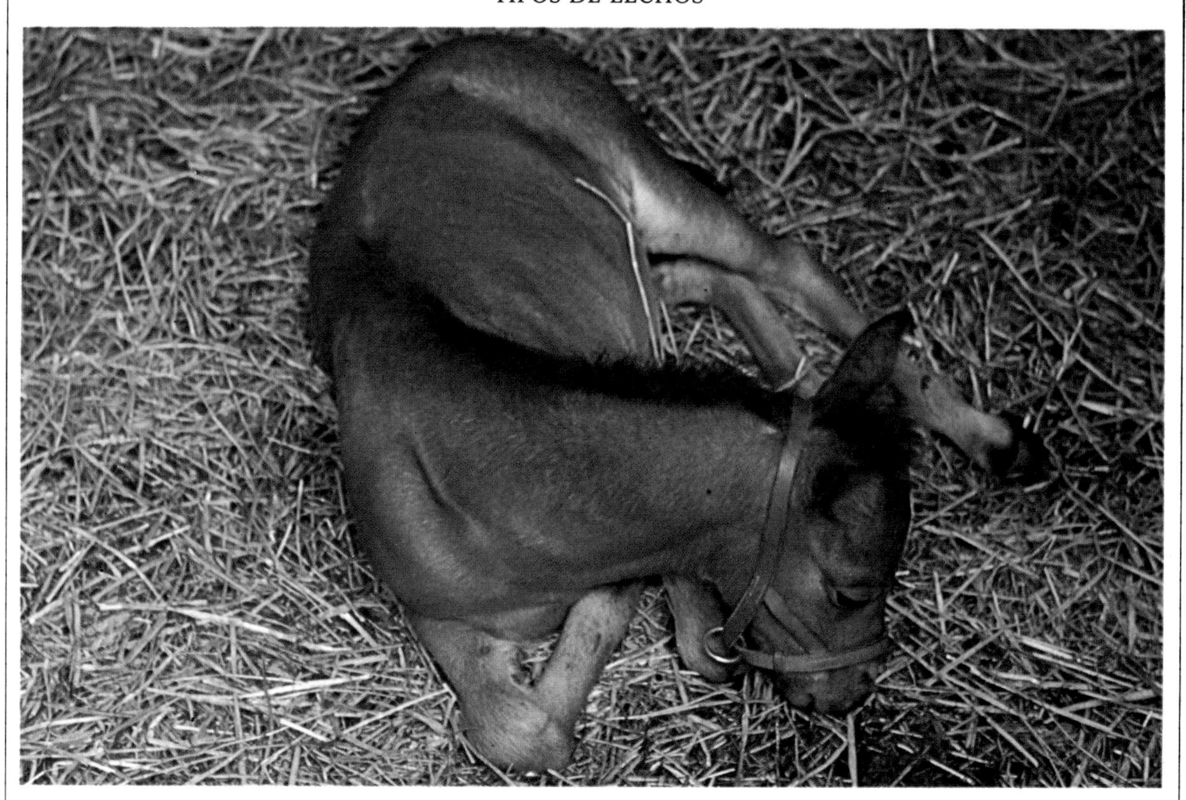

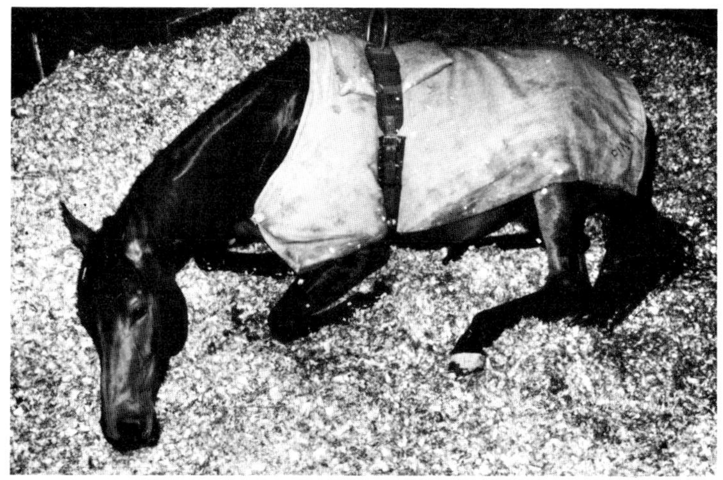

Existen muchos tipos de camadas. A la hora de elegir piense en la comodidad y el calor que da cada uno de ellos y también cuál es la más práctica. **Arriba:** La paja es la más común y la más efectiva. **Centro:** Las virutas de madera son excelentes para los caballos que tienen tendencia a comerse el lecho, pero se apelotonan con gran rapidez. **Abajo izquierda:** La paja de trigo es la ideal si se puede conseguir con facilidad, pues es, además, barata e higiénica. La única desventaja que posee es que su caballo puede encontrar muy apetitosa su camada. **Abajo derecha:** Por la razón arriba expuesta, se suele usar turba, la cual, por otra parte, es absorvente y desodorante.

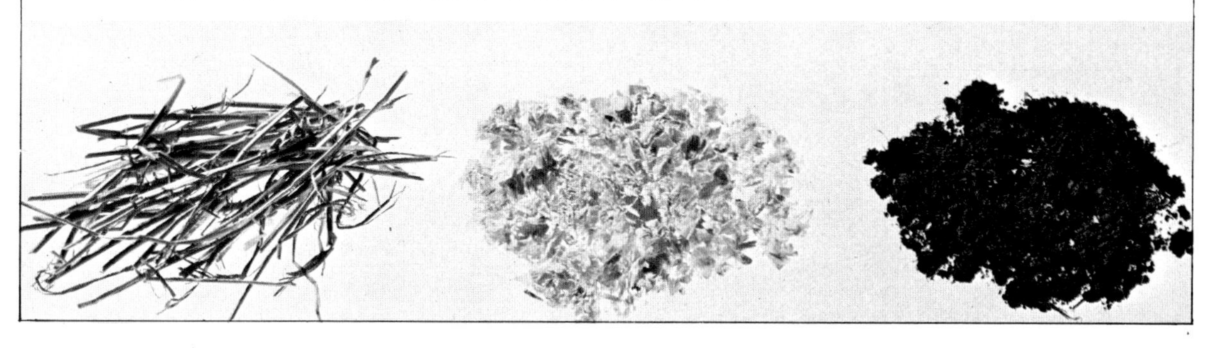

colero. La limpieza a fondo tendría que ser una de las faenas matutinas.

Ate al caballo y dele un buen manojo de heno para tenerlo entretenido. Quite la paja húmeda o apelotonada y póngala en una carretilla o en un trozo de tela de saco colocado fuera de la puerta. Al hacerlo, separe la paja limpia y póngala contra una pared. Una vez que haya seleccionado la paja, aparte lo que sobre y limpie el suelo. Espere a que éste se haya secado antes de esparcirla.

Camada diurna y nocturna

Una vez que el suelo esté seco, cúbralo de una fina capa de paja, para que el caballo no tenga que estar de pie sobre una superficie dura durante el día. Por la tarde, vuelva a hacer la camada. Esparza la paja usada que le había sobrado por la mañana (y que tiene amontonada contra la pared) por el suelo, soltándola bien. Añada paja limpia esparciéndola con la horca. Esto hará que la camada esté suave y «elástica»; cuando la paja queda muy apelmazada, la cama estará dura. Ponga también una buena cantidad de paja por los bordes de las paredes para evitar que el caballo pueda dañarse si echado, golpeara con las patas.

A algunos jinetes les gusta preparar un lecho denominado camada profunda. Para hacerla, el único material bueno es la paja. Los excrementos se retiran igualmente de la cuadra, pero la paja dura se deja. Luego se pone cada día una capa de paja limpia por encima y la paja húmeda se va pudriendo debajo. Esto no es algo mucho más económico que el proceso convencional, pero al menos impide tener que hacer una limpieza a fondo cada día. De todas formas, cada pocos meses, hay que limpiar bien la cuadra. La tendrá que desinfectar y dejarla airear un día entero.

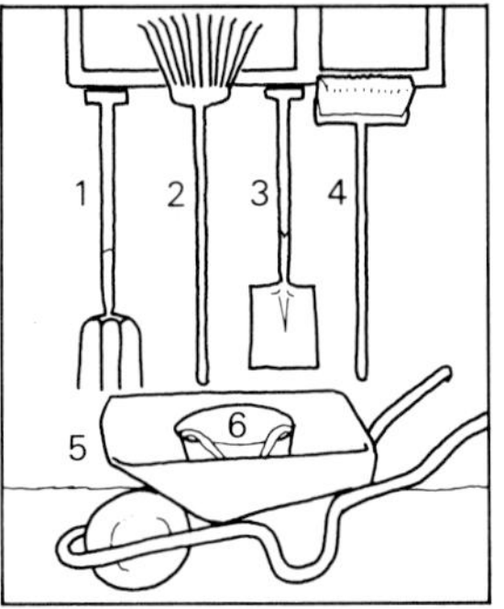

Equipo de limpieza a fondo: Tenga siempre el lecho del animal limpio y fresco. Una limpieza a fondo se tendría que hacer con cierta regularidad, al igual que la limpieza diaria de excrementos. El equipo básico para una limpieza a fondo es: (1) una horca; (2) un rastrillo de madera o de plástico; (3) una pala; (4) una escoba; (5) una carretilla o un trozo de saco; (6) un recogedor de plástico.

En la primera visita de la mañana conviene retirar los excrementos y toda la paja sólida que encuentre.

En una limpieza más a fondo, quite primero toda la paja húmeda o apelotonada con la horca y póngala en una carretilla o saco.

Mientras lo hace, seleccione la paja fresca y amontónela contra la pared lo más limpia posible.

Lo mejor es que el montón de estiércol no se coloque demasiado lejos de la cuadra y que se cubra por higiene. Tenga siempre limpio y bien hecho el montón.

Limpie el suelo y déjelo secar, cubriéndolo de una fin capa de paja. Después de que el caballo ha hecho ejercicio, habría que cambiar toda la camada.

La camada de día es una fina capa de paja, la camada de noche es más gruesa y confortable. Si utiliza turba o serrín es bastante fácil, pues la paja es más difícil de esparcir bien. Como tiende a apelmazarse, sacúdala primero con la horca y espárzala por el suelo. Hay gente que prefiere cubrir la paja sólida con paja fresca dejando pudrirse la capa de abajo.

LIMPIEZA DIARIA

Equipo necesario para la limpieza del caballo: 1) una esponja para limpiar los ojos, los labios y los ollares y otra para el maslo; 2) rascador de sudor para quitar el agua y el sudor; 3) un paño de goma para la última limpieza; 4) cepillo suave del cuerpo para quitar el polvo o las manchas; 5) aceite de cascos y cepillo para mejorar y cuidar los pies; 6) para los caballos de pelo grueso puede utilizarse un peine de goma en vez de un cepillo dandi; 7) un cepillo suave de agua para peinar la crin y la cola y lavar los pies; 8) un cepillo dandi grueso para quitar los excrementos secos y el sudor; 9) peines para trenzar, arreglar o para sujetar la cola del caballo; 10) ganzúas para quitar la mugre o las piedras de los cascos; 11) peine de metal para limpiar el cepillo del cuerpo.

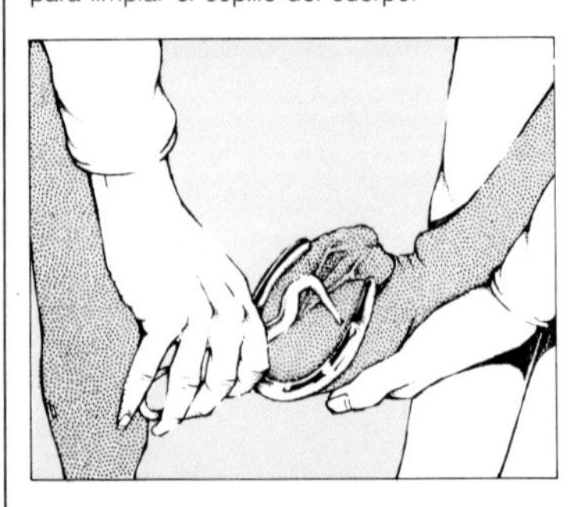

Limpie la suela de los cascos, sobre todo alrededor de las herraduras y con la ganzúa hacia la punta del pie.

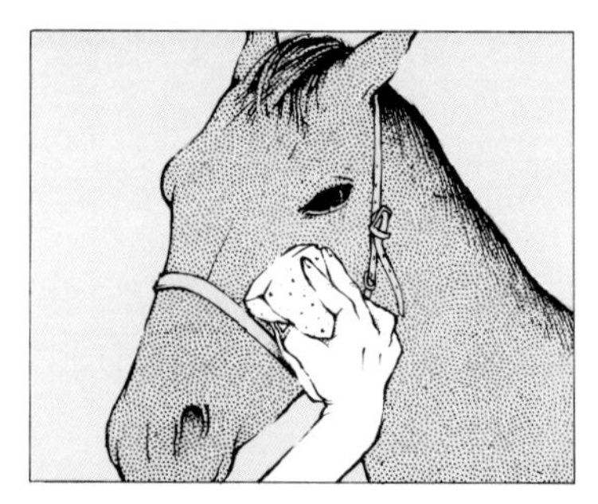

Con una esponja húmeda y caliente limpie los ojos por fuera.

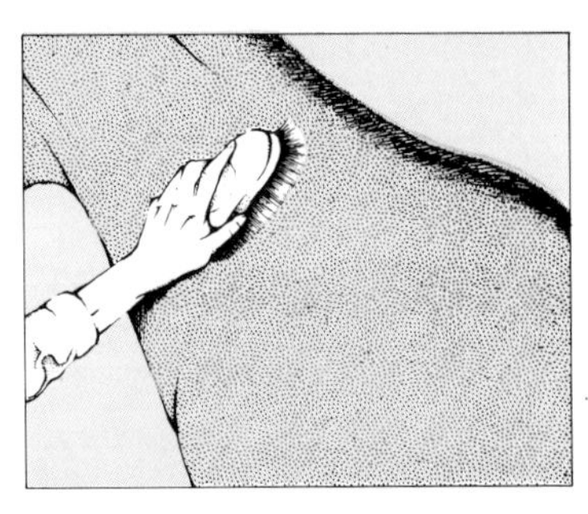

El cepillo dandi se utiliza para quitar las porquerías muy adheridas. No lo pase por las zonas tiernas.

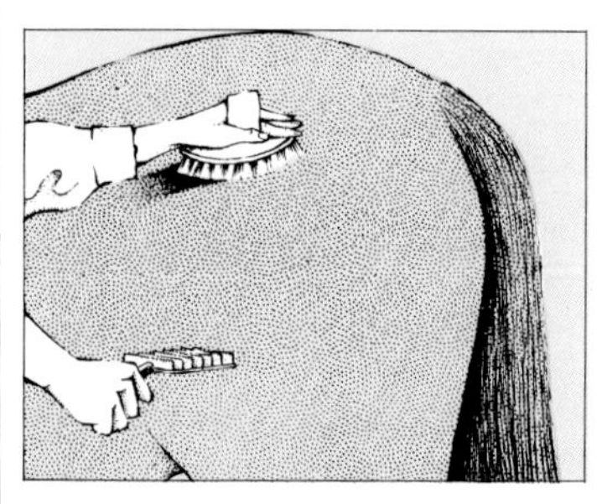

El cepillo del cuerpo, con púas cortas y tensas, está diseñado de tal forma que pueda penetrar y limpiar el pelo. Se utiliza con una ligera presión haciendo movimientos circulares y cada cierto tiempo se limpia con el peine.

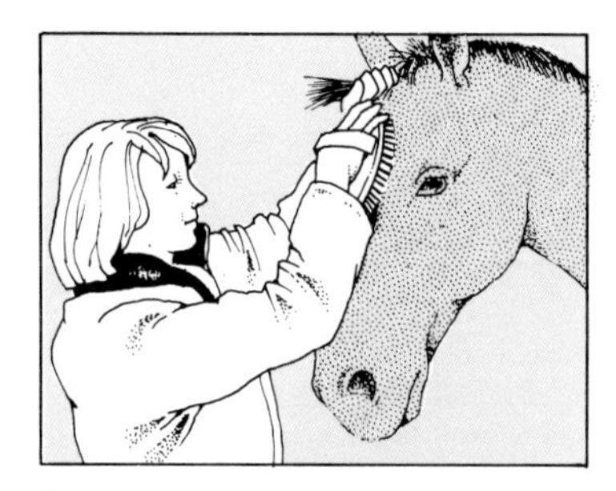

También tendrá que limpiar la cabeza con el cepillo del cuerpo pero sin apretar tanto. El cepillo de agua se utiliza para estirar la crin. Peine los pelos hacia abajo y déjelos secar.

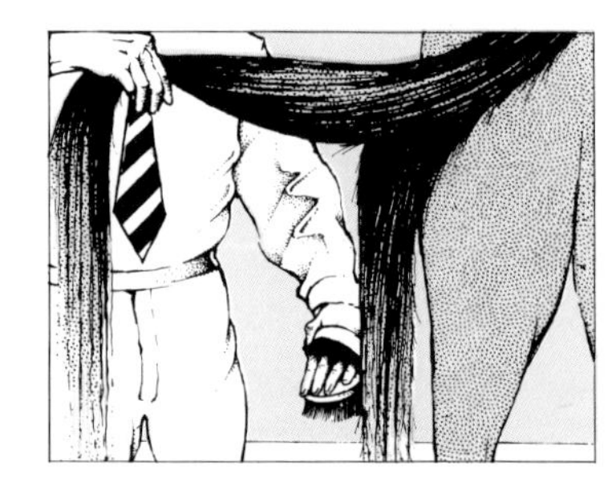

El cepillo del cuerpo se usa, aparte de para el cuerpo y la cabeza, también para la cola. Cepille, de una vez, un pequeño manojo de pelos empezando por abajo. Al final, cepille la cola entera desde arriba.

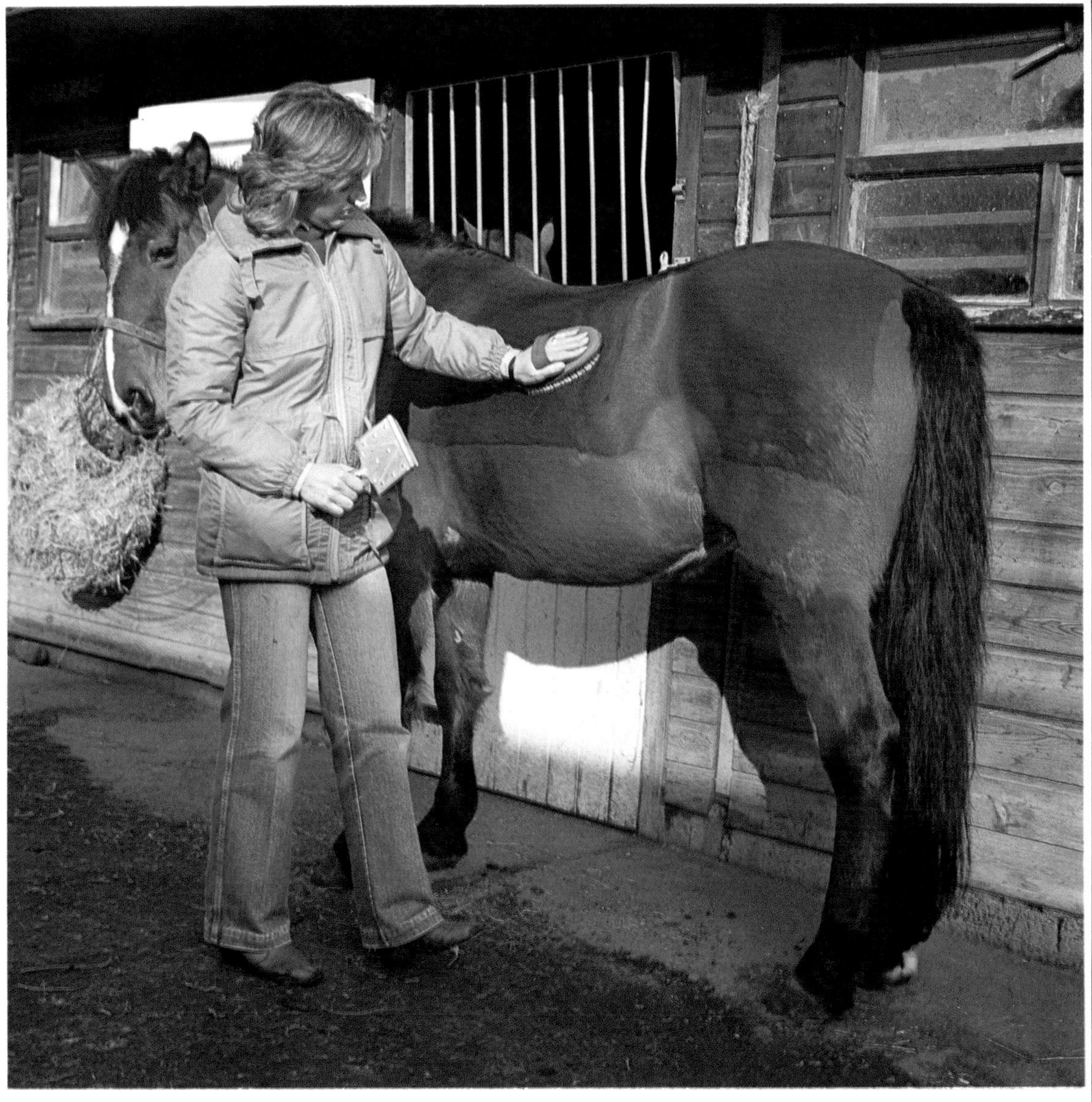

Coja un pequeño manojo de heno, humedézcalo un poco y frótelo contra los músculos gruesos del caballo en la dirección del pelo. Con esto tonificará el riego sanguíneo.

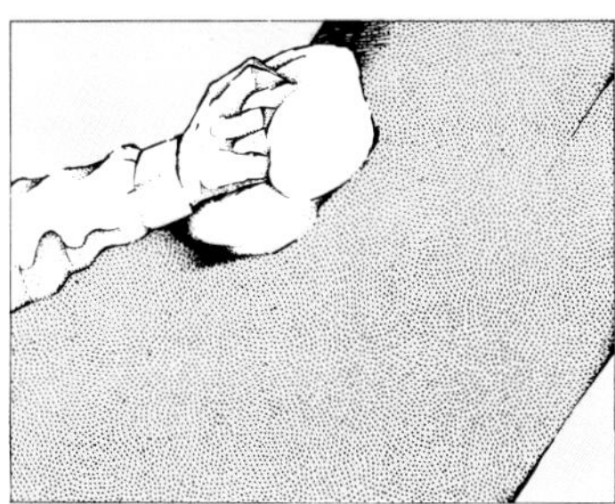

Pase un paño, siempre en la dirección del pelo, para dar una última limpieza. Al final, ponga aceite de cascos en las pezuñas.

La limpieza sirve también para masajear la piel y tonificar los músculos. Los caballos que viven a la intemperie suelen necesitar menos limpieza, aunque siempre es necesario que se los cuide un poco. Los utensilios de la limpieza es importante que los tenga aseados y ordenados. Si tuviera que limpiar a más de un caballo, cada uno debería tener sus propios utensilios. La limpieza se puede dividir en tres etapas, cada una para diferentes horas del día. El primer ejercicio de la mañana será *quartering*. La limpieza a fondo se hace después del ejercicio, cuando el caballo se ha enfriado, y es un trabajo más largo que puede durar entre media y una hora, dependiendo eso de la profundidad de la misma y de la experiencia propia.

Poner las mantas: Ponga la sábana encima del caballo, céntrela sobre el lomo y que llegue hasta el pescuezo.

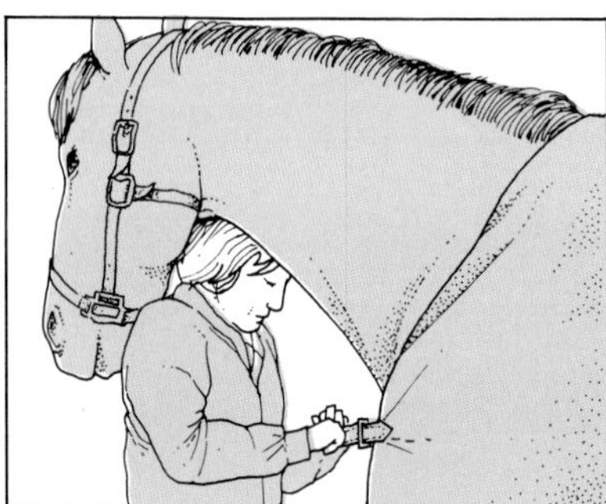

Compruebe que la sábana no se resbala y ate, delante, la correa, pero no muy fuerte.

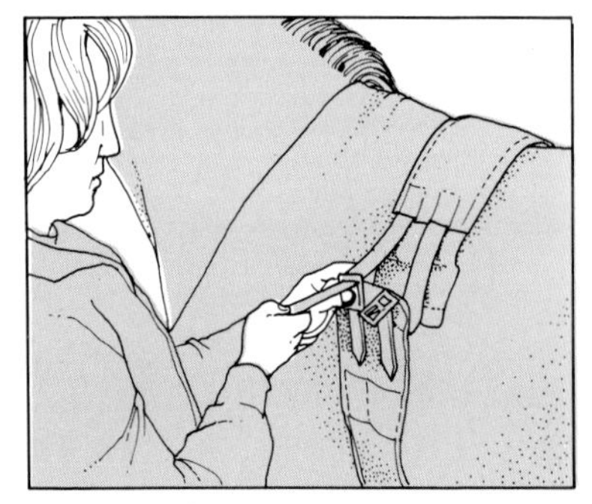

El rulo no presiona la columna vertebral, pero utilice, de todas formas, algún relleno por debajo. Al igual que con la sobrecincha, no lo ate con fuerza.

Mantas y esquileo

Los caballos que se guardan en cuadras necesitarán, por lo general, llevar mantas durante el invierno, sobre todo si han sido esquilados. Esquilar a los caballos en invierno es una práctica bastante común; la ausencia del grueso pelo invernal les permite trabajar más sin sudar tanto y además se ven mejor así también.

Según cada caso, se esquilan unas zonas u otras. Se podrá esquilar a un caballo por completo o a trozos, es decir, quitando una línea de pelo del pescuezo, de la panza y de la parte superior de las patas. Los caballos que viven en el campo suelen esquilarse de esta manera. Así es más fácil tenerlos limpios y además sudarán menos si tuviesen que trabajar bastante. De esta forma, además, no pierden el pelo grueso que necesitan para no pasar frío.

La manta de noche es la más común para los caballos de cuadras. Está hecha de yute duro con hilos de lana y ribeteada de cuero. Cubre el lomo, los cuartos traseros y los costados del caballo. Se sujeta por la mitad con una sobrecincha o con un rulo. Este último es mejor ya que tiene un relleno a ambos lados de la columna que reduce la presión que pu-

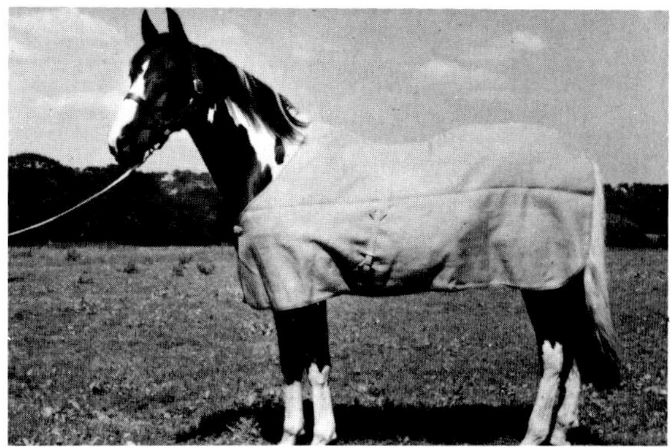

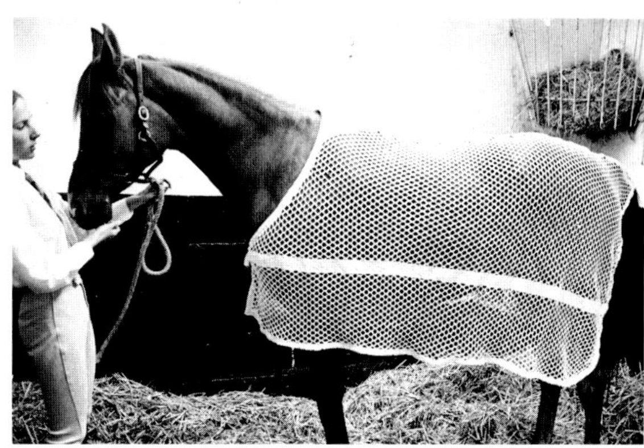

Izquierda: Al igual que ocurre con las mantas de noche, las de día están diseñadas para mantener la temperatura del caballo. Éstas suelen ser de lana con remates de galones de colores. A veces sólo se usan como efecto decorativo y no son tan prácticas como las mantas de noche. **Arriba:** la manta de verano suele estar hecha de algodón y se utiliza para sustituir una manta más gruesa cuando hace calor. Proporciona calor y protección contra los insectos. La manta de noche, **arriba a la derecha,** es bastante más caliente que la manta de día. **Derecha:** La manta *sweat* es de algodón y se suele poner debajo de la manta para que el caballo no se abochorne o enfríe demasiado rápidamente.

diera ejercer. La sobrecincha no es más que una correa larga de lona que pasa por el centro del caballo. Si utilizara una de éstas, ponga algún relleno de espuma debajo, por encima de la columna vertebral.

Los caballos esquilados necesitarán sobre todo de noche alguna sábana debajo de la manta para mantener el calor. Se pueden obtener unas sábanas especiales para caballos, hechas de gamuza con líneas de colores llamativos hacia los lados. De todas formas, son muy caras; una misma sábana casera servirá también siempre que no esté demasiado raída. Eche la sábana por encima del lomo del caballo, debajo de la manta, hasta la nuca y enrolle la parte frontal contra la manta como si fuera un collar. El número de mantas que necesita un caballo dependerá de la temperatura, del tipo de caballo (algunos, como las personas, son más propensos al frío que otros) y de la cantidad de pelo que le haya sido esquilado. Para saber si un caballo tiene frío, toque sus orejas; si están frías, también lo estará el resto del cuerpo. También existen mantas para el día. Tienen la misma forma que las otras mantas pero sólo tienen lana y suelen poseer remates de galones de colores. Son mucho más suaves que las mantas para la noche, pero no son tan prácticas. No son muy resistentes y se ensucian con gran facilidad. Es por esta razón que las mantas para la noche se ponen

ESQUILEO

El hecho de esquilar a su caballo en invierno le permitirá trabajar más duramente y se verá además mejor. Existen varias formas de esquilar. El esquileo de trazo se hace quitando sólo una línea de pelo debajo del pescuezo, vientre y la parte superior de las patas. El esquileo de manta es igual al esquileo de trazo, pero quitando además todo el pelo del pescuezo. Un caballo de caza esquilado, tendrá que permanecer dentro durante el invierno y, si sale, póngale una manta caliente de Nueva Zelanda.

también durante el día, y las de día sólo se utilizan an ocasiones especiales, como por ejemplo para exhibiciones otoñales o invernales.

Si el caballo llevara las mantas de la noche todo el tiempo puestas, al menos necesitará tres. Una de uso diario, otra para la noche y una tercera, de reserva, limpia. Si el día fuera soleado y cálido, cuelgue al aire libre la manta que haya utilizado durante la noche.

Quartering y strapping

Los caballos de las cuadras necesitan una limpieza diaria; es otro trabajo que no se ha de dejar. La limpieza no es sólo importante desde el punto de vista de la apariencia física, pues ayuda también a mantener la salud del caballo, tonificando sus músculos y estimulando la circulación de la sangre con masajes en la piel.

La primera limpieza del día se denomina *quartering*[1]. Hay que hacerla durante la primera visita matutina. La razón es poder tener el caballo preparado para los ejercicios. La limpieza a fondo, o *strapping*[2], es mejor hacerla después de los ejercicios, cuando el sudor del cuerpo haya sacado todo el polvo. El *quartering* es limpiar con una esponja los ojos, la nariz y el muslo (como se describe en la pág. 158). Después, sin quitar las mantas, súbalas al lomo y limpie con el cepillo del cuerpo el caballo en dirección del pelo. Las manchas que pueda tener el caballo por haberse tumbado sobre el lecho húmedo se quitan fácilmente con el cepillo de agua.

La limpieza a fondo o *strapping* le supondrá aproximadamente una hora de tiempo. Después del ejercicio, el caballo tiene que secarse y enfriarse; no podrá limpiar bien a un animal húmedo por el sudor o la lluvia. Séquelo cubriéndolo de paja y con una manta no ceñida por encima. No se olvide de quitar también el barro de las patas y de la panza.

Tipos de alimento

Los caballos que siempre están en la cuadra, no tienen la oportunidad de ingerir su comida natural, el pasto o la hierba. Para poder compensar esta carencia, aliméntelo, a intervalos regulares a lo largo del día, sea cual sea la época del año.

Hay diferentes productos alimenticios para caballos: la elección dependerá de cada gusto, del estado general del caballo y de lo que sea más fácil de conseguir. Los más comunes se detallan a continuación; no se olvide de añadir heno. Es algo que siempre tendría que tener el caballo. Un caballo en el campo apacenta constantemente; un caballo en la cuadra tiene que poder hacerlo también. En comparación al resto del cuerpo, el estómago del animal es bastante pequeño. El caballo se sentirá mejor si todo el rato lo tiene algo lleno en vez de atiborrarse sólo en algunos momentos. Por esta razón, una de las reglas de oro de la alimentación es dar pequeñas dosis con frecuencia.

Comida concentrada

La avena es la mejor comida concentrada. Es fácil de digerir, tiene un alto valor nutritivo y les gusta

(1) Primera limpieza del día de la cuadra.
(2) Limpieza a fondo de la cuadra.

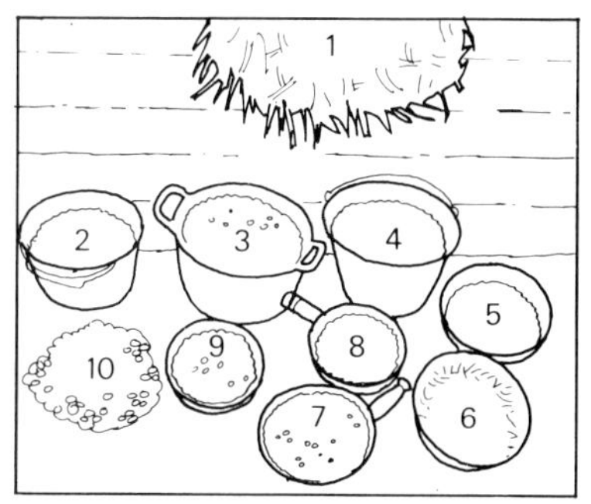

Los caballos de apacentamiento poseen la ventaja de obtener fácilmente la comida que necesitan para mantenerse en forma. Los caballos de cuadra tendrán que recibir, como compensación, una dieta variada y nutritiva, la cual se determina en su mayor parte por las preferencias personales, el estado de salud del caballo y la facilidad de obtención de los alimentos. Como tienen un estómago pequeño es importante que no le dé grandes cantidades de comida de una vez, sino pequeñas y varias a lo largo del día. 1) El caballo siempre tendría que tener heno al alcance; es algo que puede combinar con los siguientes productos: 2) Las remolachas de azúcar *(cubes)* es un buen relleno, póngalas siempre en remojo antes, pues sino el caballo podría atragantarse; 3) El maíz, que se da en copos, es energético pero con un bajo contenido de proteínas y minerales; 4) La avena tiene un alto contenido nutritivo de vitamina B y de proteínas y es mejor darla machacada; 5) La cebada no es buena para los caballos que tienen que trabajar mucho y duramente. Contiene vitamina B y es mejor machacarla y darla cruda; 6) La paja cortada no es muy nutritiva, pero sirve de relleno y ayuda a la masticación; 7) La linaza tiene propiedades laxativas y abrillanta el pelo; 8) El salvado es rico en proteínas, vitamina B y sal; 9) Los guisantes son ricos en proteínas, pero no hay que dar grandes cantidades; 10) Los *ponies nuts* contienen todos los requisitos nutritivos y pueden sustituir a la avena.

a todos los caballos. Se puede dar entera o machacada. Recuerde, eso sí, que tendrá que darle la avena machacada dentro de los quince primeros días en que se haya preparado, y, que además, no ha de haber perdido su contenido de harina. Tendrá que estar limpia y tener un olor dulce, sin ningún rastro de humedad.

El salvado es un derivado del trigo molido. El salvado con copos es mejor, pues contiene menos polvo. De todas formas, no siempre es fácil de obtener. Todo el salvado tiene un alto valor nutritivo, aunque no tanto como la avena. Se suele usar como diluyente con la avena, pues demasiada cantidad de esta última produciría demasiadas calorías en el caballo y lo excitarían. Tiene que tener un olor dulce y, al pasar la mano, compruebe que no tenga grumos.

Aparte de mezclarlo con otros alimentos, el salvado se puede dar también en forma de puré. Es muy bueno para caballos cansados y «descoloridos», pues es fácil de digerir y tiene propiedades laxativas. Llene dos tercios de un cubo de salvado, añada una cuchara de sal y agua hirviendo. Remuévalo bien, cúbralo y déjelo enfriar.

Los copos de maíz poseen unos tres cuartos del

valor nutritivo equivalente de la avena y se suele sustituir por ésta en caballos muy nerviosos, como parte de la dieta diaria, mezclada con un poco de avena y otros productos alimenticios.

La cebada se suele dar a caballos que no tengan muy buena salud pues tiene propiedades reconstituyentes. Hiérvala para que sea más digerible.

Las legumbres, como las alubias y los guisantes, son muy nutritivas pero también acaloran mucho al caballo y lo excitan. Son buenas para los caballos que tienen que realizar trabajos bastante duros o para aquéllos que están un poco débiles. También en este caso, transfórmelas en parte regular de la dieta diaria, mezclando pequeñas cantidades con otros productos.

La linaza también es muy nutritiva, pero tendrá que prepararla antes de dársela al caballo. Puede conseguirse de forma pre-cocida o «suelta» en cuyo caso tendrá que hervirla para hacer la gelatina. Por día no le dé al caballo más que pequeñas cantidades de 225 g y eso, sólo si no se encontrara en muy buenas condiciones físicas.

Los cubos de los caballos suelen ser alimentos muy apropiados. Contienen una dieta equilibrada de proteínas, forraje duro, carbohidratos, minerales y vitaminas. Se pueden adquirir diferentes tipos, con preparados especiales para diferentes caballos. La única desventaja, aunque tampoco muy grave, es que perderá la habilidad de variar la cantidad de alimentos.

La paja cortada es heno desmenuzado. Suele mezclarse con grano, como avena o salvado, para aumen-

REGLAS DE LA ALIMENTACIÓN

Las reglas de la alimentación son claras y simples

Dé al caballo pequeñas cantidades con cierta frecuencia. Un caballo de cuadra necesita un mínimo de tres comidas al día e incluso cuatro, lo que es mucho más preferible.

Póngale agua antes de la comida. Si el caballo bebiera mucho después de haber comido, la comida se aguaría en el estómago antes de la digestión.

Déle la mejor comida que encuentre y añada al grano una buena cantidad de relleno. Un caballo, incluso estando hambriendo, rehusará comida vieja o húmeda.

La cantidad de comida dependerá de su condición física y el tipo de ejercicio que esté realizando. Un caballo flaco o uno que realice mucho ejercicio, necesitará más comida de alto valor energético, como la avena, que uno que esté en buenas condiciones físicas y que trabaje menos.

Deje al caballo el tiempo suficiente para hacer la digestión, por lo menos una hora antes de montarlo y permita siempre que ingiera sus alimentos con tranquilidad.

Abajo: Como los caballos son muy sibaritas, es mejor guardar la comida en un lugar apropiado donde sólo necesite mezclarla y medirla en los momentos requeridos. Las cajoneras son sitios útiles, guarde los granos bien cubiertos. **Derecha:** La condición física de su caballo se verá reflejada en la dieta: un caballo bien alimentado es un caballo feliz.

Abajo: La tabla de alimentación descrita no es más que una sugerencia, pues la cantidad real de comida en cualquier época del año dependerá de su edad, trabajo, temperatura, tamaño y condiciones físicas. Aparte de los alimentos señalados, añada en cada comida una cucharada de sal y, siempre que pueda, algún bocado suculento, como manzanas o zanahorias. Todos los caballos de cuadra tendrán que tener una vez a la semana puré de salvado, preferiblemente la noche anterior a su día de descanso; ese día reduzca a la mitad la ración sólida de comida (por ejemplo avena).
El caballo de caza y el *eventer* que en plena época trabajan unas 16 h., deberían recibir un suplemento vitamínico cada día junto con las comidas y, a la vuelta de una cacería o de una exhibición, no estará de más un puré de salvado con cebada hervida, sal y glucosa.

TABLA INDICATIVA DE ALIMENTACIÓN

	7.30 h	**Mediodía**	**17 h**	**19.30 h**
13.2 h. pony, montado un poco los fines de semana, al aire libre (comida de invierno)			4.5 kg heno 450 g salvado 900 g nueces	
14.22 h. pony que vive a la intemperie con una manta de Nueva Zelanda. Montado un poco y sacado de cacería los fines de semana	450 g salvado 900 g nueces		5.5 kg heno 900 g avena 450 g salvado 900 g nueces	
15 h. caballo esquilado y guardado constantemente en la cuadra. Montado y sacado de caza con regularidad.	1.8 kg heno 450 g avena 450 g salvado 900 g nueces	900 g avena 450 g salvado 900 g nueces	1.4 kg avena 450 g salvado	4.5 kg heno
15.2 h. caballo, que se deja al aire libre por la noche y en la cuadra durante el día. Montado con regularidad (verano).	450 g avena 450 g salvado 900 g nueces	1.8 kg heno (esto no es necesario, aun cuando el caballo no esté en buenas condiciones)	450 g avena 450 g salvado 900 g nueces	
Más de 16 h. caballo de caza /*eventer*, esquilado. Trabajo duro con regularidad (invierno).	3.6 kg heno 900 g avena 450 g salvado 450 g nueces	1.4 kg avena 450 g salvado 450 g caballo de raza, nueces	1.4 kg avena 450 g salvado	4.5 kg heno 1.8 kg avena 450 g salvado 900 g caballo de raza, nueces

tar el volumen y para impedir que el caballo se lo engulla demasiado deprisa. En la dieta diaria del caballo de cuadra es esencial algún tipo de forraje duro y de fibra.

Qué cantidad de comida y cuándo

Existen otros alimentos para caballos, que recibirán por razones específicas, como, por ejemplo, para fortalecerlos en un momento dado, para calentarlos cuando estén cansados o tengan frío o para darles más energía. En cualquier caso, el caballo estará sano si recibe una mezcla equilibrada de los alimentos antes mencionados. Procure cada día darle algo fresco y suculento como aditivo, por ejemplo vegetales verdes, zanahorias o manzanas. Con esto podrá sustituir la carencia de pasto.

La cantidad de alimento que recibirá un caballo es un constante problema, pues no existen reglas. Hay ciertos aspectos que no se deben olvidar. Juzgue, según éstos, si el caballo necesita más o menos comida: su estado físico general (¿está demasiado grueso, o delgado?); la ejecución de los ejercicios (¿se le ve lento o cansado o demasiado fuerte y nervioso?) y su apetito en general (¿engulle la comida en cuanto se le pone delante y después empieza a comer de la camada o por el contrario pareciera no interesarle mucho?).

La rutina del ejercicio

Un caballo de cuadra necesita ejercicio diario para mantenerse en buenas condiciones. Con esto además ayudará a mantener su salud, pues hará trabajar su aparato respiratorio. Un caballo que pasa un día y otro en la cuadra sin moverse, perderá rápidamente sus cualidades físicas. De estar tanto rato de pie, se le hincharán las patas, tendrá desajustes en los riñones y se volverá rígido, letárgico y aburrido.

Si el caballo está en la cuadra por razones específicas, quizá porque haya salido de caza, o porque haya montado en competiciones o porque haya hecho ejercicios regulares de escuela su ejercicio de rutina se ha de planificar teniendo en cuenta estos factores. Como regla general, un caballo de cuadra necesita unas dos horas de ejercicio diario, pero no confunda ejercicio con trabajo. Si ya ha salido de caza o ha ido a alguna competición o durante el día ha hecho muchos ejercicios en la escuela de equitación, no necesitará hacer dos horas de ejercicio al día siguiente. Es mejor dejarlo descansar y quizás sólo salir a dar un pequeño paseo para que tome aire fresco

Un grupo de jinetes jóvenes que combinan la necesidad con el placer. Dando una vuelta por el campo, hacen que el caballo realice los ejercicios necesarios.

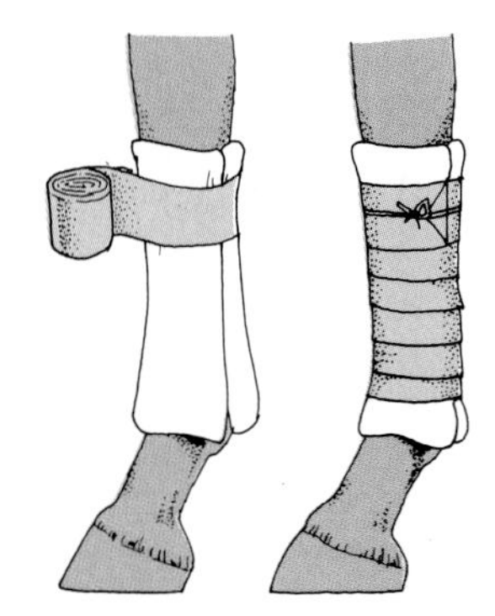

Derecha: El vendaje de los ejercicios sirve para proteger la zona entre las rodillas y los menudillos así no se lesionen. Coloque una gasa o algodón debajo. Empiece desde arriba a colocar la venda y ajústela con firmeza, sin que esté demasiado apretada, alrededor de la pata del animal y átela por un lado. **Más a la derecha:** un vendaje completo de ejercicios.

y para flexibilizar un poco la rigidez que pueda tener como resultado del trabajo realizado.

Los ejercicios de rutina se han de hacer a un paso rápido o a un galope corto. Ambos pasos son ideales para desarrollar los músculos y mantener al caballo en plena forma. Si hace poco que lo ha dejado en la cuadra y quiere mantenerlo en buena forma, llegue a las dos horas de ejercicio gradualmente y, durante las primeras dos semanas, sólo vaya al paso. Un paso constante y controlado desarrollará de forma óptima sus músculos.

Cuando monte para ejercitar al caballo, procure cambiar de ruta cada día. Si no, un caballo pronto sabrá por anticipado su paseo si siempre va por el mismo sitio y dejará de concentrarse y atender a sus instrucciones. Le ayudará también a aliviar su aburrimiento y a ser más obediente, si de vez en cuando sustituye las clases del picadero por una sesión completa de ejercicios. Esto, de todas formas, no se puede hacer durante dos horas seguidas.

Detectar la cojera

Los caballos que tienen que trabajar después de un largo período de descanso y aquéllos que trabajan duro a diario, son más propensos a la cojera que los que trabajan menos, a no ser que el jinete sea cuidadoso y atento. En términos generales, la cojera es fácil de detectar, pero suele ser difícil saber de cuál pata proviene. Es más fácil detectarla en las patas delanteras. Suelen ser éstas también las más propensas a la cojera, pues cargan con la mayor parte del peso del cuerpo. Una clara indicación de que le duele una pata será si el caballo se apoya sobre una de ellas o la levanta. En cambio, en las patas traseras es diferente, pues cuando el caballo está quieto suele descansar sobre una de éstas.

Sepa desde un principio que las causas de la cojera son muchas. Las más simples las podrá tratar el propio jinete, pero, en la mayoría de los casos necesitará de la ayuda de un veterinario.

Arestín. Una inflamación de la ranilla que, sobre todo, aparece si el caballo ha estado de pie mucho tiempo sobre un suelo húmedo y duro. La ranilla se reblandece y se infecta y suelta un hedor bastante desagradable. Tiene que limpiarse muy bien y ser tratado con antisépticos. Tendrá que consultar a un veterinario.

Windgalls[1]. Hinchazones que se forman encima del menudillo a ambos lados de la pata a raíz de un excesivo trabajo sobre un suelo duro. Aunque no son muy graves, y puede incluso que no lleguen a causar cojera, el caballo tendrá que descansar hasta que se le hayan quitado.

Rodillas rotas. Generalmente a causa de una caída sobre una carretera o un suelo duro; si tuviera la piel partida y la herida sangrara, llame inmediatamente al veterinario. Un buen tratamiento impedirá que queden cicatrices (aunque el pelo nuevo saldrá blanco sobre por encima de la herida cicatrizada); un mal tratamiento o uno no dado a tiempo dejará en la rodilla una señal indeleble.

(1) Vejiga o aventadura.

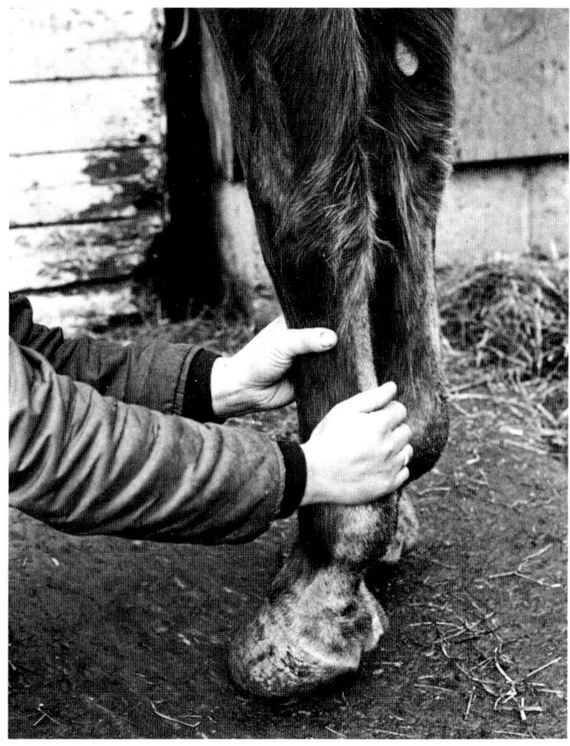

Izquierda: Caballos de carreras haciendo sus ejercicios en una vía delimitada. Este tipo de caballos tienen que realizar una rutina de trabajo dura y bien planificada. Todos los caballos, sobre todo si están en cuadras, tendrían que hacer ejercicio diario, al menos una vez al día.

Arriba: La cojera es la enfermedad más común, y, si no se atiende con rapidez puede empeorar fácilmente. Para detectarla, pase la mano por la pata del caballo y podrá comprobar si existe alguna zona dolorida, hinchada o caliente. De todas formas, el tratamiento es cosa del veterinario.

Torceduras. Las torceduras de los ligamentos de las patas se deben a una montura excesiva sobre un terreno duro, sobre todo cuando la torcedura se debe a un golpe. Lo más común es que ocurra en las patas delanteras. Se les podrá detectar pues emitirá calor la zona afectada y, a veces, incluso se producirá una hinchazón. Limpie la pata con agua fría durante unos diez minutos varias veces al día, pues esto ayuda a calmar el dolor. El descanso es esencial. Si la torcedura de ligamentos fuera grave y el caballo tuviera una cojera aguda, tendrá que descansar por un mes o dos.

Alcanzarse. Son las heridas causadas por los golpes del talón o parte posterior de la corona en las patas delanteras, con la parte anterior de las herraduras de las patas traseras. Estos golpes pueden a veces producir cortes, en cuyo caso se ha de limpiar la herida y tratarla con antiséptico. Si el caballo cojeara, no debería montarlo hasta que no esté recuperado del todo. Si el caballo tuviera tendencia a «alcanzarse» póngale un calzado especial que le protejerá las patas delanteras.

Cepillado. Igual que «alcanzarse», el «cepillado» es una autolesión que se produce cuando el caballo se golpea la parte interna de una pata con el pie opuesto. Aquí también, si se abriera la herida, trátela como se requiere en estos casos. Existen calzados especiales contra el cepillado para proteger las patas durante la operación.

Talones agrietados. Zonas doloridas que suelen supurar en los talones a causa de una irritación en la suela. Un ungüento que tenga aceite de ricino o cataplasmas de salvado seco y caliente son tratamientos efectivos.

Sobrecañas. Estas protuberancias óseas son muy comunes justo debajo de la rodilla, en la parte interior de las patas delanteras, y suelen tenerlas mucho los caballos jóvenes. Suelen aparecer si las patas golpean sobre suelo duro. Mientras se forman, el caballo cojea, pero, mientras no se hinchen, no duelen. Si se detectan pronto, el descanso y la limpieza con agua fría las puede eliminar.

Las patas del caballo son, obviamente, las partes más vulnerables de su cuerpo. Después de cada paseo, examínelas minuciosamente por si existieran heridas o bultos.

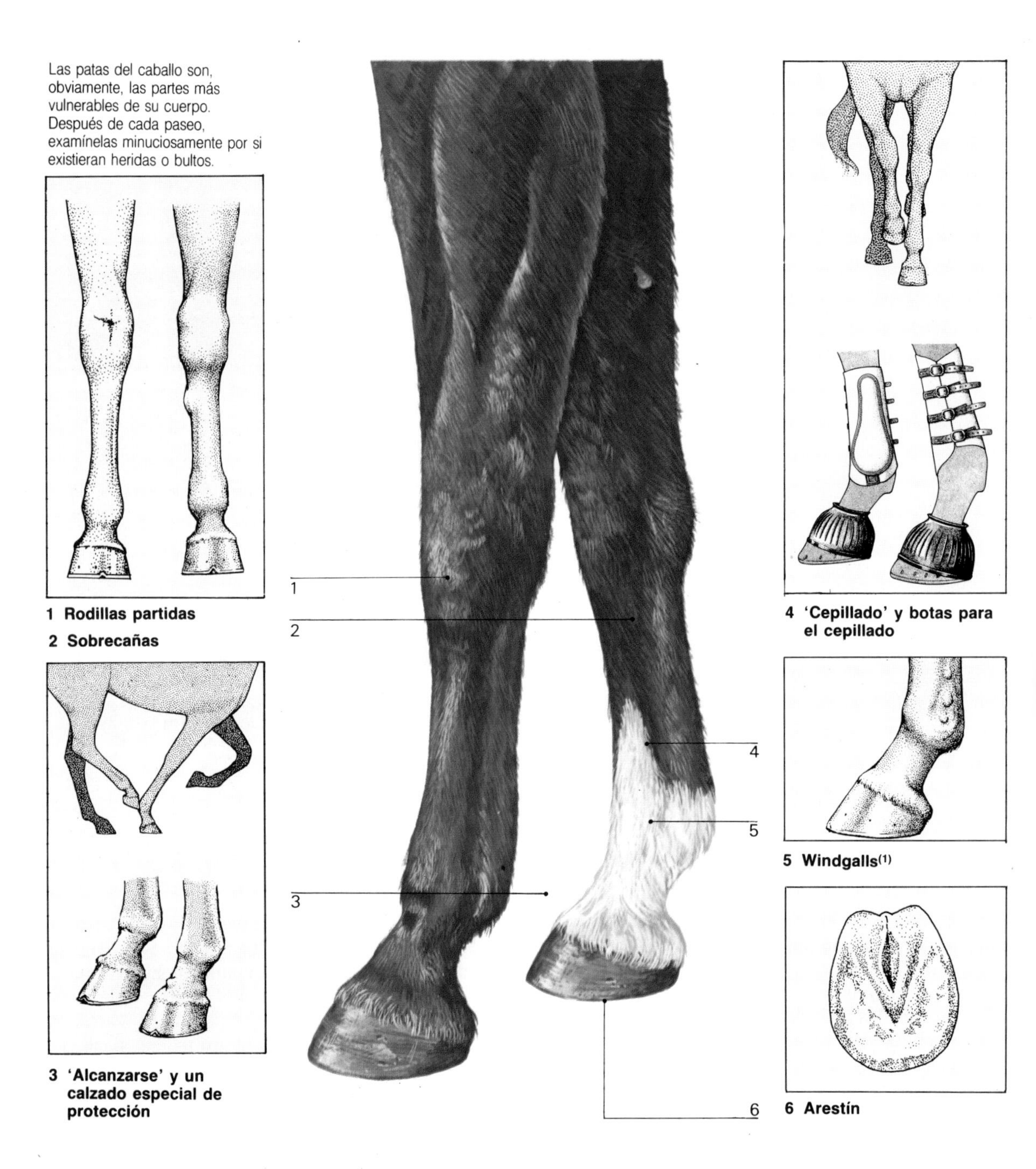

1 Rodillas partidas

2 Sobrecañas

3 'Alcanzarse' y un calzado especial de protección

4 'Cepillado' y botas para el cepillado

5 Windgalls[1]

6 Arestín

Codos y corvejones capped[1]. Las hinchazones en el codo o en el corvejón suelen ser causa de un suelo duro no suficientemente cubierto de camada. También pueden aparecer por golpes o patadas del caballo contra la pared. Pregunte a su veterinario cuál ha de ser el tratamiento y procure que no se forme un absceso.

Bordillo. Es una protuberancia o hinchazón de la pata. Sale justo debajo del corvejón y suele torcer un ligamento. Una causa bastante común es que el caballo haya saltado sobre un terreno duro. Puede que el animal no cojee de inmediato, pero si no se la trata, el animal puede tener constantes achaques de cojera. Consulte a su veterinario. Puede que le aconseje algún tipo de calzado especial que ayude a aliviar la torcedura, aunque si la pierna se cubriera de ampollas se necesitarían procedimientos más drásticos; la herradura especial lleva la sangre hacia la zona afectada y hace que el proceso de cura se realice en un plazo de tiempo más corto.

(1) Dolencia coyuntural que se describe en el texto.

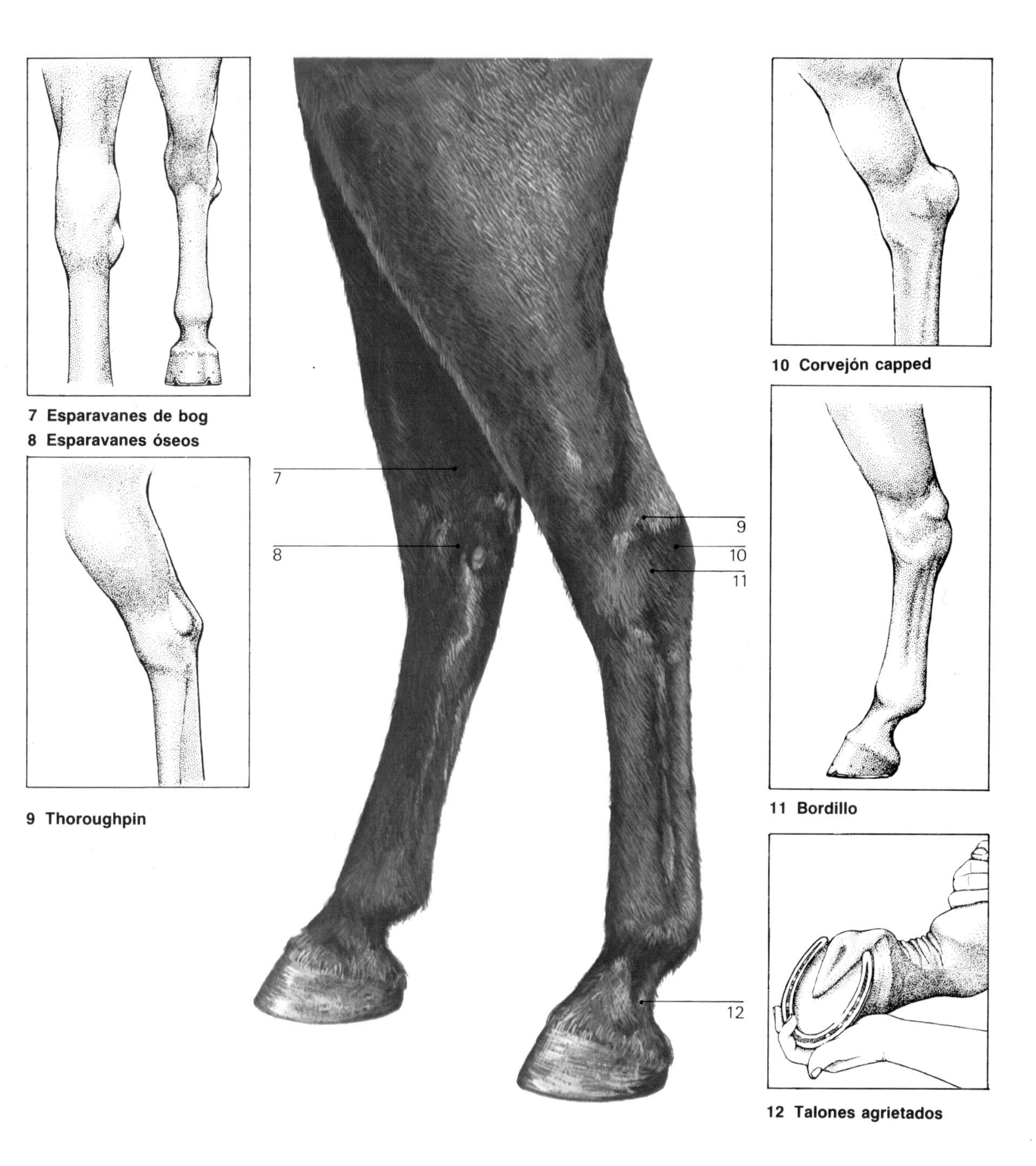

7 Esparavanes de bog
8 Esparavanes óseos

9 Thoroughpin

10 Corvejón capped

11 Bordillo

12 Talones agrietados

Esparavanes. Existen dos tipos de esparavanes, el *bog*[1] que es una hinchazón en la parte interior del hueso del corvejón y el esparaván óseo, que es una protuberancia ósea que sale un poco más abajo y más adentro de este hueso. La causa de ambos es un excesivo trabajo sobre terreno duro, aunque la conformación de algunos caballos los hace ser más propensos por naturaleza a estas afecciones. En ambos casos, el tratamiento principal será el descanso y la limpieza diaria.

(1) Dolencia ósea que se describe en el texto.

Thoroughpin[2]. Esta hinchazón se produce a ambos lados del corvejón y la protuberancia puede pasarse de un lado al otro de la zona. En un principio, puede que el caballo no cojee, pero igualmente tendría que descansar.

Infecciones y vicios

Aparte de la cojera, un caballo de cuadra puede sufrir una serie de distintas infecciones así como de vi-

(2) Dolencia del corvejón que se describe en el texto.

Síntomas	Causas	Tratamiento
Resfríos Descargas nasales más o menos densas. Los ojos estarán acuosos y el pelo se verá 'deslucidos'. Los caballos están letárgicos y pierden facultades físicas.	Si se lo ha dejado en un establo con corrientes de aire, o no se lo ha secado a la vuelta de un paseo caluroso o de un día de lluvia. También por contagio de otros caballos.	Aíslelo del resto en una cuadra temperada. Póngale una dieta laxativa y hágale hacer poco ejercicio.
Toses Suelen acompañar los resfríos. Pueden ser débiles o muy profundas.	Muchas causas, desde haber comido heno polvoriento hasta haber cogido frío. En los caballos jóvenes la dentinción puede causar tos.	Consulte con su veterinario la causa de la tos y siga sus consejos.
Gripe Fiebre acompañada de mucha descarga de los ojos y la nariz. El animal se encontrará muy débil.	Contacto con otros caballos afectados. Las personas también pueden transmitir la enfermedad de un caballo a otro, por la ropa, el calzado, el equipo de limpieza, etc.	Aisle al paciente inmediatamente y póngalo en un *box* bien ventilado. Cúbralo con una manta para que no pase frío y llame al veterinario. La prevención es mejor que la cura; todos los caballos, de jóvenes, tendrían que ser vacunados contra esta enfermedad.
Sofocamientos Altas temperaturas, con una ligera descarga de la nariz que se volverá más gruesa y adquirirá un color amarillento a medida que progrese la enfermedad. Los párpados se vuelven de color rojo brillante. Posible hinchazón de la garganta.	Organismo conocido como estreptococus sofocante. Esta enfermedad es muy contagiosa y, aparte del contacto directo, puede transmitirse por el lecho, el equipo de la cuadra, etc.	El mismo que para la gripe.

cios autoinducidos. Ambos se pueden prevenir con facilidad. Especialmente el último caso puede desarrollar muchos problemas, sobre todo cuando el caballo no recibe la atención necesaria o los ejercicios que requiere para no aburrirse.

Las cuadras que tienen excesivas corrientes de aire, pueden producir reumatismos en los caballos. Esto se manifestará de la misma forma que en las personas, el caballo estará rígido y sufrirá cada vez que cambie de posición. Hay que aplicar linimentos en las zonas afectadas y, lo que es más importante, suprimir las corrientes.

La gripe es una de las infecciones más comunes y una de las más contagiosas entre todas las enfermedades y, también en este caso, sus síntomas son similares en el caballo como en el hombre. Entre éstos se incluyen agua en la nariz, una apatía general, quizá tos y una alta temperatura. Llame en seguida a su veterinario; seguramente le recomendará un aislamiento total, un cambio de dieta a una comida más suave y laxativa y la administración de ciertas drogas.

Los sofocamientos también son una enfermedad extremadamente infecciosa que ataca la nariz y la garganta y que causa una hinchazón de las glándulas, descarga nasal, apatía y una fuerte subida de la temperatura. Las membranas del ojo suelen cambiar su color rosáceo hacia un rojo brillante. Esta enfermedad es más común en caballos jóvenes. Su veterinario le aconsejará el tipo de tratamiento conveniente; también en este caso necesitará aislar por completo al caballo.

Las enfermedades infecciosas no se contagiarán de un caballo a otro siempre que aísle al afectado. Las personas también pueden contagiarse si llevan puesta la misma ropa luego de tratar al caballo afectado. Las enfermedades de la piel también son muy contagiosas y fáciles de esparcirse por todo el establo. Esté siempre atento a cualquier síntoma (el más común es que un caballo se rasque constantemente hasta hacerse una herida) y avise de inmediato al veterinario.

La mayoría de los vicios de la cuadra se producen sólo porque el caballo está aburrido y no hace nada. No pase por alto cualquier síntoma e intente

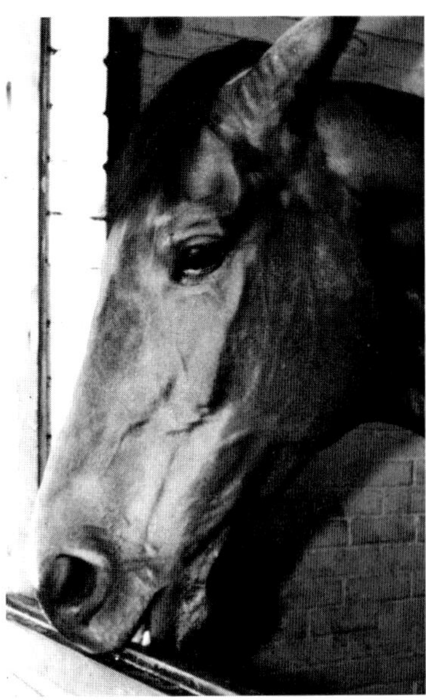

Un caballo sano estará alerta y atento ante lo que sucede a su alrededor. Llevará la cabeza alta, las orejas levantadas y los ojos muy abiertos y brillantes. **Arriba:** Si un caballo permanece día a día en la cuadra, perderá rápidamente facultades físicas y se aburrirá. Como resultado no sólo aparecerán varios desarreglos físicos, como hinchazones en las patas y desórdenes en general, sino que además adquirirá una serie de vicios como, por ejemplo, morder partes de la cuadra. Estos vicios, que deterioran al caballo, suelen aparecer a raíz de una falta suficiente de ejercicio.

cortarlos de raíz. Los vicios son difíciles de quitar y siempre es mejor eliminarlos desde un principio.

Mascar las mantas. Tal y como indica su nombre, es el hábito de mascar constantemente las mantas. Procure que siempre tenga heno al alcance para distraerse.

Morder la cuadra. Se trata de roer la esquina de una manguera o cogerla con la boca y soplar. Procure pintar esta zona con creosota, ponga al caballo grandes cantidades de heno y aumente su trabajo.

Resoplidos. En este caso, el caballo arquea su pescuezo y resopla aire. Al igual que sucede con el vicio anteriormente descrito, pierde capacidades físicas. Existen unos collares especiales para corregir este hábito. Por otro lado, los remedios son los mismos que los anteriores.

Ondular la cabeza. Mover la cabeza y el cuello rítmicamente de un lado a otro, por lo general encima de la puerta de la cuadra. Puede corregirse atando la cabeza del animal con una cuerda corta, pero el tratamiento más efectivo es aliviar el aburrimiento del caballo.

Patadas. Se dice de un caballo que pega patadas en las paredes de la cuadra o a todo aquél que entre. Si lo coge al principio, golpee instantáneamente sus patas y sus cuartos traseros, utilizando una vara larga, para que se vaya acostumbrando a tener gente cerca. Si el hábito persistiera, refuerce con algún tipo de acolchamiento las paredes de la cuadra para que no se hiera.

Mordiscos. Muchas veces los caballos intentan morder, bien porque tienen un mal temperamento por naturaleza o, simplemente, y lo que es más común, porque están aburridos. Tome las precauciones necesarias para corregirlo, pero si el problema persistiera, cubra la puerta con una parrilla de red. No cierre nunca la parte superior de la puerta pues con ello sólo conseguiría aumentar el problema.

Equipo del caballo

El equipo del caballo —la silla y la brida en todas sus variantes, así como sus múltiples accesorios— ha existido desde que el hombre comenzó a relacionarse con los caballos. Pese a ciertos cambios sufridos y a los refinamientos propios de cada época y lugar, puede decirse que, las razones para utilizar dicho equipo, así como los principios que determinan su diseño, han cambiado poco entre generación y generación.

Las bridas, y, probablemente, también la correa frontal y el cabestro, fueron los primeros elementos en evolucionar. Esto se debe, sin lugar a dudas, a la importancia que éstos tienen, puesto que permiten ejercer un control más seguro y directo sobre el animal, ya sea montándolo o dirigiéndolo desde el suelo. En su forma más elemental, las bridas consistían en un sistema de correas sumamente rudimentario que mantenía sujeto el «bocado» —una boquilla, generalmente metálica— dentro de la boca del caballo. Las correas o «riendas» se amarraban al bocado y eran lo suficientemente largas para que el jinete pudiese manejarlas por encima del caballo, lo que le proporcionaba en el acto, un medio simple pero efectivo de controlar su montura.

Bridas y bocados

Los tipos de bridas utilizados en la equitación clásica inglesa o europea, varían enormemente hasta en los más mínimos detalles, como puede ser el tipo de muserola que lleva el caballo; la manera en que las diferentes partes van sujetas entre sí, ya sea mediante hebillas, broches de caballeriza o cosidas; el grosor y el color del ación; el diseño de las riendas, pudiendo éstas ser lisas, plegadas o trenzadas, cubiertas de goma o hechas de nylon, y así indefinidamente. La principal diferencia radica, eso sí, en el diseño del bocado, del cual existen literalmente cientos de versiones. La mayoría son variantes de dos tipos de bocados básicos: el filete y el freno.

El filete y el freno

El filete es el tipo de bocado más sencillo. Su boquilla varía según el diseño y según el uso, pudiendo ésta ser lisa o torcida, recta o arqueada. En cada uno de sus extremos lleva un aro con forma de D al cual va amarrada la rienda. Dependiendo de la manera con que el jinete haga uso de las riendas por medio de sus manos, el bocado servirá para presionar fuera de las barras de la boca o en sus bordes, o sobre la lengua.

La boquilla de un freno puede también ir unida o separada; en algunos casos puede tener una sec-

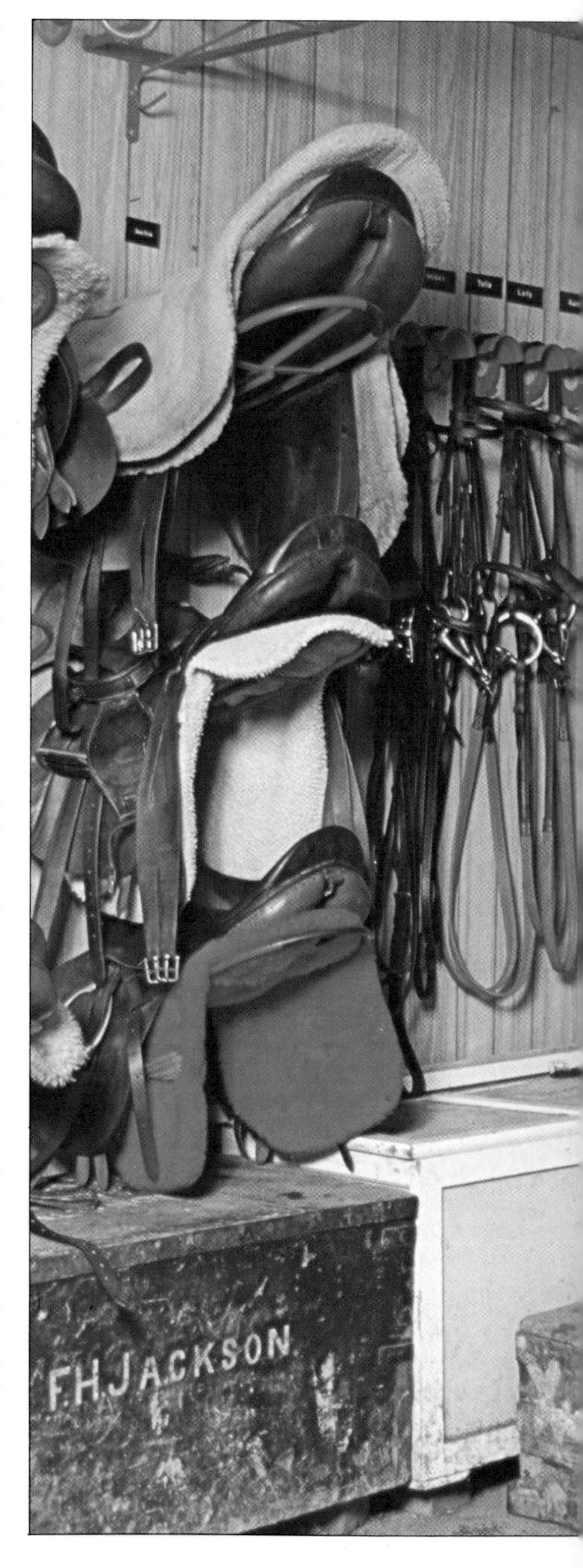

El mantenimiento de la silla, de la brida y del resto del equipo es tan importante como el cuidado del caballo. Todo equipo que no esté bien conservado puede resultar incómodo para el caballo y peligroso para el jinete. Éste se ha de guardar en un lugar fresco y seco ya que el calor y la humedad resquebrajan el cuero y oxidan y manchan el metal. La humedad puede pudrir los elementos.

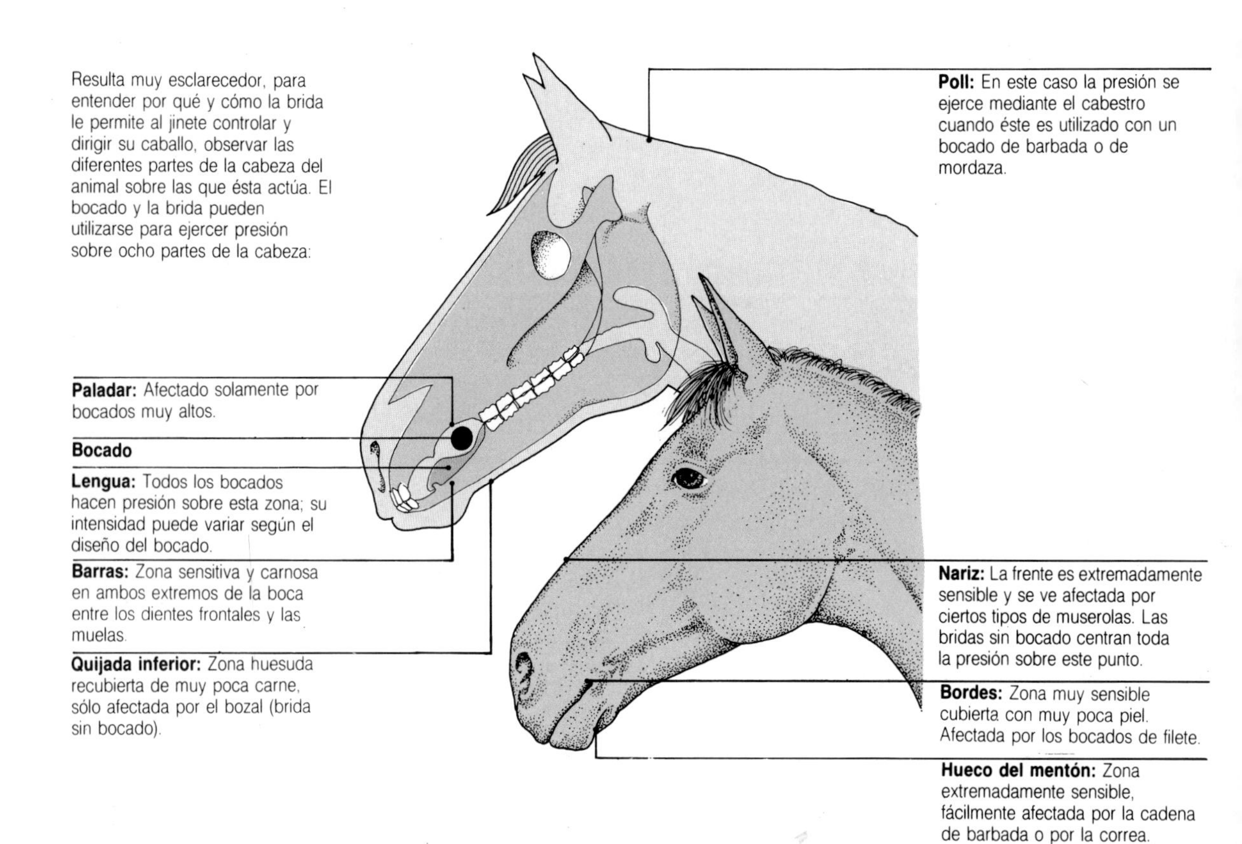

ción levantada en la mitad que recibe el nombre de «puerto». Puede ser «fija», es decir, estar firmemente sujetada a los extremos de las piezas metálicas de los pómulos, o móvil, lo que significa que estas piezas pueden moverse, hasta cierto punto, de manera independiente respecto a la boquilla. La pequeña flexibilidad que este sistema proporciona reduce la dureza del bocado. También induce al caballo a jugar con el bocado dentro de la boca, lo que permite la segregación de saliva. Esto resulta muy beneficioso para la protección de los tejidos sensibles de la boca.

El freno posee largas piezas metálicas a nivel de los pómulos que se extienden de un extremo a otro de la boquilla; los aros para sujetar las riendas están situados en la parte inferior. A esto hay que agregar una cadena de barbada o una correa, que se sitúa en la «ranura de la barbada», debajo del mentón del caballo, y que va atada a cada extremo del bocado. El efecto de palanca producido por las riendas, ejerce presión sobre el *poll*[1] del caballo a través de la correa frontal (a la cual está atada de manera indirecta), y, también, sobre la ranura de la barbada a través de la cadena de la barbada o la correa. La boquilla del freno hace presión contra la lengua, las barras y —en caso de puertos muy altos— contra el paladar.

(1) Zona de la testuz del caballo, detrás de las orejas.

La brida doble y el bocado Pelham

Los bocados de filete y los frenos pueden ir combinados en una sola brida, denominada brida doble. El filete utilizado en este caso se llama bridón. Consta de una boquilla unida, bastante más delgada y de aros más pequeños que los de la mayoría de los filetes restantes de mismo diseño. La barbada llamada *Weymouth*, posee un puerto poco pronunciado; su boquilla puede ser fija o móvil. Para un jinete con experiencia, la acción combinada de ambos bocados le será de gran ayuda para maniobras de precisión y le garantizará un control muy sensible sobre su montura.

El filete y el freno también pueden ir combinados en un bocado simple conocido bajo el nombre de *Pelham*, el cual también existe en una gran variedad de diseños. La mayoría de éstos se parecen a otros frenos pero poseen, además, un par de aros anchos situados a ambos lados de la boquilla a los cuales puede atarse un segundo par de riendas. Este tipo de bocados tiene como efecto confiarle al bocado la función del filete. A su vez, las riendas, que están atadas a los aros situados en los extremos inferiores de las piezas metálicas de los pómulos, cumplen la función del freno.

Bridas sin bocado

Además de las bridas mencionadas más arriba, existen varios diseños de bridas sin bocado. Como su

Arriba: El filete es el tipo de bocado más sencillo. Se utiliza para ejercer presión sobre las barras exteriores de la boca, la lengua y los bordes de la boca. **Izquierda:** La combinación del filete y de los bocados de barbada reciben el nombre de brida doble. **Abajo:** El cabestro consiste esencialmente en una muserola que va unida a las piezas metálicas laterales; a su vez, las riendas van amarradas a estas últimas.

TIPOS DE BOCADO

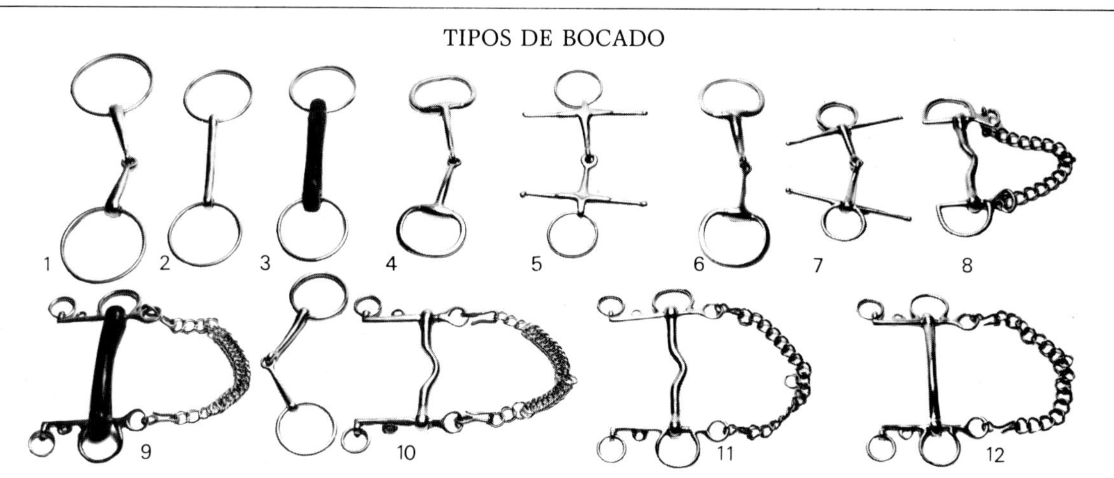

El bocado proporcoina un control global sobre el caballo y se utiliza conjuntamente con otros elementos. La presión ejercida sobre la boca del caballo se traduce en órdenes precisas, pero en ningún caso el animal debe sentir miedo o dolor. Existe todo tipo de bocados, que van del simple al complejo; ahora bien, es la destreza del jinete la que determinará en definitiva los movimientos y la docilidad del caballo. **Arriba:** (1) Filete alemán; (2) filete de barra recta; (3) filete de caucho; (4) *eggbut* * snaffle; (5) *Fulmer snaffle*; (6) Bocado de mordaza; (7) filete de aros sueltos; (8) *Klimblewick*; (9) Pelham de boca de goma flexible; (10) Bridón y frenos de Weymouth; (11) Bocado de Pelham; (12) *Scamperdale*.

* Distintos tipos de bocados.

Izquierda y abajo: Al igual que lo que ocurre en el estilo europeo de montar en círculos, en la equitación del Oeste, existe una gran variedad en el diseño de las bridas utilizadas. **Izquierda:** La brida que aparece en la imagen corresponde al bozal, uno de los diseños más antiguos y comúnmente utilizados en el entrenamiento de un caballo. Esta pieza ejerce presión sobre la nariz mediante la gruesa muserola y debajo del mentón a través del nudo del bozal. **Abajo:** Una brida en la que destaca uno de los tantos tipos de bocado de barbada, que se caracterizan por sus largas piezas laterales.

nombre lo indica, carecen de bocado, lo cual significa que ejercerán presión sobre otras zonas sensibles del caballo.

El bozal es un tipo de brida tradicionalmente utilizado en la equitación del Oeste, generalmente en las primeras etapas de la doma de un caballo. Su diseño es muy simple. En realidad la palabra bozal se refiere a la muserola; esta última está hecha de cuero sin curtir trenzado y sujetado por una correa frontal común y corriente. El bozal va atado por debajo de las quijadas (considerablemente más arriba de la ranura del mentón) con un grueso nudo denominado nudo del tacón. Las riendas de crin de caballo trenzadas van amarradas aquí. El bozal hace presión por delante sobre la nariz del caballo y por atrás sobre la mandíbula inferior.

Existen otros tipos de bridas sin bocado, llamados cabestros (un derivado del vocablo español que se refiere a la muserola). Su diseño es algo más sofisticado que el del bozal. En este caso, la presión se ejerce sobre la zona delantera de la nariz y sobre el surco de la barbilla. La muserola se ata a cada lado de las piezas metálicas de los pómulos; cuanto más grandes son, mayor es la fuerza que pueden aguantar y la presión que pueden ejercer. La correa de barbada, amarrada a las piezas metálicas laterales, se aloja en el surco de la barbada. La opinión según la cual el cabestro es un tipo de brida suave, puesto que carece de bocado, es completamente errónea, ya que éste, por el contrario, si es manejado por manos irresponsables, puede resultar extremadamente dañino para la montura. Su dureza va ligada a la anchura de la muserola y al tipo de correa utilizado. Una muserola estrecha y una correa de barbada con cadena unida proporcionan un gran control sobre la montura.

Bridas del Oeste

Las bridas utilizadas en el Oeste pueden carecer de bocado o llevar algún tipo de filete. Los bocados de barbada del Oeste y los bocados *spade* —llamados así por el diseño de su puerto— generalmente llevan piezas más largas y curvas que las de la equitación europea, ya que en Europa rara vez se utilizan exclusivamente las barbadas.

Las bridas del Oeste provistas del bocado no suelen llevar muserola, pero en este caso también el diseño puede variar notablemente, sobre todo en lo que a material empleado se refiere. Éste puede consistir en cuero sin curtir trenzado o plegado o en crin de caballo; puede también ser de cuero liso, trenzado o cosido; puede llevar pequeños figurines de plata incrustados en el cuero; o simplemente ser de cueros de diferentes colores trenzados entre sí. Si comparamos dicho equipo al utilizado por la equitación inglesa y europea, este último aparece mucho más sobrio y convencional.

Existen dos variedades de riendas en las bridas del Oeste, las de tipo californiano y las tejanas. En las bridas de tipo tejano, las riendas van siempre separadas y se unen sólo a la altura del bocado. Esto es debido al hecho de que los caballos se entrenan para *ground tie*; cuando el jinete se desmonta del caballo y deja caer una rienda al suelo, el animal permanece quieto como si estuviera atado. Las riendas californianas van generalmente unidas entre sí, formando lo que se llama un «romal». Ésta puede ser utilizada por el jinete como cuarta —un tipo de fusta empleado para los trabajos de ganadería— o para golpear los costados del caballo.

Poner las bridas

El método para poner las bridas no variará, sea cual sea el tipo de bocado, o incluso, si carece de éste. En primer lugar, asegúrese que la tralla del pescue-

Cómo poner unas bridas Sitúese a un costado del caballo sujetando con la mano izquierda el cabestro. Pase las riendas por encima de la cabeza y del cuello del caballo. El animal ya está bajo su control.

Mantenga la parte alta del cabestro en su mano derecha. Deslice su mano izquierda por debajo del mentón del caballo e introduzca un dedo entre los dientes frontales y las muelas para abrir la boca.

Una vez introducido el bocado en la boca, pase el cabestro por encima de las orejas, una a la vez. Alise el pelo frontal del animal sin estorbar las orejas. Asegúrese también que ninguna sección del cabestro está torcida.

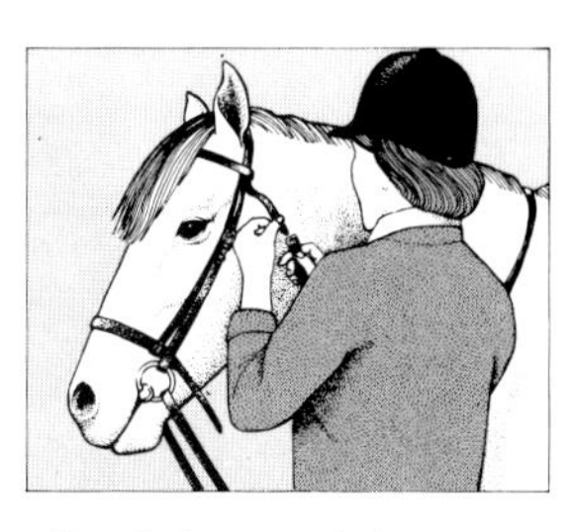

Abroche la correa de la garganta y la muserola. Tiene que haber una mano de distancia entre la correa de la garganta y la quijada; dos dedos de distancia entre la muserola y la nariz. El bocado no debe estar sobre los dientes.

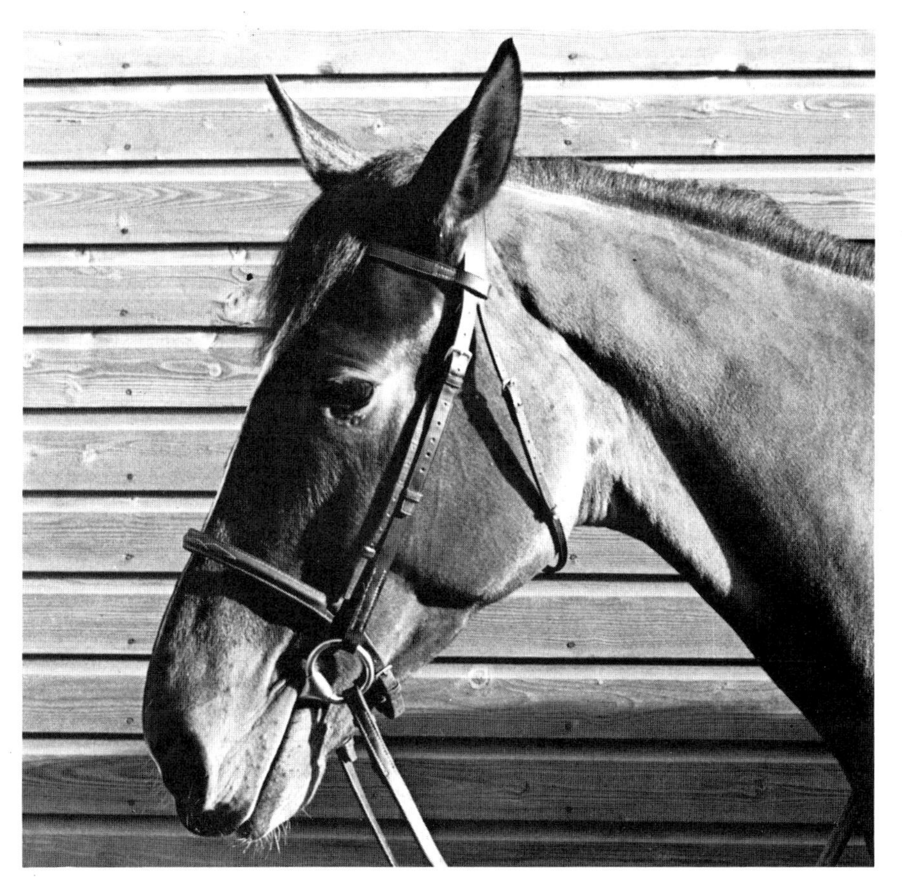

Izquierda: Un caballo con las bridas correctamente puestas. Los principales puntos son: **Abajo izquierda:** Tiene que haber una mano de distancia entre la correa de la garganta y la garganta. **Centro:** La distancia entre la muserola y la frente debería ser de dos dedos. **Derecha:** En el caso de una brida doble, la cadena de la barbada está correctamente puesta cuando va encajada en la ranura, es decir cuando las piezas metálicas de los pómulos están situadas en un ángulo de 45° respecto a la pieza bucal del bocado. En caso de utilizar una cadena metálica de barbada, gírela en sentido contrario a las agujas del reloj hasta que esté completamente plana y luego abróchela. Enganche la parte excedente de la cadena al broche, de manera que ésta no golpee contra el bocado.

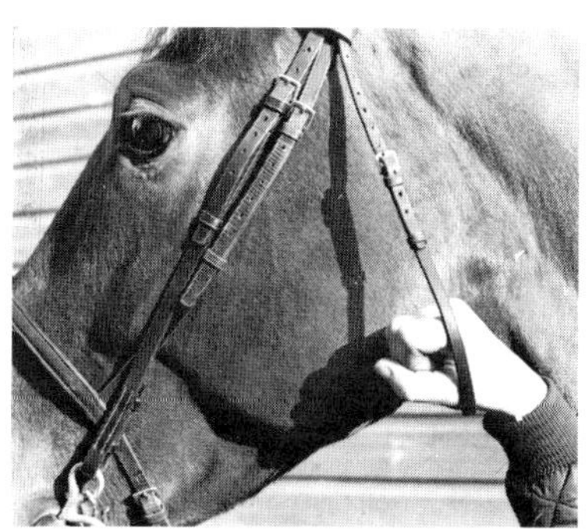

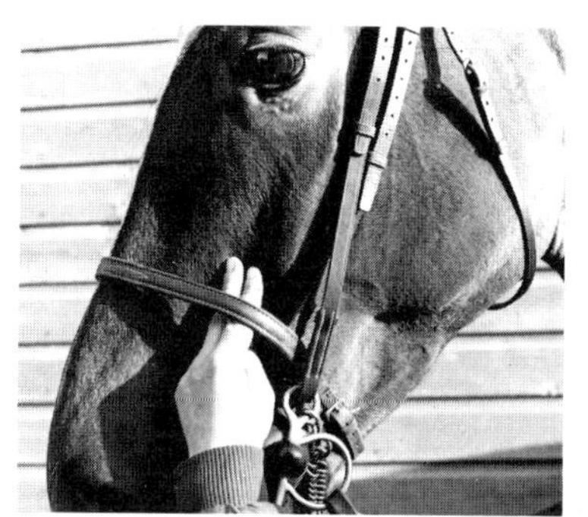

Las sillas utilizadas en la equitación europea e inglesa varían según el tipo de estilo de montar adoptado. **Izquierda:** La silla de uso más generalizado es la silla común. Los diseños de sillas evolucionaron a partir del estilo italiano llamado de asiento adelantado en el cual el jinete, situado sobre el centro de gravedad del caballo, cambia de posición de acuerdo a los movimientos de este último.

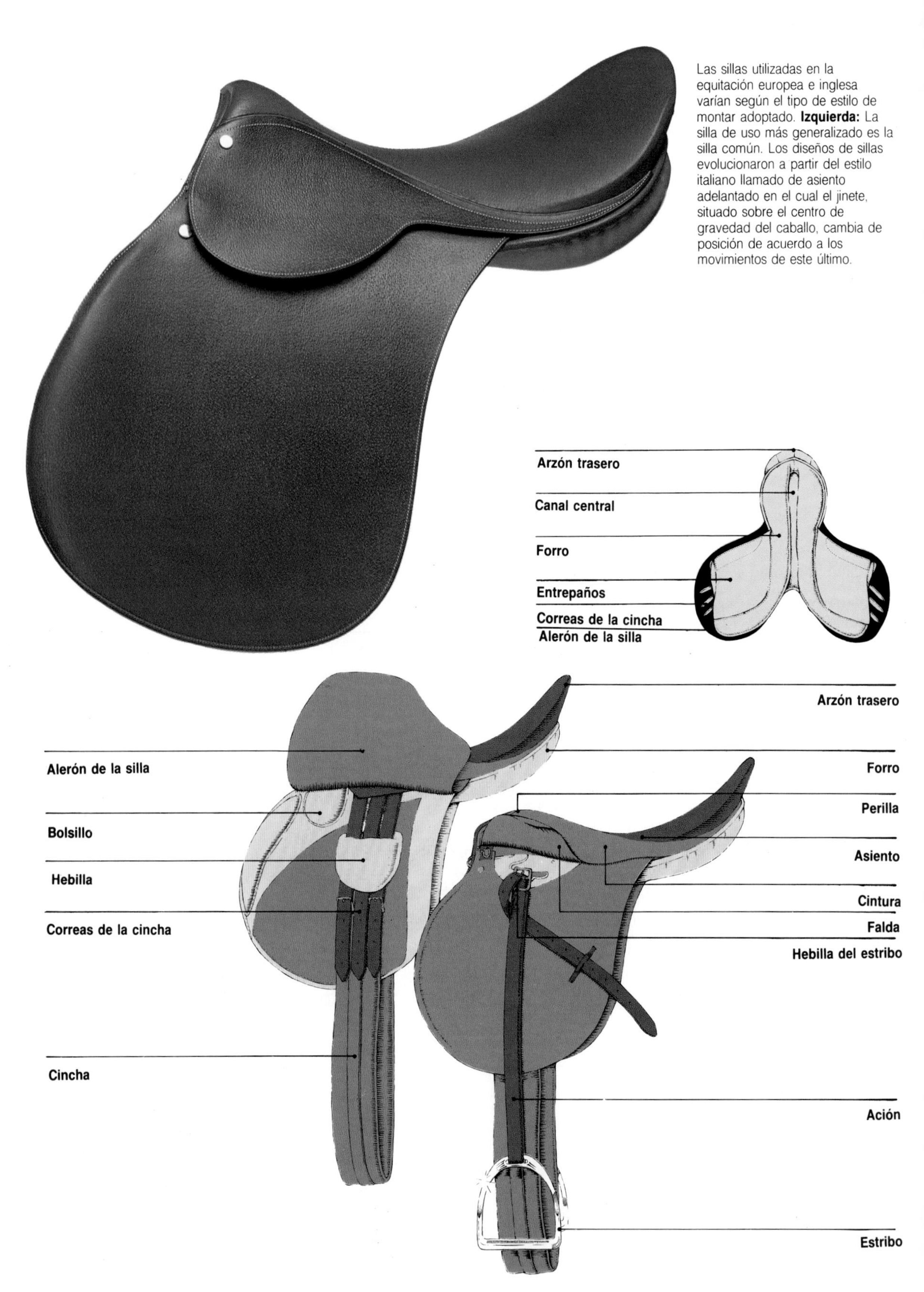

MUESTRA DE SILLAS

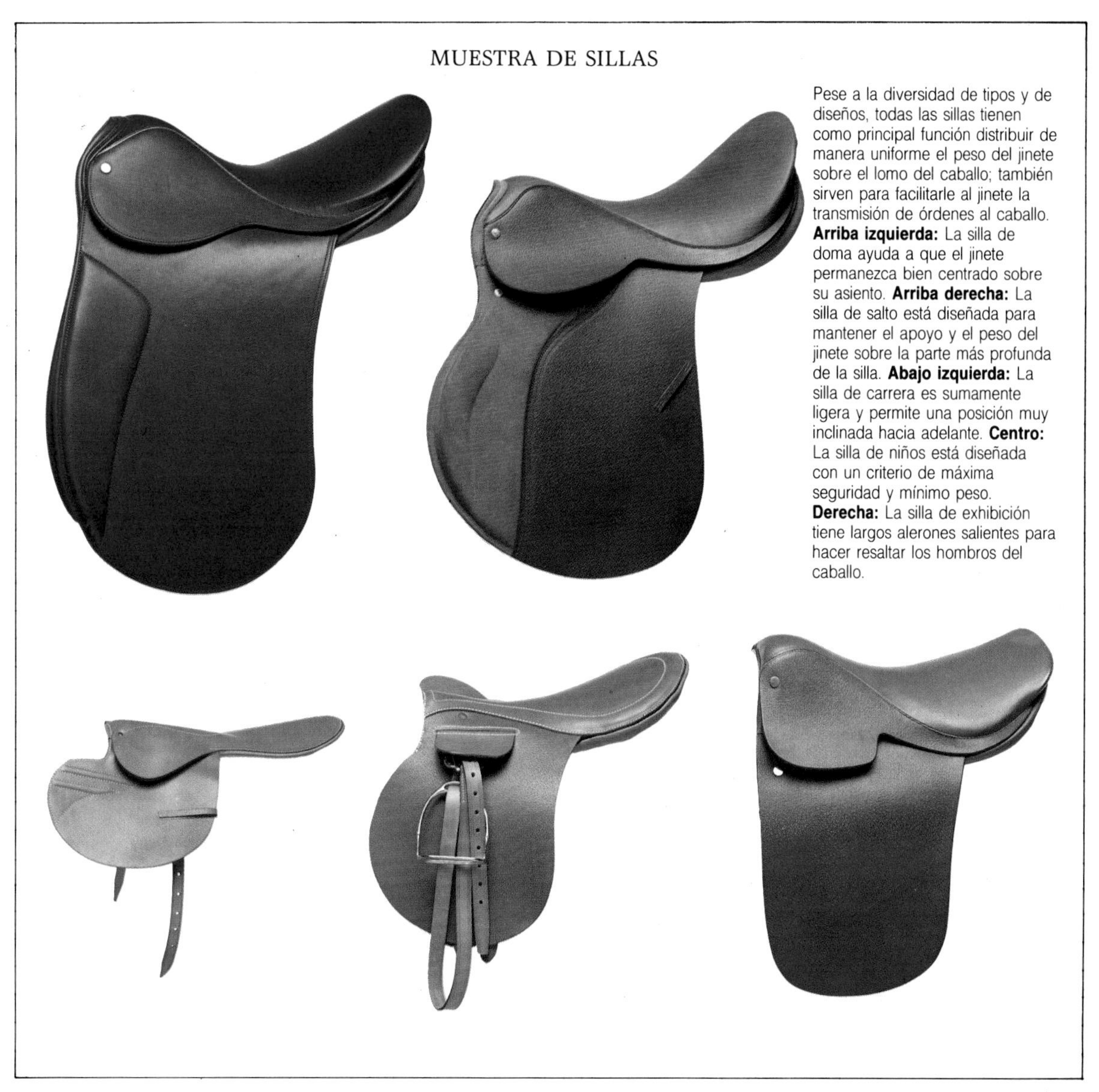

Pese a la diversidad de tipos y de diseños, todas las sillas tienen como principal función distribuir de manera uniforme el peso del jinete sobre el lomo del caballo; también sirven para facilitarle al jinete la transmisión de órdenes al caballo. **Arriba izquierda:** La silla de doma ayuda a que el jinete permanezca bien centrado sobre su asiento. **Arriba derecha:** La silla de salto está diseñada para mantener el apoyo y el peso del jinete sobre la parte más profunda de la silla. **Abajo izquierda:** La silla de carrera es sumamente ligera y permite una posición muy inclinada hacia adelante. **Centro:** La silla de niños está diseñada con un criterio de máxima seguridad y mínimo peso. **Derecha:** La silla de exhibición tiene largos alerones salientes para hacer resaltar los hombros del caballo.

zo, la muserola y la cadena de la barbada, o la correa, según el caso, estén sueltas. Sitúese a un costado del caballo, junto a la cabeza, con el cabestro en la mano izquierda y pase las riendas sobre el cuello. Si el caballo lleva una correa, retíresela ahora. Coja el cabestro con la mano derecha y colóquelo a la altura de las orejas del caballo. Sujete el bocado con los dedos pulgar e índice de la mano izquierda y abra suavemente la boca del caballo ejerciendo una suave presión sobre los bordes de la misma con los dedos. En cuanto abra la boca, introduzca el bocado. Pase el cabestro por encima de las orejas y ajústelo sobre la frente del caballo. Abroche la correa de la garganta, la muserola y la cadena de la barbada.

El método empleado para poner una brida sin bocado es exactamente el mismo que el de una brida provista de bocado. La única diferencia, naturalmente, es que en el primer caso no hay necesidad de abrir la boca del caballo para introducirle el bocado.

La silla

La evolución de la silla fue posterior a la de las bridas. Su creación fue motivada por la necesidad de hacer más confortable la montura, tanto para el jinete como para el animal. El montar a pelo es cansador y bastante peligroso para el jinete. Incluso puede dañar el lomo del caballo puesto que el peso del jinete hace presión directamente sobre la espina dorsal.

Ahora bien, todas las sillas tienen en común un canal central cuya función es suprimir la presión en la espina dorsal y distribuir el peso del jinete sobre ambos costados del animal, en aquella zona muscular y carnosa que recubre las costillas. Todas las si-

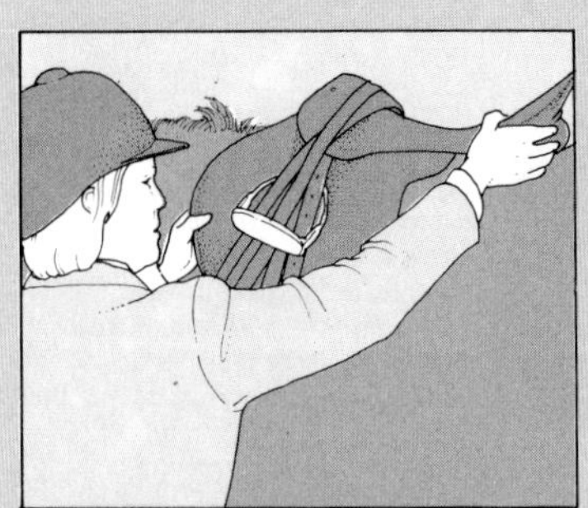

Cómo poner una silla común: Coloque la silla sobre el lomo del caballo, con los estribos y la cincha encima; la perilla de la silla debe estar situada justo detrás de la cruz.

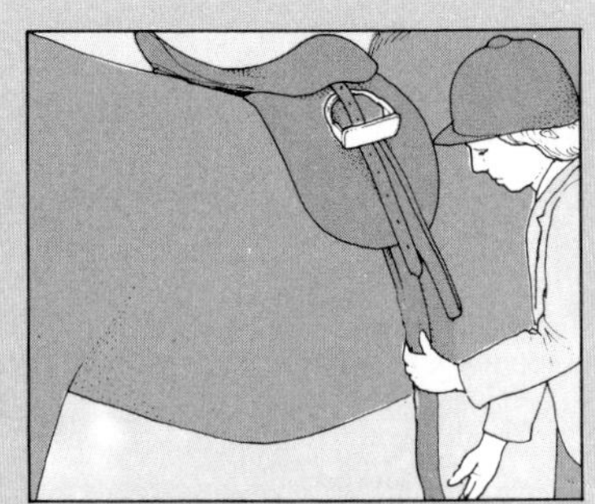

Asegúrese que las crines están lisas debajo del alerón de la silla. Desplácese hacia el costado derecho del caballo y deje colgar la cincha.

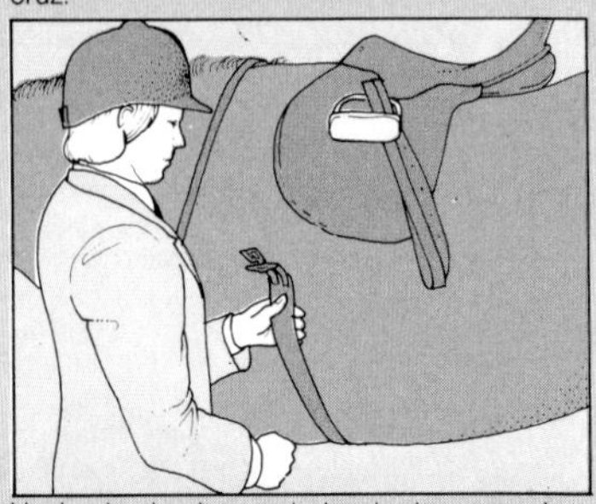

Vuelva hacia el costado izquierdo y pase la cincha por debajo de la panza del caballo. Asegúrese que ésta no esté en ninguna parte torcida.

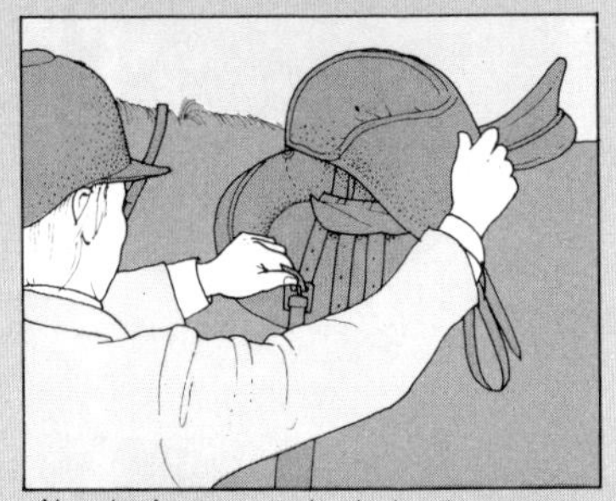

Abroche fuertemente la cincha de manera que la silla permanezca firme en su sitio. Ajuste la altura de los estribos y posteriormente vuelva a apretar la cincha.

Cómo poner una silla de amazonas: Sitúese a un costado del caballo, levante la silla y colóquela sobre el lomo del caballo, ligeramente por delante de la cruz.

La cincha, la sobrecincha y la correa de equilibrio que cuelgan por el costado izquierdo del caballo han de abrocharse por el costado derecho.

llas ayudan al jinete a controlar a su montura proporcionándole una posición más estable para transmitir las señales al caballo.

La principal característica de toda silla es su armazón que recibe el nombre de árbol y a partir del cual se arma la silla. El árbol está generalmente hecho a partir de madera ligera. Sobre este esqueleto van fijados el acolchado y las correas. Ambas conforman el diseño acabado y responden al propósito preciso de la silla.

La silla más utilizada en la equitación europea es la silla común. Esta proviene del estilo denominado asiento italiano adelantado, que apareció en dicho país hace 60 ó 70 años atrás. En este estilo de equitación, el jinete está situado sobre el centro de gravedad del caballo; en la medida que este centro varía de lugar, el jinete cambia de posición. El ejemplo más obvio es cuando un jinete se inclina hacia delante al saltar el caballo. Antes de que este estilo existiera, el jinete se sentaba bien inclinado hacia atrás sobre su montura y con las piernas empujando hacia delante; a la hora de saltar, se inclinaba aún más hacia atrás.

El diseño de las sillas favorecía esta posición. Por esa misma razón, cuando los italianos introdujeron su nuevo estilo, desarrollaron paralelamente un tipo de silla que se adecuara a este cambio. A medida que esta técnica de montar se fue generalizando, cada país empezó a fabricar su propia versión de dicha silla, de modo que en la actualidad, cualquiera que esté a la búsqueda de una silla común, puede disponer de una gran variedad de modelos para escoger.

Ensillar al caballo

Al ensillar un caballo asegúrese, en primer lugar, que los estribos estén recogidos en la parte alta de los aciones, de manera que cuelguen a ambos costados de la silla. La cincha debe ir abrochada a través de la silla y no atrapada debajo de la misma. Sitúese junto al caballo, levante la silla por encima del lomo y póngala suavemente delante de la cruz del animal. Deslice la silla levemente hacia atrás, de manera que la perilla quede situada justo detrás de la cruz y que la crin caiga libremente hacia los costados. Diríjase al costado derecho del caballo y coja la cincha, haciéndola pasar por debajo de la panza del animal. Asegúrese de que los *underflaps*[1] y el broche de la cincha (en caso de haberlo) estén lisos sobre el alerón. Vuelva hacia el costado izquierdo, coja la cincha y abróchela asegurándose que esté lo suficientemente tirante como para que la silla permanezca fija. Una vez que esté listo para montar, baje los estribos y apriete un poco más la cincha.

(1) Parte de la silla de montar a horcajadas.

Puesto que la cincha, la sobrecincha y la correa de equilibrio están atadas por el costado izquierdo del caballo, desátelas y bájelas de la silla.

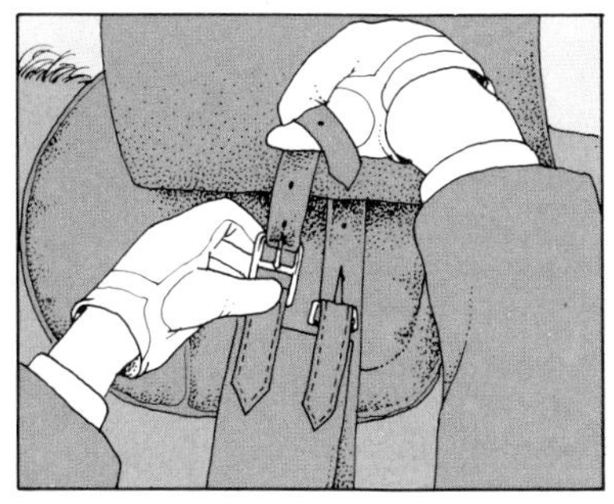

Siguiendo en el costado izquierdo del caballo, asegúrese que la cincha esté abrochada lo suficientemente alto en la silla.

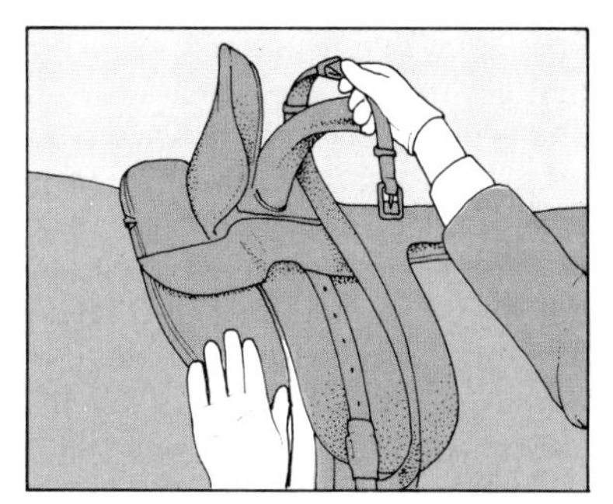

Desenganche la sobrecincha de la perilla. Si su caballo es saltarín, solicite la ayuda de otra persona para mantener quieta la silla ya que ésta aún no está fija sobre el caballo.

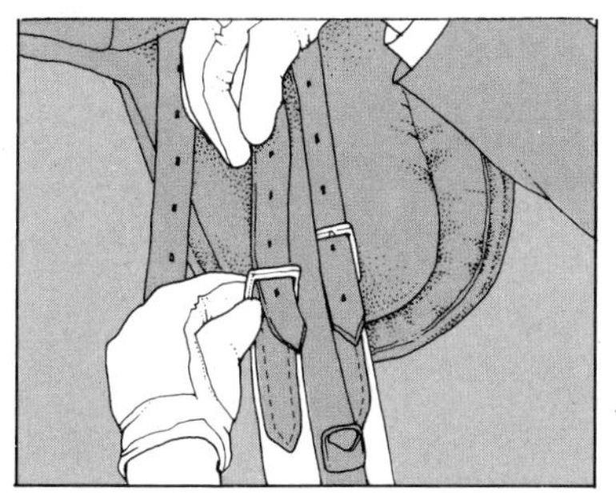

Coja la sobrecincha y la cincha y abróchelas. Asegúrese que el broche del alerón de la silla esté bien firme por el costado derecho. Pase la correa de equilibrio por debajo de la panza del

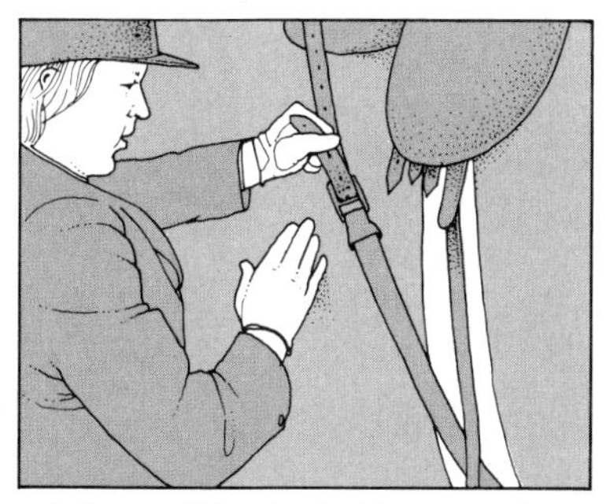

caballo y encájela a través del seguro en la cincha. Esto facilitará que la correa permanezca inmóvil.

Monte sobre el caballo y solicite la ayuda de otra persona parar que ajuste la cincha, la correa de equilibrio y la sobrecincha (en este orden) por el costado derecho.

POSICIÓN DE LA SILLA

La mayoría de las sillas europeas llevan un relleno interno entre el asiento y el forro. Es muy importante que la forma de este relleno encaje bien sobre el lomo del caballo. Asimismo es imprescindible no olvidar nunca que una silla mal colocada resultará dolorosa, tanto para el jinete como para el caballo. En esas condiciones le será imposible al jinete sentarse correctamente. **Arriba:** La silla está colocada en una posición demasiado avanzada. **Derecha:** La silla está correctamente colocada sobre la espina dorsal, distribuyéndose el peso sobre las zonas carnosas de ambos costados. Recuerde también que una silla mal colocada o incómoda no puede corregirse mediante acolchados o mantas. Muchos jinetes ponen una manta debajo de sus sillas para mantener la parte de abajo limpia.

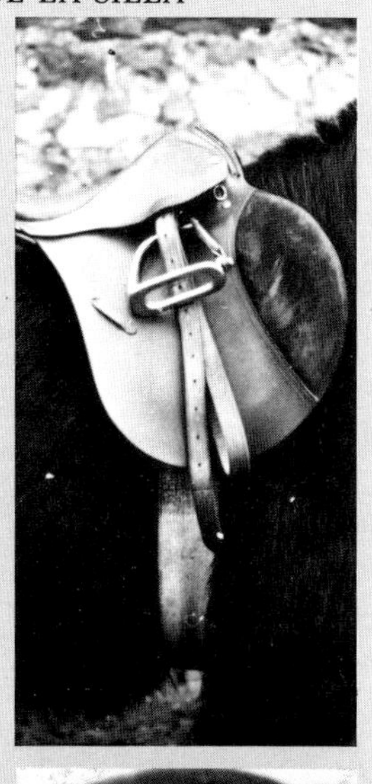

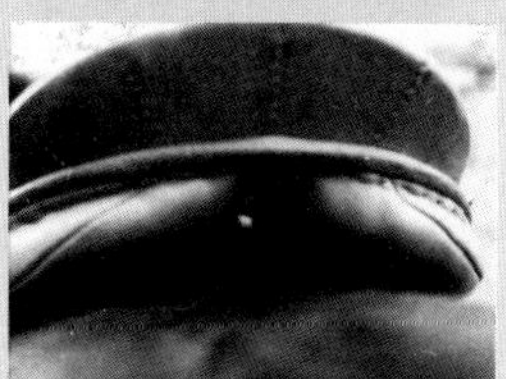

Sillas de amazonas

Las jinetes que montan en sillas de amazonas, disponen de una variedad mucho menor de sillas a la hora de escoger —si es que consiguen encontrar alguna—. Casi todas las sillas de amazonas son de segunda mano. Esto es debido al hecho de que, hasta la última década, en que hubo un retorno a la montura de amazonas, este arte, y por ende la fabricación de sillas de amazonas, habían prácticamente desaparecido. Por otro lado, hay un factor muy importante a tener en cuenta a la hora de comprar una silla de este tipo de segunda mano, y es que la mayoría eran fabricadas a la medida específica de cada jinete.

Cómo poner una silla de amazonas

Antes de poner una silla de amazonas asegúrese que los estribos, la sobrecincha y la correa de equilibrio estén todos atados a un costado de la silla. Es mejor que permanezcan abrochados sobre el asiento para no estorbar. Coloque la silla sobre el lomo del caballo desde un costado. Deje colgar los estribos, la sobrecincha y la correa de equilibrio del asiento y asegúrese que la cincha esté abrochada lo suficientemente alta por este lado, puesto que todos los demás ajustes se realizarán desde el otro costado del caballo. Sitúese al costado derecho del caballo. Si no se siente segura respecto al caballo, o si éste es nervioso, solicite la ayuda de otra persona para sujetar la silla ya que ésta descansa sobre el lomo del animal sin ningún tipo de atadura. Haga pasar la cincha por debajo de la panza del caballo y abróchela tan fuerte como el caballo lo permita. Repita la misma operación con la correa de equilibrio encajándola a través del seguro de la cincha, si es que lo hay. Esto ayuda a mantener la correa en su lugar y evita que ésta se salga de la cincha con las consiguientes molestias para el animal. Coja igualmente la sobrecincha, pásela por debajo de la barriga del caballo y abróchela. Móntese sobre el caballo y pídale a alguien que ajuste la cincha, la correa de equilibrio y la sobrecincha (en este orden y desde el costado derecho). Asegúrese que el gancho del alerón de la silla esté firme por ese costado.

Sillas del Oeste

Como entre las sillas europeas existe una variedad casi igualmente importante de diseños de sillas del Oeste. Sus principales características son, un cuerno alto, un asiento hondo y ancho y un arzón trasero elevado fueron creadas por razones prácticas y son comunes a la totalidad de dichas sillas. Eso no quita que con el paso de los años hayan sufrido múltiples variaciones y modificaciones.

Según parece, las primeras sillas fueron fabricadas en México; desde allí fueron trasladadas a Texas, donde fueron copiadas. Poco a poco, se fueron im-

1

2

3

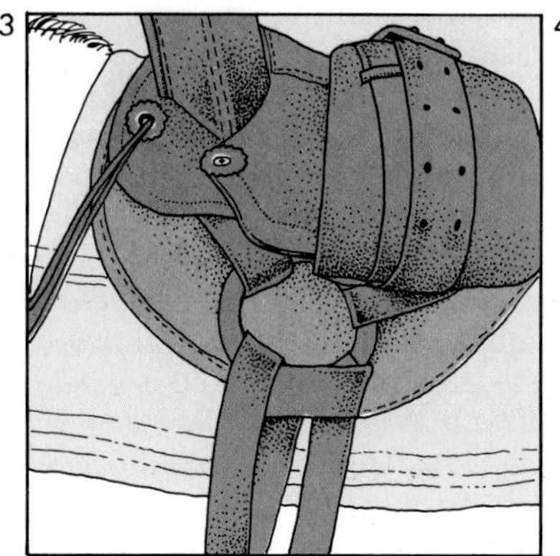

4

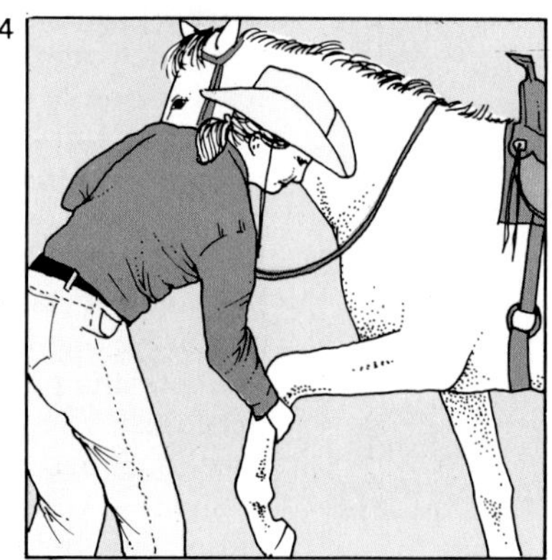

Cómo poner una silla del Oeste. Las sillas del Oeste son mucho más pesadas que las inglesas o las europeas. La mayoría de ellas llevan un acolchado adicional para volverlas más cómodas, puesto que están diseñadas para montar durante largas distancias. En el momento de poner la silla, asegúrese que las crines del caballo, debajo y en torno a la silla, están lisas. Situado a un costado del caballo, doble una manta en dos o tres y colóquela a la altura de la cruz, cuidando que esté bien distribuida sobre el lomo del caballo. Ponga la almohadilla de la silla en la zona delantera y coloque la silla. Tire la manta y la almohadilla hacia el canal central para que no estén demasiado tirantes sobre el lomo del caballo. Diríjase al costado derecho y desenganche la cincha y las demás correas del costado de la silla. Vuelva al costado izquierdo y, tras pasar las correas y la cincha por debajo de la panza del caballo (1), amárrelas o abróchelas (2 y 3). No es preciso atar la cincha trasera con la misma fuerza que la cincha principal. Finalmente, levante con la mano las patas delanteras del caballo para asegurarse que la cincha no esté pinchando la piel de detrás de los codos (4).

La silla del Oeste fue diseñada con un criterio muy práctico. Aunque algunas lucen hermosos motivos elaborados sobre el cuero, la mayoría, al igual que la que aparece en la imagen de arriba, son sencillas, sobrias y funcionales. El cuerno está hecho para aguantar los tirones de las cuerdas de las vaquillas. Asimismo, su asiento hondo y sus pronunciados abultamientos le permiten al jinete sentirse relativamente cómodo en sus largas cabalgatas por el campo.

plantando en toda la región, a medida que los vaqueros y los ganaderos iban ocupando los antiguos territorios de los búfalos. Se introdujeron algunas modificaciones en el aparejo (conjunto de correas y cinchas que mantienen fija la silla sobre el caballo), en el cuerno y en los abultamientos (parte acolchada de la silla situada justo frente a las rodillas del jinete y que varía según el gusto y el trabajo del jinete). A esto hay que agregar las grandes variaciones estéticas de las que ha sido objeto la silla; trabajo de repujado en el cuero, incrustación de hebillas de plata ornamentales y otros adornos.

La silla de trabajo del vaquero, hecha para montar en una finca, difiere de la silla de diversión o incluso de la silla clásica del Oeste. Es también diferente de la de otro tipo de trabajo de rancho que implica permanecer largas horas a caballo recorriendo las tierras. El vaquero que trabaja con vaquillas —cogiéndolas con lazo y saltando de su silla miles de veces al día— utiliza un tipo de silla provista de un cuerno muy resistente que le sirve para no perder el equilibrio con los saltos y rodeos de una vaquilla porfiada. Este tipo de silla posee abultamientos casi lisos para que éstos no entorpezcan el movimiento del vaquero al saltar de prisa de su montura. El ranchero que se dedica a recorrer las tierras, preferirá una silla con abultamientos pronunciados y con

un asiento profundo que hagan más cómodas las largas horas que permanece sobre su caballo.

Al revés de lo que ocurre con las sillas europeas, las sillas del Oeste o las de *stock*[1], no tienen acolchado. La razón es muy simple: su presencia, unida a las altas temperaturas de dicha región, harían sudar profusamente al caballo, lo que acabaría afectando seriamente el acolchado, volviéndolo duro y llenándolo de nudosidades. Por esta razón, las sillas del Oeste se utilizan siempre con mantillas o mantas debajo (éstas eran antes utilizadas por el jinete cuando tenía que pasar la noche al aire libre). Pero aquí también, la silla debe ajustarse perfectamente al tamaño del caballo; el recurrir a mantas para corregir una silla mal colocada o incómoda para el caballo, es tan improcedente como en el caso de la silla europea.

Cómo poner una silla del Oeste

Antes de poner una silla del Oeste han de ponerse primero las mantas y las almohadillas. Asegúrese que las crines estén lisas en toda la zona de la silla. Desde un costado del caballo doble la manta en dos o tres y póngala sobre la cruz del caballo. Luego tire suavemente hacia atrás hasta que ésta quede justo detrás de la cruz. Asegúrese que está colocada uniformemente sobre el lomo. Ponga la almohadilla de la silla encima de la manta, sobre la parte delantera de ésta. Coloque la silla sobre el caballo y tire de la manta y de la almohadilla hacia el canal central, de manera que éstas no queden tirantes; de lo contrario, ejercerán mucha presión sobre el lomo del caballo. Diríjase al lado derecho y desenganche la cincha y las demás correas del costado de la silla. Vuelva al lado izquierdo y, tras pasar las correas y la cincha por debajo de la panza del caballo, amárrelas o abróchelas. La cincha trasera sirve para mantener fija la silla, pero no es preciso atarla tan fuerte como la cincha principal.

(1) Silla del Oeste.

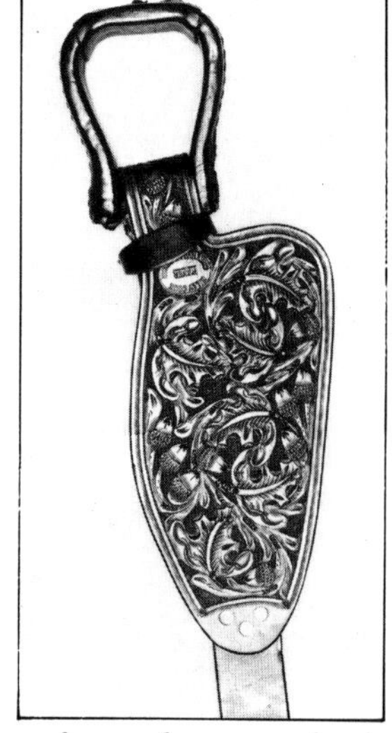

Lo más importante a tener en cuenta con cualquier tipo de estribo, es que sea lo suficientemente grande para que quepa sin problemas el pie del jinete, sobrando por los costados unos 2 cm. Si el estribo es muy pequeño, el pie puede quedar atrapado, lo que resultaría extremadamente peligroso en caso de caída del jinete. Existen muchos tipos de estribos; su diseño depende de la utilización que se le dé. Obviamente, un estribo de caza será diferente de un estribo de niños para montar *ponies*. **Arriba:** Algunos tipos de estribos, entre los cuales podemos ver el estribo de acero inoxidable (1); el estribo de carrera (2); el estribo de seguridad para niños (3); el estribo de doma (4); **Derecha:** Una muestra de un estribo del Oeste hecho con cuero y con acero.

Estribos

Existe, probablemente, igual variedad de estribos, tanto en lo que a forma y a materiales empleados se refiere, como de cinchas. Las relativas a las sillas europeas son hechas de acero (lo mejor es acero inoxidable), metal chapado o níquel (este último no es muy recomendable porque es poco resistente). El di-

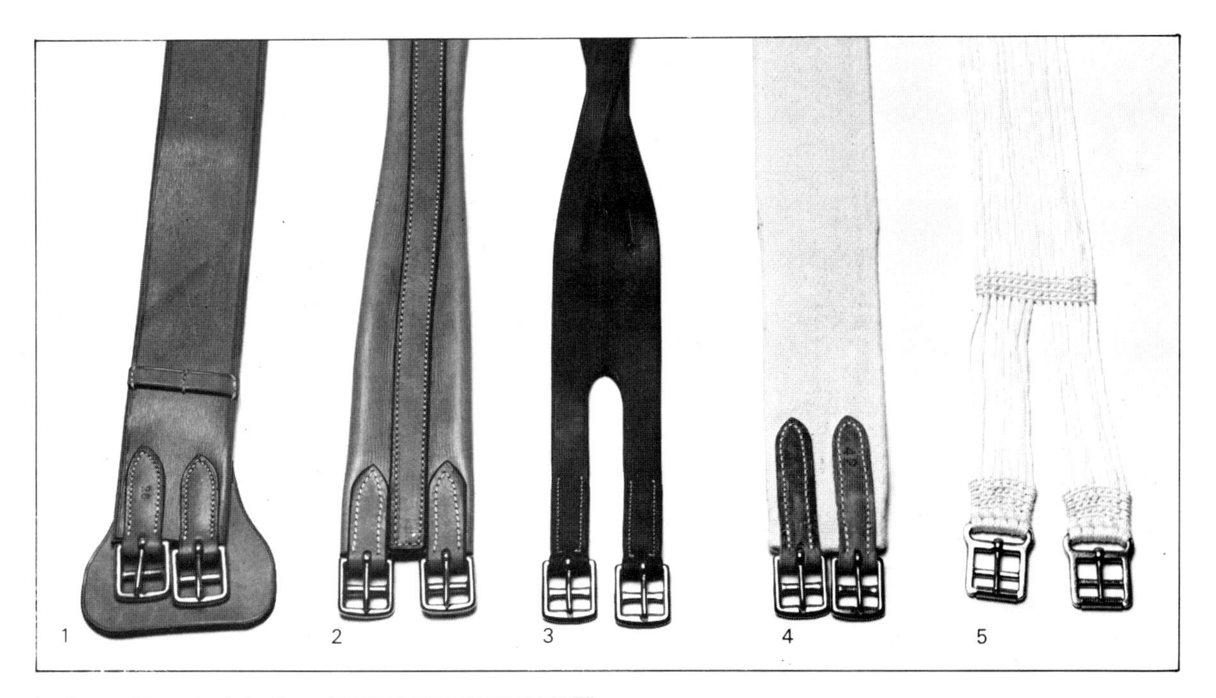

La silla se sujeta con la cincha. En este caso también existen una gran variedad de tipos y estilos. **Arriba:** Los tipos de cinchas más comunes, entre los cuales figura: (1) la cincha de doma de Londsdale; (2) la cincha de cuero de Atherstone; (3) la cincha pelada; (4) la cincha de nilón de Lampwick; (5) la cincha de cuerdas de nilón. **Derecha:** Las correas frontales se utilizan para coger el caballo y para atarlo. **Abajo:** Algunos tipos de muserola sólo sirven para realzar la figura del caballo; otros, en cambio, obedecen a propósitos muy definidos. (1) *plain cavesson*; (2) *grackle* o muserola-en-figura-de-ocho que le proporciona mayor control al jinete; *flash noseband* que puede combinarse con una amarra vertical y con una *drop noseband*; las *drop noseband* se utilizan generalmente con *ponies* de gran cabeza.

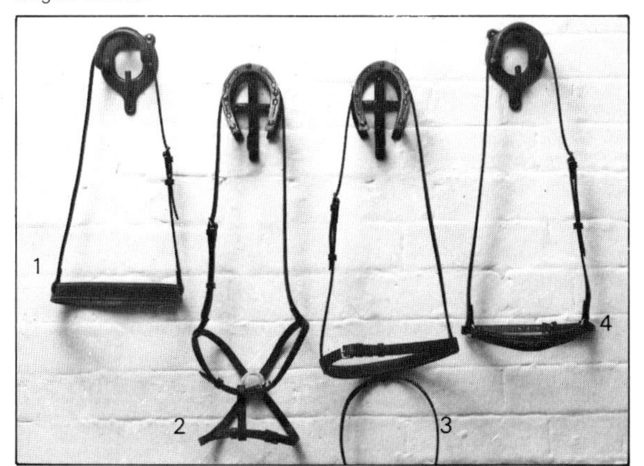

seño puede variar por múltiples motivos —por ejemplo, los *jockeys* utilizan estribos ligeros y los niños, estribos de seguridad— y puede estar motivado también por gustos personales o razones estéticas. La mayoría de los estribos de las sillas del Oeste son de madera y forrados de cuero.

Cinchas

Todas las sillas, cualquiera sea su tipo, se mantienen sujetas sobre el lomo del caballo mediante una cincha simple o varias cinchas, correas y sobrecinchas. La cincha principal de las sillas del Oeste se denomina *cincha*. Existe gran variedad de diseños de cinchas; éstas son elaboradas a partir de diferentes materiales.

Equipo auxiliar

Tal como lo señalábamos más arriba, uno de los elementos que más afecta el aspecto y el diseño de las bridas es la muserola. La muserola más comúnmente utilizada es la cabezada; ésta consiste en una correa simple de cuero que se abrocha alrededor de la nariz del caballo (encima del bocado y detrás de las piezas metálicas de los pómulos). Esta pieza se mantiene fija con la ayuda de una correa fina que pasa por encima de la cabeza del caballo, detrás del cabestro de la brida. A menos que sea utilizada con una amarra vertical, la cabezada no desempeña ninguna función especial. Ahora bien, muchos jinetes piensan que ésta realza la apariencia de la cabeza del caballo.

Las *drop nosebands* son muy populares, especialmente para montar poneys, que siempre tienden a abrir la boca, para intentar coger el bocado y que, en definitiva, desatienden todas las órdenes de su jinete. La muserola se abrocha debajo del bocado. Una vez abrochada ésta no debe alterar la posición del bocado dentro de la boca del caballo, empujándolo hacia atrás.

El nombre de *grackle* o muserola-con-forma-de-ocho proviene de la parte de la correa situada a través de la frente del caballo. Esta pieza está hecha de cuero fino, dispuesto, tal como el nombre lo indica, en forma de ocho. El punto central está forrado con un pequeño círculo de cuero. Las correas se abrochan por encima y por debajo del bocado. Esto ayuda a que el caballo mantenga la boca cerrada y a evitar que mueva la cabeza en todos los sentidos tratando de abrir la boca y coger el bocado. Por otra parte, el punto central ejerce una presión considerable en la zona situada frente a la nariz.

Un *flash noseband* es un tipo ordinario de cabezada, provisto de dos correas finas cosidas en diagonal a través de la parte central y frontal de la correa de la nariz. Éstas se abrochan debajo del bocado, al igual que la *drop noseband*. La muserola permite utilizar una amarra vertical y una *drop noseband* simultáneamente.

Amarras

Las amarras figuran entre las piezas más utilizadas en el equipo auxiliar. Existen tres tipos de uso muy común. La amarra irlandesa consiste en una correa corta de cuero con un aro en cada extremo a través de los cuales pasan las riendas. La amarra se sitúa en una sección de las riendas y ayuda a mantener éstas juntas y relativamente fijas a cada lado del pescuezo del caballo. Se utiliza principalmente en caballos de carrera para evitar que las riendas pasen por encima de la cabeza del caballo en caso de caída del *jockey*.

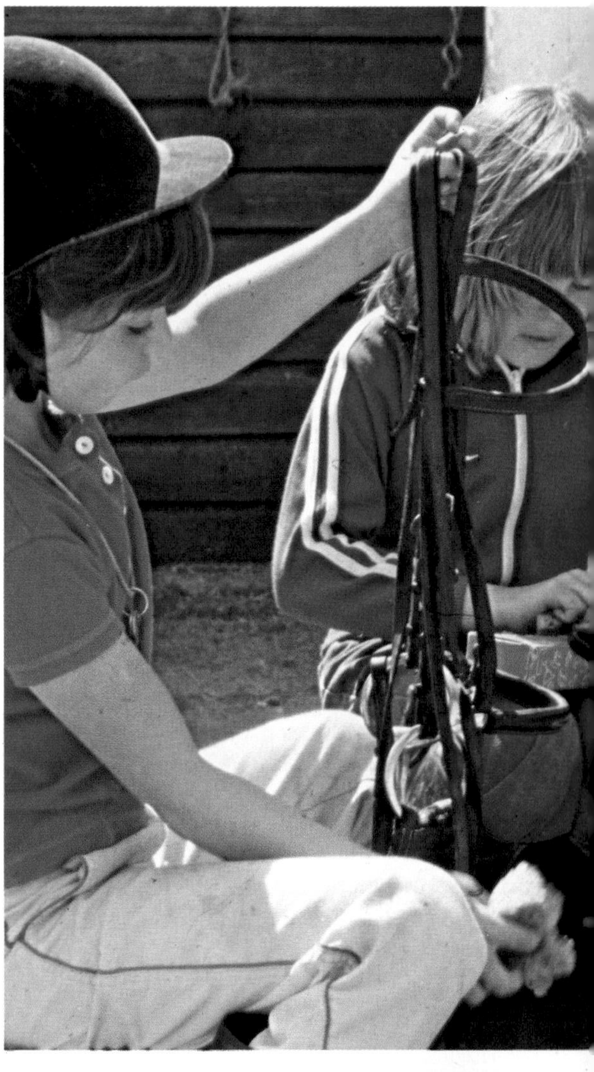

CÓMO MANEJAR UNA SILLA

Extremo izquierda: Ponga el arco frontal de la silla sobre el pliegue de su codo izquierdo de manera que el canal central descanse sobre su antebrazo. Ponga el cabestro de la brida sobre su hombro izquierdo para dejar libre su mano izquierda. **Izquierda:** Lleve la silla inclinada hacia abajo de manera que el arco frontal descanse sobre su cadera izquierda, sujetándola con la mano izquierda. **Derecha:** Evite dejar la silla en el suelo. Si fuera necesario, amarre la cincha sobre la perilla y deje la silla apoyada sobre el arco frontal. Las sillas cortas no pueden apoyarse solas en el suelo y han de hacerlo contra un muro. Ponga la cincha sobre la parte trasera para proteger el arzón trasero.

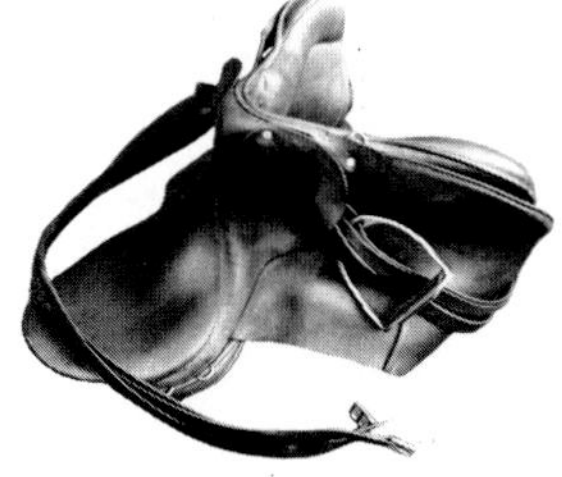

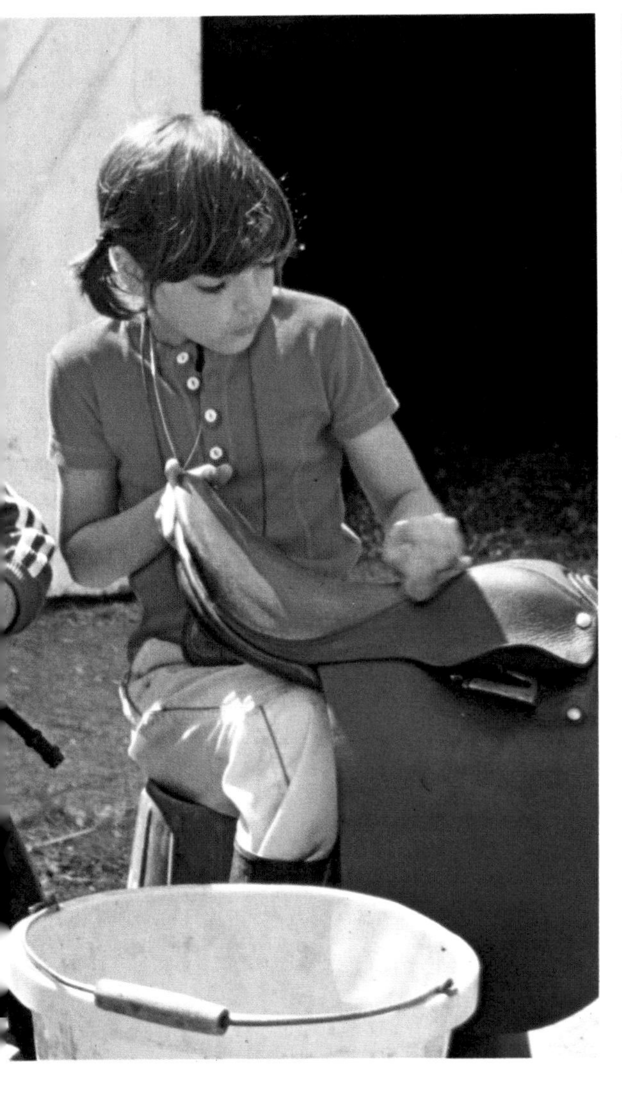

La silla y el equipo en general constituyen inversiones de alto costo; por ello han de ser cuidados con esmero. Un equipo limpio y bien mantenido no sólo le durará más tiempo, sino que le significará mayor garantía de seguridad ya que, por ejemplo, una correa desgastada que se rompa puede provocar un gran accidente. Una limpieza del equipo después de cada vez que se utiliza es lo ideal; si esto no fuera posible, dicho aseo debe realizarse, siguiendo las instrucciones precisas, una vez por semana. Las sillas que no se utilizan también deberían ser limpiadas una vez por semana para verificar que el cuero está en buenas condiciones, y no expuesto a la acción de la humedad y del resquebrajamiento. Mantenga sus utensilios de limpieza dentro de una caja.

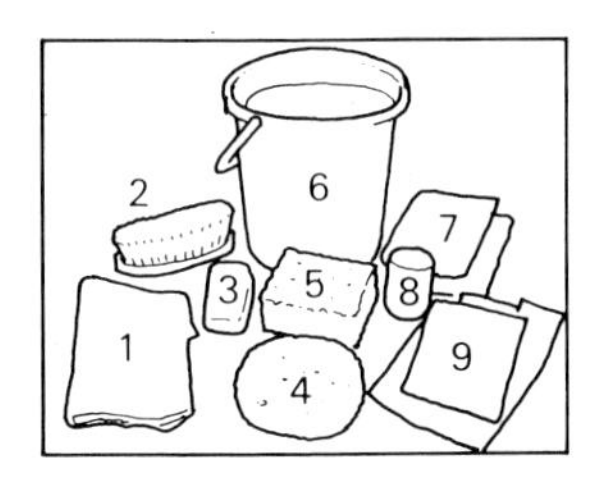

Utensilios para la limpieza del equipo: (1) un trapo de gamuza; (2) para una silla con hilo de sarga, un buen cepillo; (3) un jabón para la silla; (4) y (5) dos esponjas, una lisa y otra para enjabonar; (6) un cubo de agua tibia; (7) dos trapos, uno para sacar brillo; (8) cera para sacar brillo al metal; y (9) dos toallas de cuadra.

Una amarra vertical es una larga tira de cuero que va enlazada en un extremo con la cincha y con la parte trasera del *cavesson* en el otro. Esta pieza va sujeta mediante una correa que se abrocha a la altura del pescuezo del caballo. Esta correa debe mantenerse en su sitio sobre la correa principal de la amarra, mediante un seguro de goma colocado a través de la juntura. La función de la amarra es evitar que el caballo levante excesivamente la cabeza. De todas maneras, la amarra nunca debe ir demasiado apretada ya que obligaría al caballo a adoptar una posición incómoda y forzada.

La *running martingale* es parecida a la amarra común exceptuando que la sección final que va atada a la cabezada está dividida, y que en el extremo de cada correa hay un aro a través del cual pasan las riendas. La *running martingale* cumple la misma función que la amarra vertical, es decir, ayuda a mantener la cabeza del caballo en una posición correcta. Actúa, eso sí, de manera más directa sobre la boca y es levemente menos rígida en su control sobre la posición de la cabeza. Han de ajustarse unos pequeños tacos en las riendas para evitar que los aros de la amarra resbalen hacia delante.

Mantenimiento de la silla

Todos los elementos del equipo de montar y de la silla son caros. Un adecuado mantenimiento y una limpieza regular ayudan, no sólo a conservarlos por más tiempo, sino también a conservarlos en buenas condiciones para montar sin riesgos. Si se descuida un equipo, éste rápidamente se agrieta y se vuelve frágil, lo que difícilmente se descubrirá antes de que se rompa definitivamente, si no se realiza una inspección diaria.

El mantenimiento diario de la silla —es decir, la manera en que se maneja la silla a la hora de sacarla y ponerla o de guardarla en la cuadra, la manera de cuidar las bridas cuando no son utilizadas— es muy determinante en lo que a su aspecto y su duración se refiere.

Limpieza de la silla

Ponga la silla sobre el caballete y retire la cincha, las hebillas, los aciones y estribos. Cuelgue la cincha y los aciones o póngalos sobre el caballo. Si la silla está forrada de cuero, lave esta parte con una esponja húmeda bien escurrida. Séquela con un trapo de gamuza. Pase la esponja sobre la parte interior o restriégela si es que está muy sucia. Escobille la sarga y evite restregarla ya que de lo contrario necesitará varios días para secarse. Lave el resto de la silla, comenzando por los alerones. Procure, en todo momento, no mojar demasiado el cuero. Esto es muy importante en el caso del asiento, ya que el agua podría penetrar a través del cuero y atacar el relleno, deformándolo. Seque todas las partes de cuero con un trapo de gamuza. Jabone todo el cuero mediante movimientos circulares. Si sale demasiada espuma, significa que la esponja está demasiado mojada. En ese caso, el cuero no le quedará muy reluciente. A la hora de lavar las correas de la cincha, asegúrese de que los agujeros no estén agrietados o desgastados. Devuelva la silla al cuarto de arreos (o

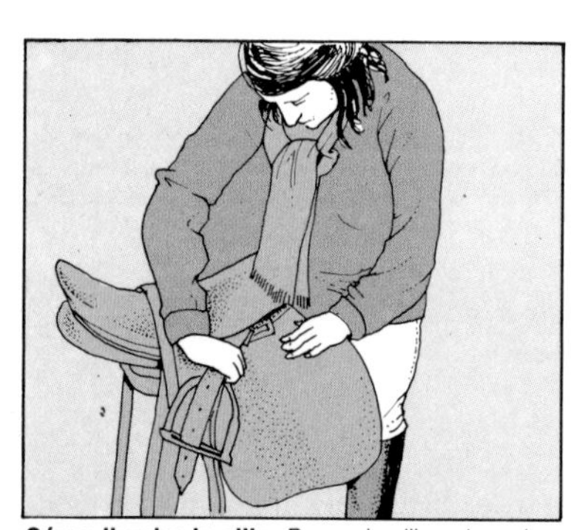

Cómo limpiar la silla. Ponga la silla sobre el caballete y retire la cincha, las hebillas, los aciones y estribos. Lave con una esponja húmeda.

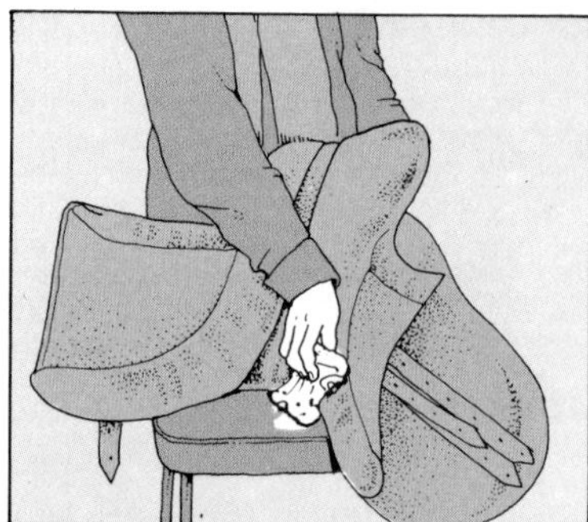

Seque todas las partes de cuero con un trapo de gamuza. Lave la silla con jabón, empezando por los alerones y cuidando de no mojar excesivamente el cuero.

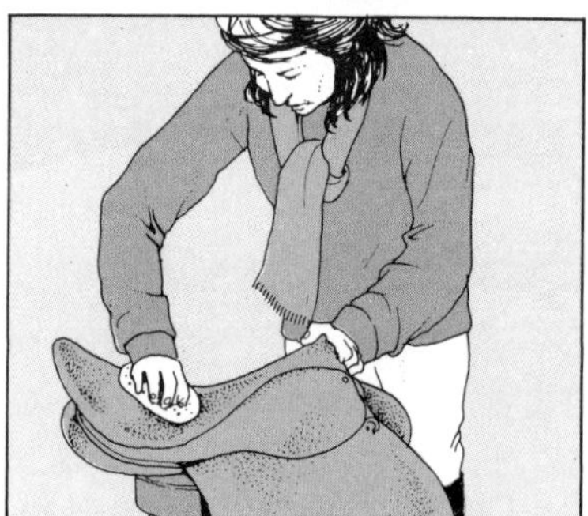

Antes de utilizar la silla, frote el asiento y los alerones con una esponja húmeda y seque con un trapo de gamuza, para que no quede ningún resto de jabón.

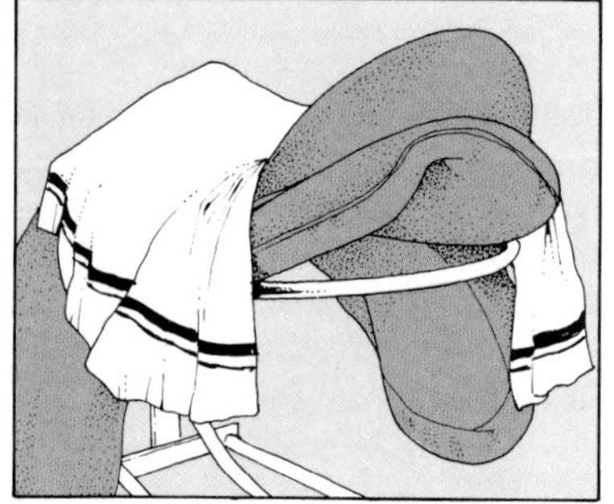

Lleve de vuelta la silla a la cuadra o déjela sobre el caballete, si es ése su lugar habitual. Cúbrala con una toalla limpia de la cuadra.

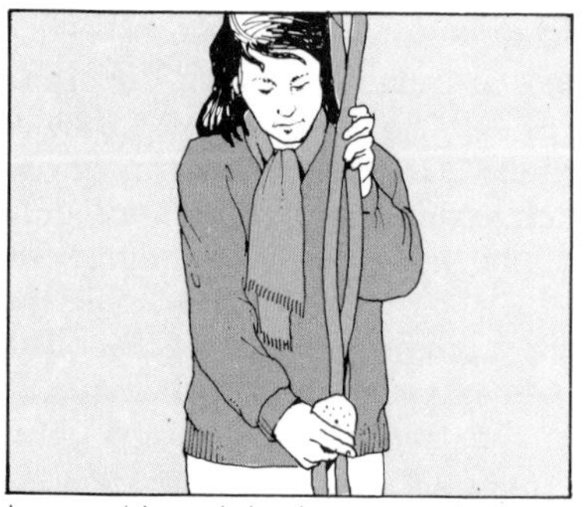

Lave y enjabone de la misma manera los aciones. Lave todas las correas de acuerdo al tipo de cuero que sean; las correas se restregan y se cepillan, el nilón se restrega.

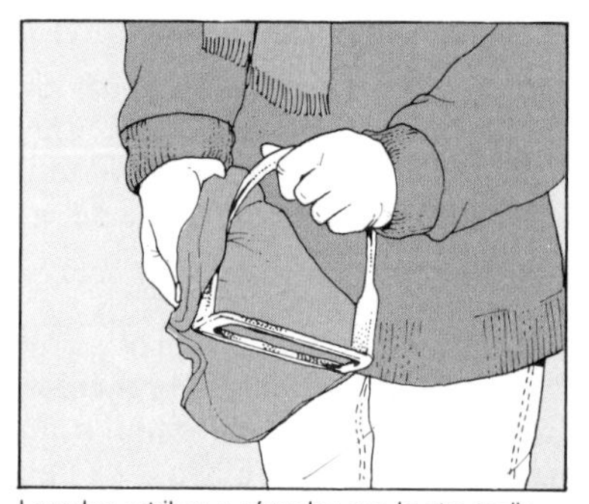

Lave los estribos y séquelos con la otra toalla de cuadra. Sáqueles brillo con cera y un trapo fino.

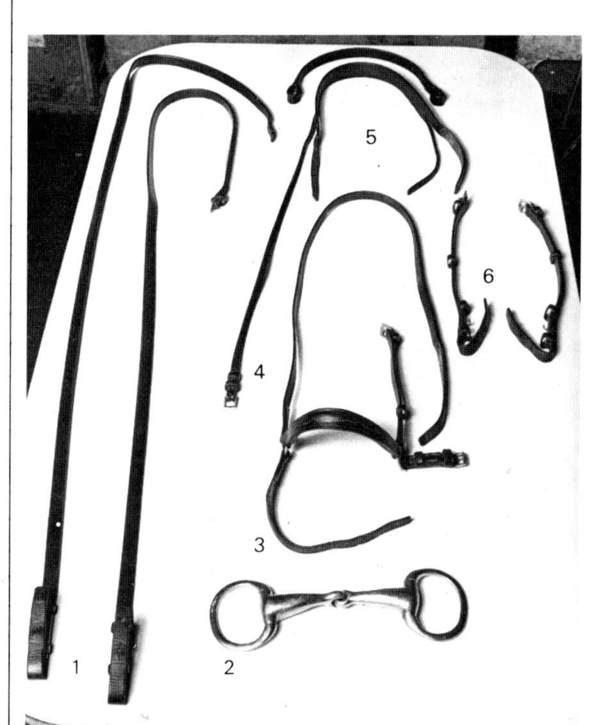

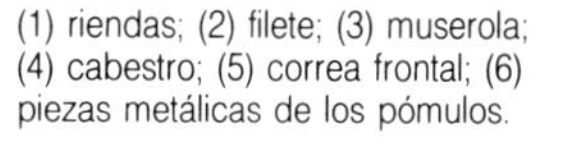

Cómo limpiar la brida. En la medida que usted tendrá que desmontar y volver a montar la brida, conviene que se familiarice con sus diferentes partes. **Arriba:** (1) riendas; (2) filete; (3) muserola; (4) cabestro; (5) correa frontal; (6) piezas metálicas de los pómulos.

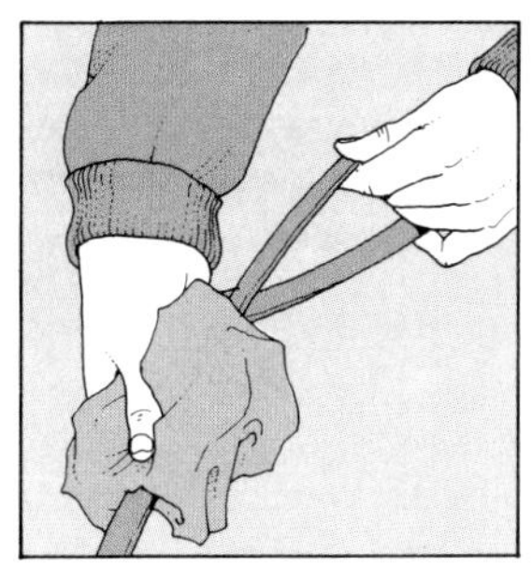

Después de desmontar la brida, lave todas las partes con un trapo húmedo (excepto las piezas metálicas) y séquelas con un trapo suave.

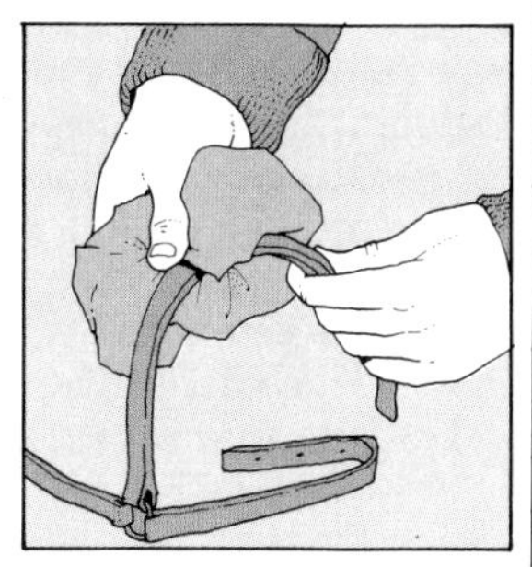

Pase la esponja con jabón por ambas caras de la correa, hacia arriba y hacia abajo. Seque con el trapo de gamuza.

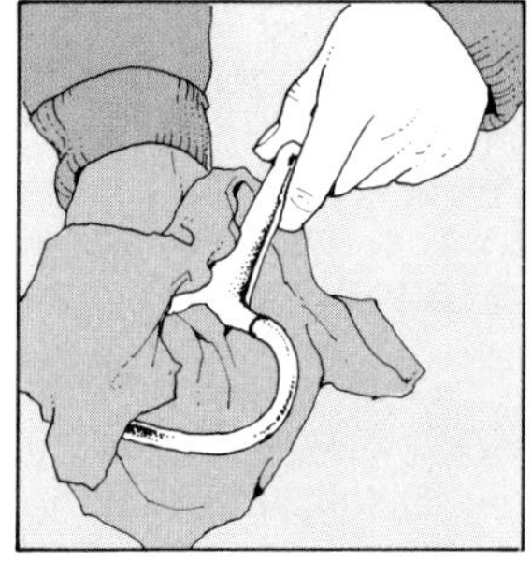

Lave y seque el bocado y sáquele brillo a los aros —no al freno— con cera.

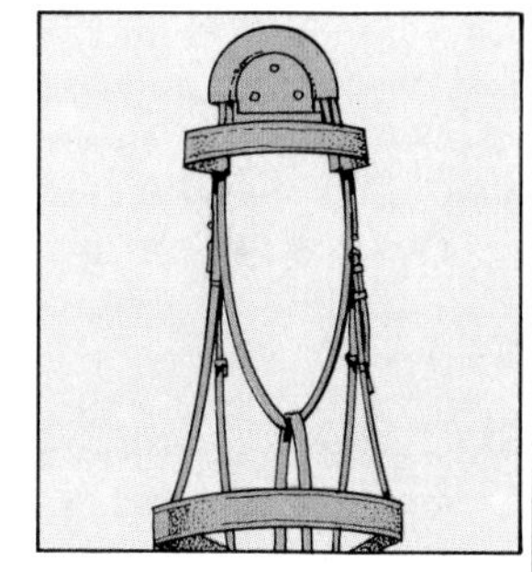

Cuelgue la brida por el cabestro con las riendas cogidas en la correa frontal y la muserola sujeta a las piezas metálicas de los pómulos.

déjela sobre el caballete) y cúbrala con un trapo de cuadra limpio. Antes de usar la silla, pase una esponja húmeda sobre el asiento y los alerones y luego séquelos con un trapo de gamuza para quitar todo residuo de jabón. Proceda de la misma manera con los aciones y con la cincha, según el tipo que sea. Las correas deben cepillarse y restregarse; el nilón y la cuerda, restregarse; el cuero debe tratarse como los demás elementos de cuero del equipo. Lave los estribos y séquelos con otro trapo. Límpielos con cera y sáqueles brillo con un trapo fino.

Limpieza de las bridas

Desabroche y desate todas las piezas y póngalas sobre la mesa. Recuerde bien cuáles han sido los agujeros utilizados para así poder volver a armar correctamente la brida. Lave y seque todas las correas de cuero siguiendo el mismo procedimiento empleado con la silla; asegúrese que queden bien lavados por su cara interior. Examine los agujeros de la hebilla para ver si ninguno necesita reparación. Enjabone suavemente el cuero con la esponja y frote hacia arriba y hacia abajo. Seque con un trapo de gamuza. Lave y seque el bocado y sáquele brillo a los aros —no al freno—con cera. Proceda a rearmar la brida, abrochando las correas en los correspondientes agujeros.

Una vez limpia, la brida ha de colgarse por el cabestro con las riendas cogidas en la correa frontal y la muserola sujeta a las piezas metálicas laterales. La muserola no va abrochada; en cambio, la punta de la correa debe quedar sujeta en los seguros. Si la brida está provista de una cadena de barbada, ésta debe permanecer lisa y abrochada a cada extremo del bocado, de manera que la cadena pase frente al bocado.

Si procede a una rápida limpieza diaria después de montar, asegúrese siempre de limpiar el sudor del caballo acumulado debajo de la silla, para que éste no acabe frotando y endureciendo el lomo del animal. Limpie la cincha y lave con jabón los aciones. En caso de que los estribos estén llenos de tierra, límpielos también. Retire el bocado y lávelo para evitar que todo residuo de saliva se seque y se endurezca. Lave con jabón las riendas, sobre todo si el caballo ha sudado profusamente sobre su pescuezo durante el paseo. Finalmente, revise los agujeros de las hebillas en el resto de la brida.

Manutención del caballo

La manutención del caballo no incluye solamente las actividades rutinarias de alimentación y limpieza, sino otros aspectos igualmente importantes, como son la puesta de herraduras y la asistencia en caso de enfermedad. Para estos dos casos hay que recurrir a un herrero y a un veterinario calificados.

Los caballos, cualquiera que sea su uso —para la montura o para el tiro— han de llevar siempre herraduras. Al montar sin herraduras, el cuerno del casco del caballo, que es una parte resistente e insensible, se desgastará rápidamente, quedando de esta manera expuestas las zonas más sensibles. Si esto sucediera, estas zonas se volverían dolorosas para el caballo y al poco tiempo comenzaría a cojear.

Ponerle las herraduras al caballo requiere mucho conocimiento y destreza, y ha de ser realizado por un especialista conocido bajo el nombre de herrero. Si la herradura no calza bien, o si es molesta para el pie del caballo, es obvio que éste no podrá rendir todo lo que usualmente rendía.

Para entender en qué consiste el trabajo de un herrero, es preciso conocer previamente la estructura del pie del caballo.

Herraduras al rojo y en frío

Existen dos maneras de poner las herraduras: al rojo y en frío. En épocas pasadas la primera forma era la utilizada, pero, actualmente, ha sido remplazada en gran medida por el método en frío. De hecho, éste resulta más conveniente ya que permite a los he-

La mantención del pie del caballo es, tal vez, el aspecto más importante de la equitación. Todo jinete debe conocer las diferentes partes del casco del caballo y la función que cumplen.

Ranilla: La ranilla tiene forma de V y forrada de cuero. Ella amortigua el golpe de cada pisada y ayuda a evitar que el caballo resbale. El herrador nunca recorta la ranilla; ésta precisa de una atención diaria ya que ha de estar siempre limpia y sana.

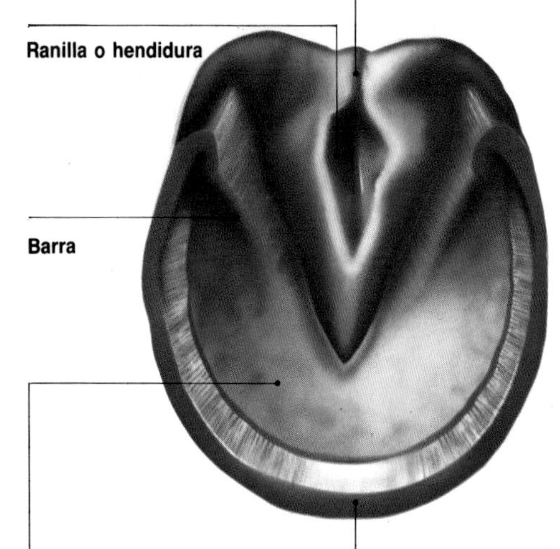

Suela: Protege la parte inferior del pie, pero al ser ésta tan fina, la parte interna, sumamente sensible, sigue siendo vulnerable.

Pared: La pared, al igual que la uña humana, es insensible y de crecimiento ininterrumpido. Por ello mismo ha de ser siempre recortada e igualada con la superficie del casco.

TIPOS DE HERRADURAS

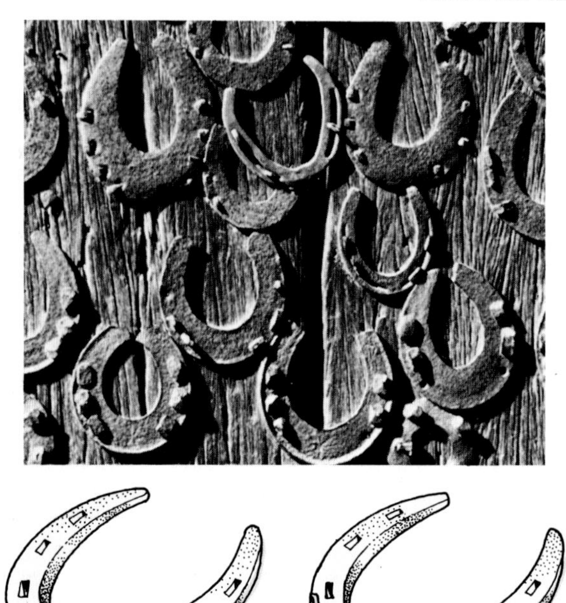

Abajo izquierda: La herradura se sujeta con clavos introducidos en la parte dura, con forma de cuerno, del pie. Las puntas de los clavos se tuercen en el lugar donde aparecen y se vuelven a clavar. Las herraduras nunca deben interferir en los movimientos naturales del caballo. Los broches —pequeñas puntas triangulares y salientes que se agarran a la pared del casco— ayudan a mantener firme la herradura. Usualmente las herraduras de las patas delanteras llevan un broche y las de las patas traseras, dos. Es fundamental que la herradura quede firmemente puesta; para ello existen varios métodos, entre los cuales cabe citar el calafateo y el ramplón. **Derecha, arriba, centro y abajo:** Diferentes tipos de herraduras, entre las cuales figura: a) la herradura de caza; b) la herradura de pasto; c) la herradura de cuerno; d) la herradura en forma de T para los caballos con talones o cuernos contraídos.

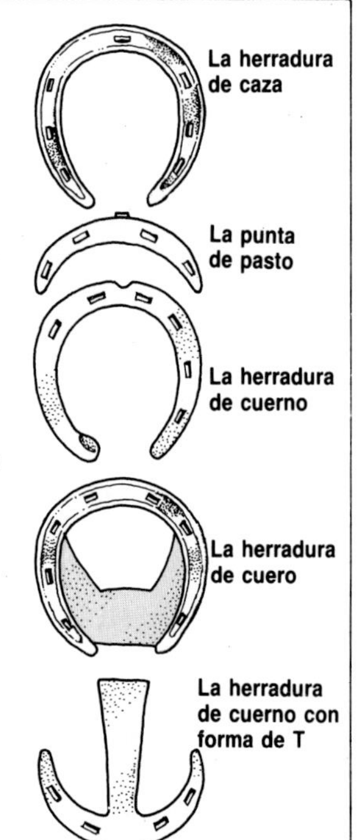

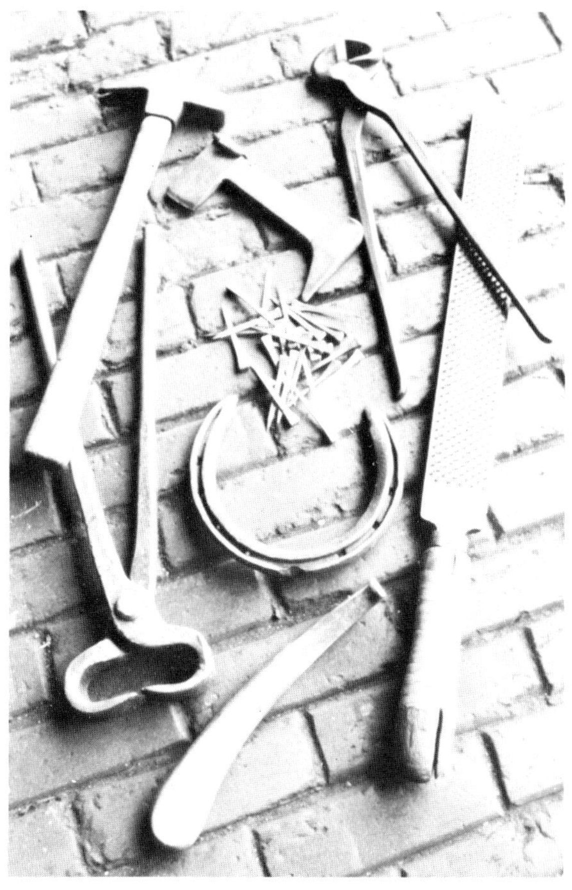

ANTES Y DESPUÉS DE COLOCAR LAS HERRADURAS

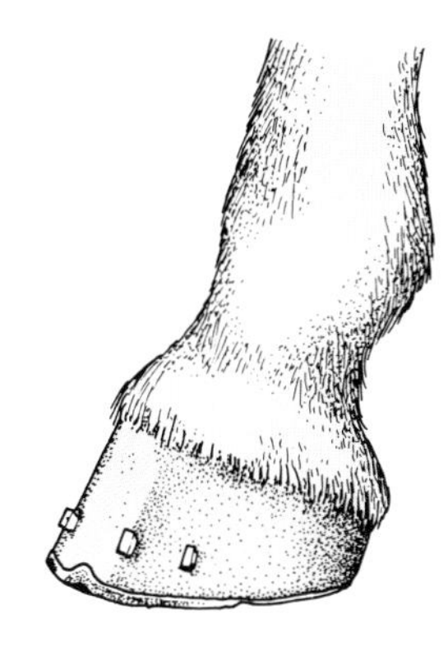

Es imprescindible saber distinguir las señales que indican que su caballo necesita nuevas herraduras. Lo ideal es no esperar a que éstas se deterioren al punto de constituirse en un factor de peligro, sino cambiarlas regularmente. **Izquierda:** Este caballo necesita urgentemente nuevas herraduras ya que, como podemos apreciar en la imagen, la herradura misma se ha desgastado mucho y su superficie se ha vuelto irregular; por otra parte, los clavos se han salido un poco de la pared del casco. Todos estos factores son dañinos y peligrosos para el caballo.

Derecha: Una herradura bien puesta ha de reunir los siguientes requisitos: la herradura debe calzar con el pie y no viceversa; se ha de limar y alisar el pie; el casco ha de estar siempre en contacto con el suelo; se ha de utilizar sólo la cantidad necesaria de clavos, nunca demasiados ni demasiado pocos, y éstos han de estar igualmente espaciados entre sí. No tiene que haber espacio entre la herradura y el pie; y el broche tiene que quedar bien enganchado en cada herradura.

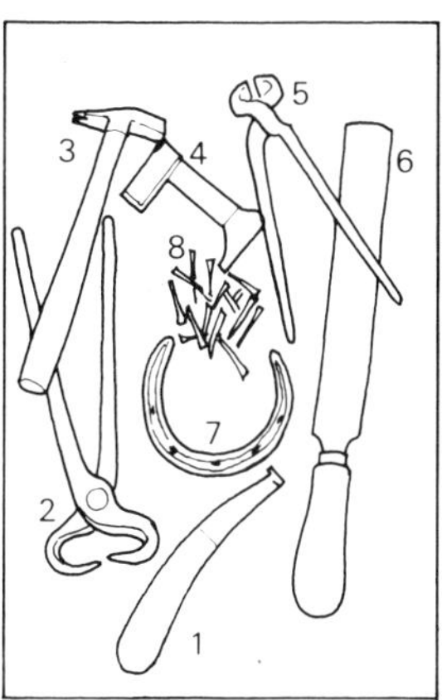

Arriba: El herrero es quien con su experiencia y sus herramientas, ha de determinar el tamaño de las herraduras. Entre las herramientas que utiliza figuran: (1) Una plana para recortar la superficie del cuerno cuando está excesivamente larga, una vez sacada la herradura; (2) Unas tenazas para sacar la herradura vieja; (3) Un martillo para clavar los clavos; (4) Un regulador para después de colocar la herradura; (5) Unas tenazas; (6) Una lima para emparejar el casco de manera que la herradura no sobresalga; (7) La herradura; (8) Unos clavos, usualmente tres por cada herradura.

rreros ir donde estén los caballos en vez de que los caballos tengan que ser llevados a la herrería. Sin embargo, poner las herraduras al rojo es más apropiado para el caballo ya que la herradura ha de calzar con el pie y no viceversa, como sucede con las herraduras puestas en frío. Cualquiera que sea el método empleado, el herrador comienza por quitar la herradura vieja, recorta el cuerno si es que éste ha crecido excesivamente y raspa la superficie del casco para igualarla. En el método al rojo es ahora cuando el herrador coloca la herradura ardiente sobre la base del casco del caballo. Aunque resulte difícil creerlo, el caballo no siente el menor dolor. Según la marca que deja el metal ardiente, el herrador deduce si hay o no que alterar la forma de la herradura o si hay que raspar un poco más la superficie del casco. Si pone la herradura en frío, el herrador sólo podrá juzgar el resultado una vez colocada la herradura. No es fácil alterar la forma de una herradura fría con un martillo; con una herradura ardiente resultará sencillo ya que el metal es mucho más maleable.

En el caso de herraduras al rojo, el herrador enfría la herradura una vez que está satisfecho con su forma. Luego procede a clavarla con un martillo, para lo cual procurará utilizar el menor número posible de clavos, asegurándose siempre que la herradura quede fija. Por lo general, se ponen tres clavos en la parte interior y cuatro en la parte exterior. Las puntas de los clavos aparecen a través de la pared frontal del casco y el herrador las tuerce con la parte trasera del martillo. Finalmente, las martillea contra la pared del casco y las lima hasta alisarlas por completo. El problema de dónde emergen los clavos es crítico pues si éstos aparecen demasiado abajo, la herradura puede caerse y resquebrajar y partir la parte exterior del cuerno. Por el contrario, si es dema-

1

2

3

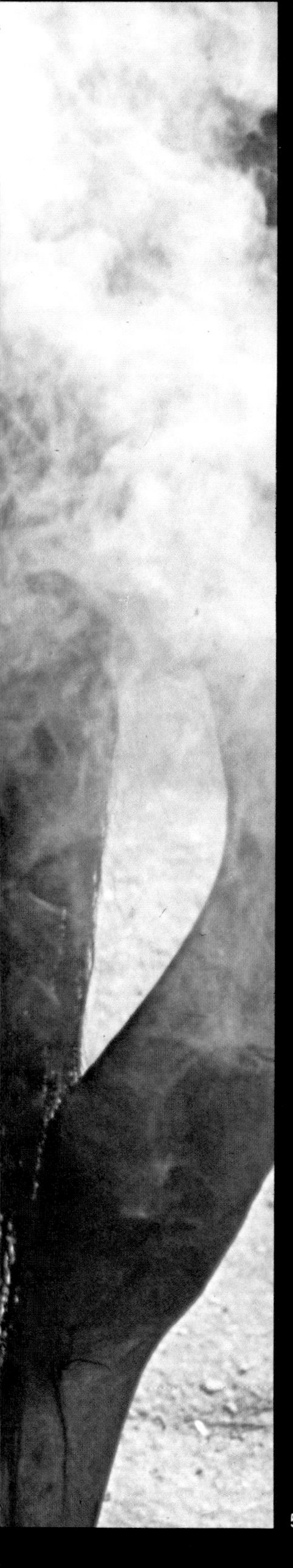

5

Un gran porcentaje de los pequeños y grandes dolores y molestias que pueden afligir a su caballo son imputables a las herraduras, si han sido mal colocadas. Es preciso convencerse de que el asesoramiento de un herrero es tan importante como el de un veterinario y que, aunque es difícil encontrar uno muy capacitado, debe procurarse por todos los medios conseguirlo. Según el tipo de trabajo que realice, su caballo necesitará las herraduras nuevas una vez al mes. Es conveniente que usted conozca las diferentes etapas que incluye el poner unas herraduras a un caballo. (1) se quitan con tenazas las viejas herraduras de la pata del caballo; (2) se raspa el cuerno crecido con una lima hasta igualarlo; (3) se calientan las nuevas herraduras y se colocan sobre la base del pie del caballo para ver si se ajustan bien a su forma y tamaño; (4) el herrero fragua la herradura de acuerdo a sus propios criterios; (5) se pone y se clava la nueva herradura en el pie del caballo; (6) el herrador lima la nueva herradura.

4

6

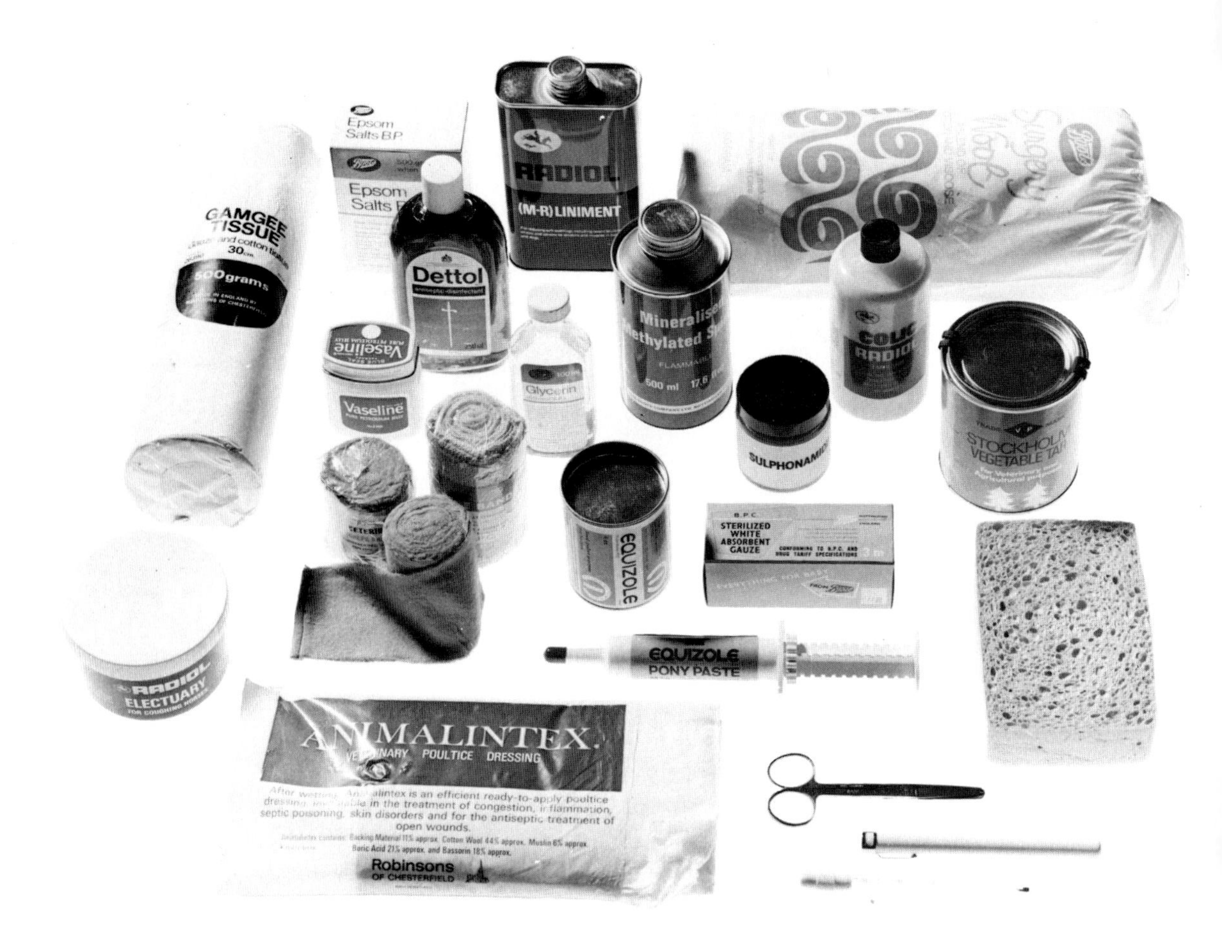

siado alto, puede tocar la parte sensible del casco del pie.

La frecuencia con que habrá de cambiar las herraduras a un caballo depende en gran medida de la dureza de su trabajo y del tipo de terreno en que anda. Sea como sea, la mayoría de los caballos deberían ser visitados por un herrero una vez al mes ya que puede ser necesario cortarle un poco el cuerno, sin que haya obligatoriamente que cambiarle de herradura. Incluso los caballos de apacentamiento deberían ser revisados una vez al mes por el herrador, para que éste les recortase un poco el cuerno, pues si éste crece excesivamente, el caballo acabará tropezando. Asimismo, puede suceder que el cuerno comience a resquebrajarse y a partirse.

El caballo y el veterinario

Cualquier persona que tenga en mente comprar un caballo ha de establecer contacto con un veterinario, pues sus consejos y servicios serán inevitablemente necesarios algún día. Un veterinario de confianza es tan importante como un instructor o un herrero con las mismas cualidades. Una vez que encuentre uno, conserve su número de teléfono en un lugar adecuado.

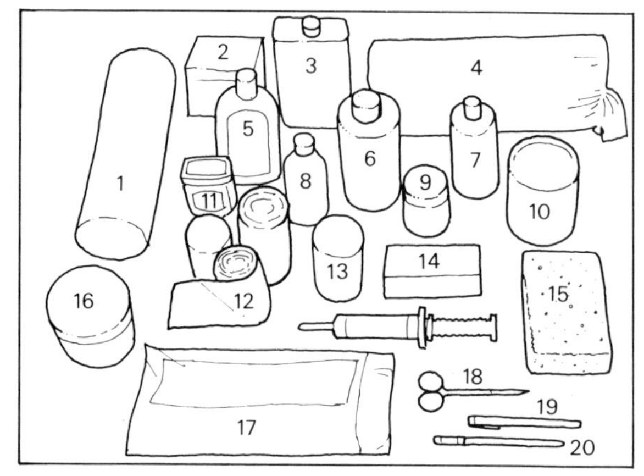

Equipo de primeros auxilios: (1) algodón, (2) sulfato de magnesio, (3) linimento, (4) algodón sintético, (5) desinfectante, (6) alcohol metílico, (7) remedio contra los cólicos, (8) glicerina, (9) sulfamida, (10) brea de Estocolmo, (11) vaselina, (12) vendajes, (13) remedio contra las lombrices, (14) gasa, (15) esponja, (16) Electuario para la tos, (17) cataplasma, (18) solución anti-lombrices, (19) tijeras de cirujano con punta redonda, (20) termómetro. Toda cuadra debe disponer de un botiquín de primeros auxilios que esté al alcance de la mano y provisto de todos los elementos señalados más arriba. **Arriba:** Usted mismo puede curar las pequeñas heridas o molestias de su caballo, pero en caso de duda, lo mejor es llamar inmediatamente al veterinario y explicarle cuáles son los síntomas.

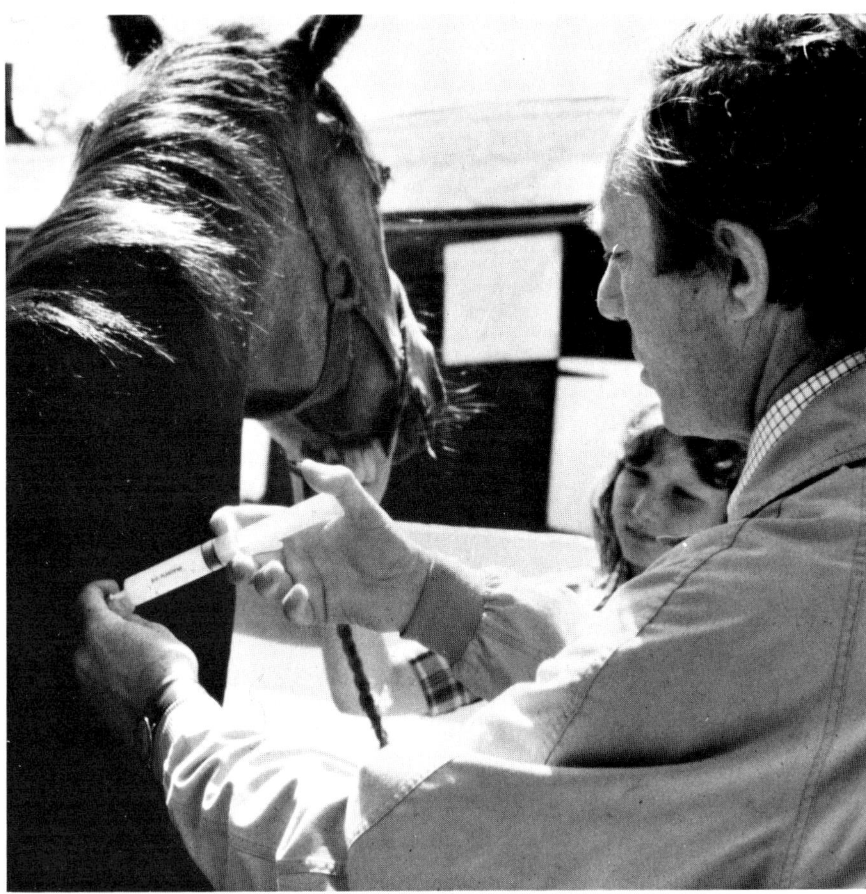

Izquierda: Veterinario poniendo una inyección. Nunca corra el riesgo de hacer un diagnóstico por su cuenta; llame siempre a su veterinario en caso de duda. Otro aspecto de gran importancia en el cuidado de un caballo es el cuidado de sus dientes. Aunque muchas veces es pasado por alto, esto es muy importante ya que si su caballo siente algún tipo de dolor, dejará de comer y, por ende, perderá su forma física.

Primeros auxilios

Nunca debe faltar un botiquín de primeros auxilios a mano. Consulte a su veterinario y reúna los medicamentos que él le recomiende.

Habrán miles de pequeñas molestias y accidentes que usted podrá tratar con la ayuda de su botiquín —como son pequeños cortes o heridas producidas por el contacto de la silla— pero si tiene cualquier duda, consulte previamente a su veterinario. Será muy útil que usted le describa claramente los síntomas, pues así puede evitarse una visita innecesaria y cara, o ayudarle a efectuar un primer diagnóstico. Si el veterinario ha de realizar una visita, tenga el caballo atado y listo en la cuadra o en un lugar cubierto donde haya suficiente luz para que él pueda examinarlo bien. No intente efectuar ningún tratamiento por su cuenta antes de la llegada del especialista. La regla, por excelencia, es que nunca debe tratarse a un caballo herido o enfermo si no se está absolutamente seguro de lo que se está haciendo. Incluso, en tal caso, lea bien las instrucciones en la receta médica y sígalas al pie de la letra.

Cuidados de los dientes

Los propietarios de caballos muchas veces se olvidan de una de las más importantes funciones del veterinario, que es, el cuidado de los dientes del animal. Como es natural, el caballo depende por completo de sus dientes para sacar buen provecho a la comida que ingiere. Si éstos le duelen, irá paulatina nente dejando de comer con lo cual perderá condiciones físicas. Normalmente, un caballo mantiene lisa la superficie de sus dientes haciéndolos rechinar unos contra los otros. Mastica sus alimentos haciendo rechinar los dientes de la quijada superior contra los de la quijada inferior en un movimiento circular. Sin embargo, en muchos casos, las superficies de los dientes no encajan bien entre sí, lo que provoca la aparición de puntas muy afiladas en ciertos dientes. Esto le provoca un dolor considerable al caballo puesto que dichas puntas atacan la carne sensible de las encías y de la boca. Por ello, es extremadamente importante pulir esas puntas afiladas apenas aparecen. El veterinario realiza esta operación con una escofina pequeña.

Los síntomas que nos indican claramente que es necesario un tratamiento dental, es el rechazo de la comida sin motivos aparentes por parte del caballo, como podría ser una enfermedad, o si levanta repentinamente la cabeza durante un paseo, sin motivos aparentes tampoco. Haga revisar los dientes de su caballo cada seis meses por el veterinario.

La competición

Los motivos por los cuales un individuo ingresa en el mundo de la competición hípica son absolutamente personales. Sin embargo, bien es sabido, que cualquiera que sea el tipo de competición escogido, la hípica es un deporte muy exigente, tanto física como mentalmente. La meta nunca ha de ser exclusivamente ganar, sino perfeccionar su actuación y superar los errores del aprendizaje.

Pruebas de salto

Las pruebas de salto son relativamente recientes en el mundo de la competición hípica, ya que se iniciaron a comienzos de este siglo. Sin embargo, gozan en la actualidad de mucho prestigio, siendo una de las pruebas más concurridas por el público. Las pruebas de salto constituyen un deporte internacional puesto que jinetes de todos los países compiten en los torneos que se vienen realizando anualmente. Existen pruebas de salto de variada dificultad para todo tipo de jinete.

Gymkhanas[1]

En algunos países, los juegos competitivos a caballo son practicados exclusivamente por los niños sobre poneys ágiles. Estos juegos constituyen la parte gruesa de los numerosos *gymkhanas* e incluyen un par de juegos que se han vuelto, con los años, prácticamente clásicos —la flexión y la carrera de sacos—.

En otros países estos juegos son practicados igualmente por adultos. La mayoría de los rodeos, por ejemplo, incluyen una serie de juegos a caballo que vienen a sumarse a las actuaciones del rodeo tradicional.

Pruebas

Las pruebas a caballo se han transformado en los últimos veinte años en una de las actuaciones más populares de la hípica. Producen anualmente cientos de nuevos competidores. Son tan internacionales como las pruebas de salto pero tienen mucha más historia que éstas puesto que fueron concebidas hace siglos atrás como la manera ideal de entrenar a las personas y a los caballos para la equitación. Las tres fases de las pruebas —doma, salto a campo través y pruebas de salto— requieren caballos y jinetes que sean muy versátiles.

Doma para la competición

La doma puede definirse como el arte de entrenar un caballo para que tenga buenos modales, sea sen-

(1) Competición deportiva.

Derecha: Este caballo impecablemente equipado y su jinete señalan cuál ha de ser su meta a la hora de participar en cualquier competición. El proceso debe iniciarse el día anterior con un aseo general de su caballo. También se pueden hacer trenzas, dándoles el último toque al día siguiente por la mañana. Usted también ha de ir elegantemente vestido.

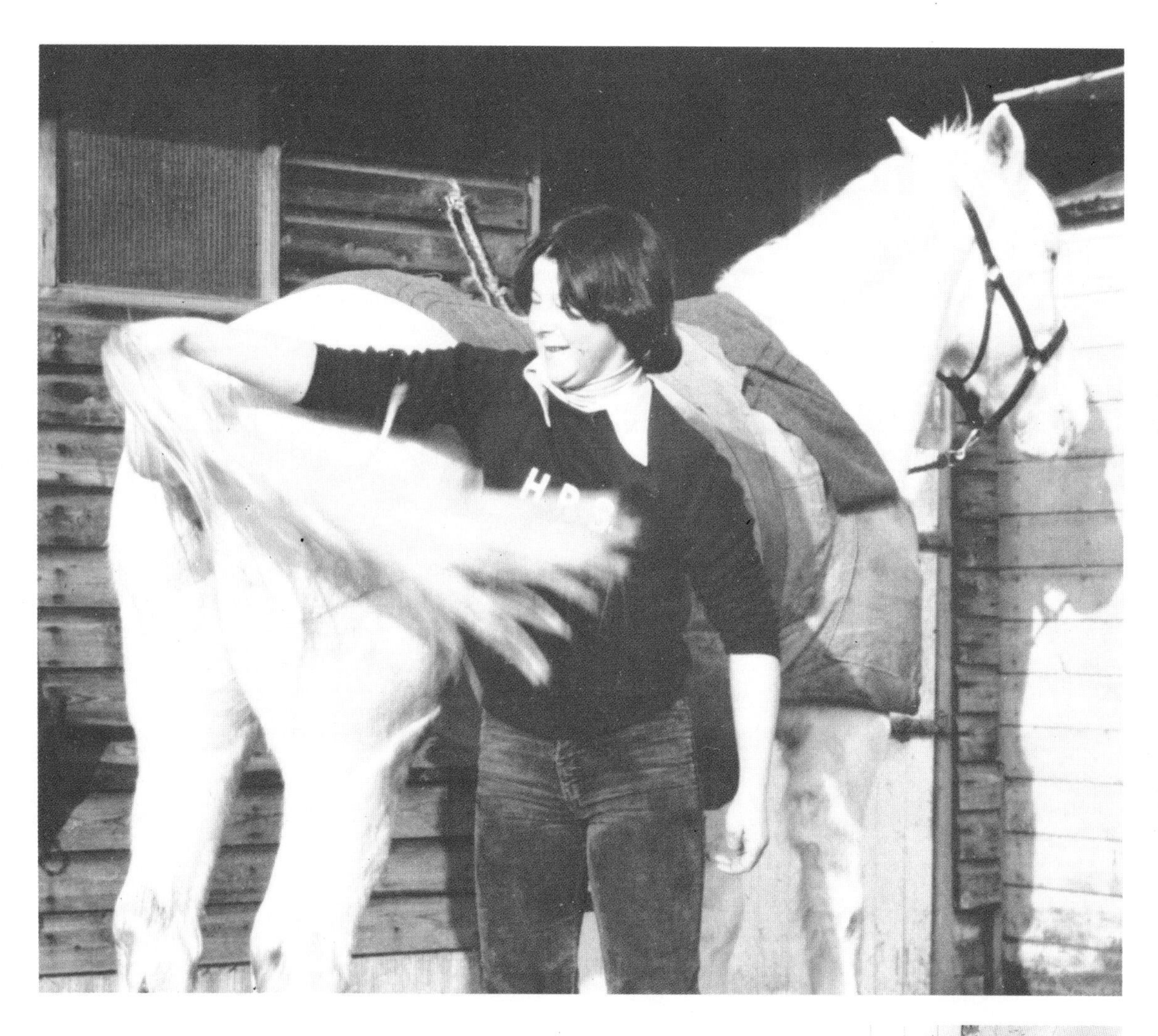

sible, obediente y agradable de montar y observar. Puede ser entrenado para competir en varias pruebas. Todos los jinetes se darán cuenta de la enorme importancia que tiene la doma; ésta comienza con el trabajo más elemental de escuela. En un estadio superior el entrenamiento de un caballo supone hacerle realizar movimientos muy complejos con una gran precisión.

Lavado: Primero peine la cola en la dirección normal de los pelos para deshacer posibles nudos. **Abajo:** Moje abundantemente la cola y enjabónela, valiéndose de un jabón fuerte (nunca utilice jabón suave de perfumería) y frote los pelos con sus dos manos. **Derecha:** Enjuague bien y escurra con sus manos el agua a lo largo de la cola. **Arriba:** Para un buen secado, coja la cola por debajo del maslo y hágala girar en el aire.

Exhibición

Los torneos de exhibición —es decir aquéllos en que caballos de un mismo tipo compiten y son juzgados en primer lugar por su apariencia— son una de las formas más antiguas de competición hípica. Las exhibiciones de caballo que se realizan actualmente por todo el mundo, y que la gente generalmente asocia con sólo una de sus facetas más espectaculares: la prueba de saltos, consistían, originalmente, en la sola exhibición de los caballos.

Las exhibiciones son aún muy populares entre los jinetes y los amantes de los caballos, pese a que no gozan del mismo fervor que otras formas de competición. Existen varios tipos de exhibición; éstas suelen reagruparse en torneos para determinadas razas o para determinados estilos de montar caballos o *ponies*.

Preparación para la competición

Si usted tiene intención de participar como jinete en alguna competición hípica, tendrá que preparar previamente su caballo. Esto incluye tanto su preparación física cara a las pruebas específicas del torneo, asegurándose previamente que el animal esté en condiciones de competir, como la manutención y la limpieza del caballo para que éste luzca al máximo el día de la competición.

Cualquiera que compita querrá que su caballo tenga buen aspecto. Esto está supeditado naturalmente al nivel del torneo, si se trata de un pequeño *gymkhana* local o de un torneo de exhibición de máximo nivel. Aparte de los últimos toques que se le dan a un caballo el día anterior y momentos antes del torneo, hay que tener en cuenta que un caballo sólo podrá lucir al máximo si ha sido bien alimentado y bien cuidado durante un tiempo razonablemente largo. Es imposible llevar un caballo de apacentamiento a la cuadra la noche antes de la exhibición y pretender que aparezca reluciente al día siguiente.

Lavado de un caballo

Conviene siempre dar una buena limpieza o lavado a su caballo el día previo a la competición. Si éste usa calcetines blancos, conviene también lavarlos. Asimismo, la cola relucirá más si va limpia.

Para enjabonar al caballo se recomienda utilizar un jabón fuerte, el cual le puede ser proporcionado por un talabartero; en ningún caso utilice jabón suave de perfumería. Para lavar las patas, mójelas primero con agua tibia y luego enjabónelas bien para producir espuma. Frote suavemente con el cepillo, asegurándose que no quede ningún residuo de jabón. Seque bien las patas con una toalla de cuadra. No coloque las vendas antes de que las patas estén completamente secas. Si usted lava las patas de su caballo con frecuencia, engrase periódicamente los talones para evitar que la piel se agriete por la humedad excesiva. Antes de lavar la cola, primero escobíllela para deshacer los posibles nudos existentes.

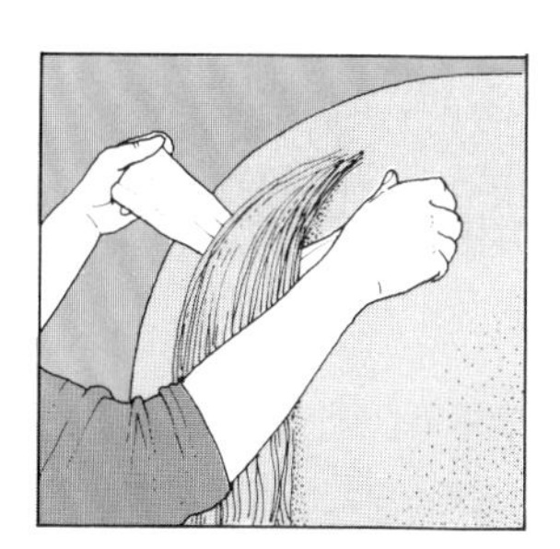

Vendajes de la cola: Peine la cola húmeda para deshacer todos los nudos y cúbrala con una venda larga empezando por atrás.

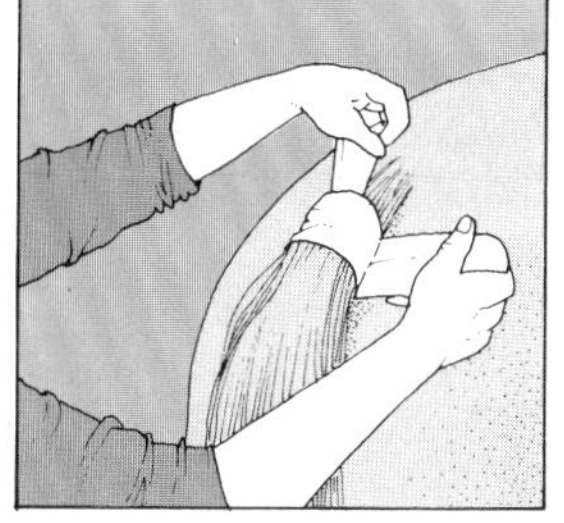

Sujetando con una mano una punta de la venda contra la cola, dé una vuelta para afirmarla. Siga bajando regularmente.

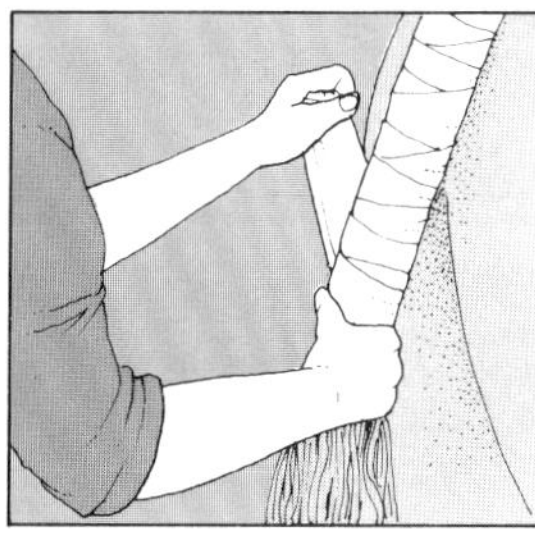

El vendaje debe acabar justo a la altura del último hueso. La venda restante se enrolla de vuelta hacia arriba y se ata.

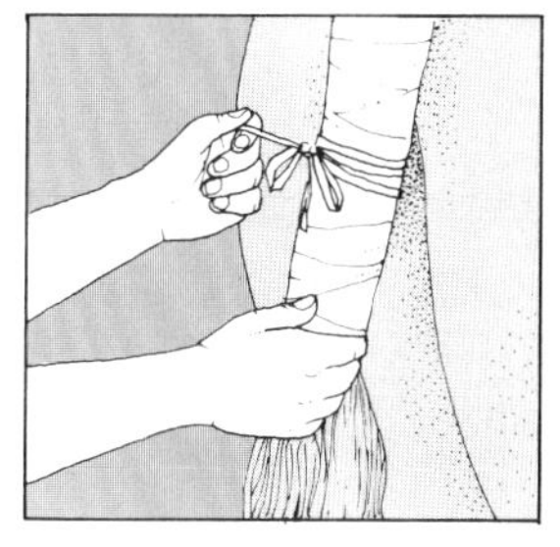

Fije la cola del caballo en una posición cómoda. Para moverla, empuje suavemente hacia abajo la venda con ambas manos.

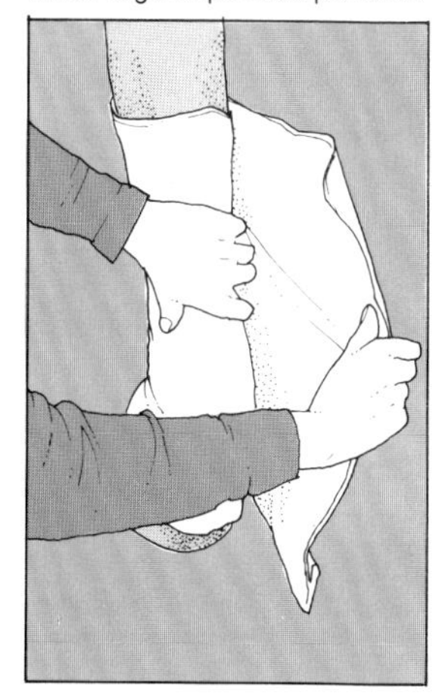

Vendajes de las patas: Antes de poner la venda, coloque una tela de algodón y lana o algo equivalente.

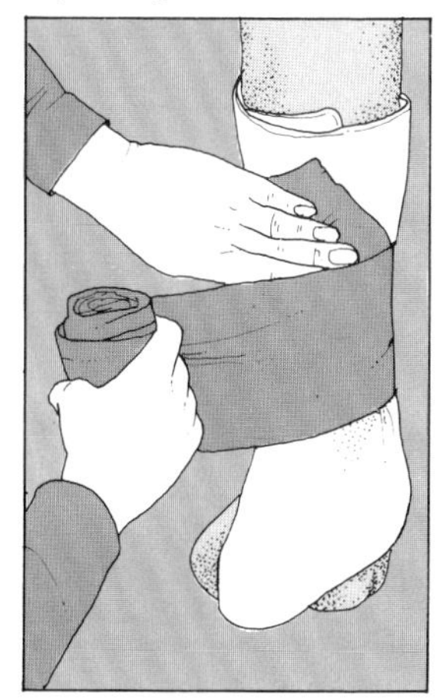

Enrolle la venda de manera regular desde la parte inferior de la rodilla o jarrete hasta la corona del casco.

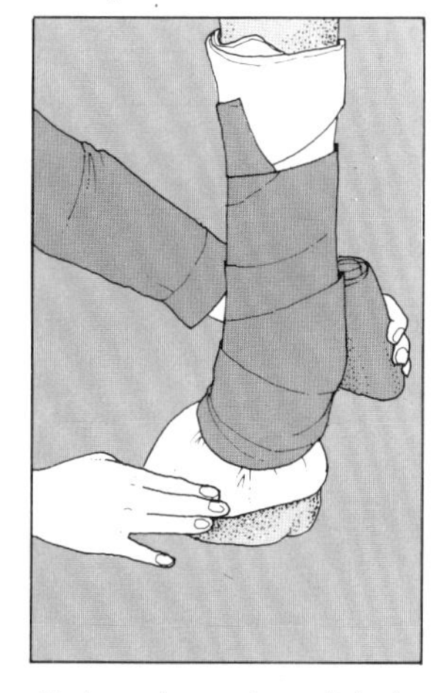

Vuelva a girar con la venda hacia arriba, asegurándose que la venda esté pareja y apretada.

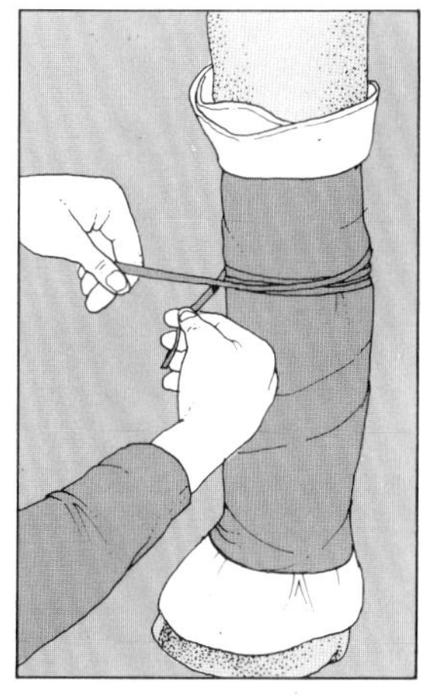

Concluya la operación atando la venda en la parte frontal de la pata. Asegúrese que todo el vendaje esté bien puesto.

TRENZA DE LA CRIN

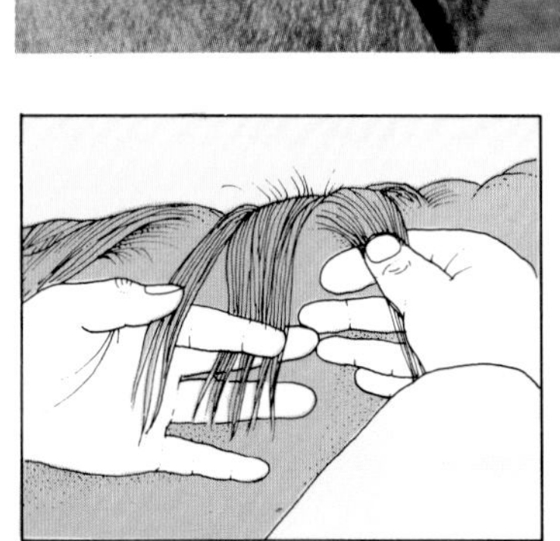

Peine la crin para deshacer los posibles nudos. Moje los cabellos y divídalos en secciones con un cepillo de agua.

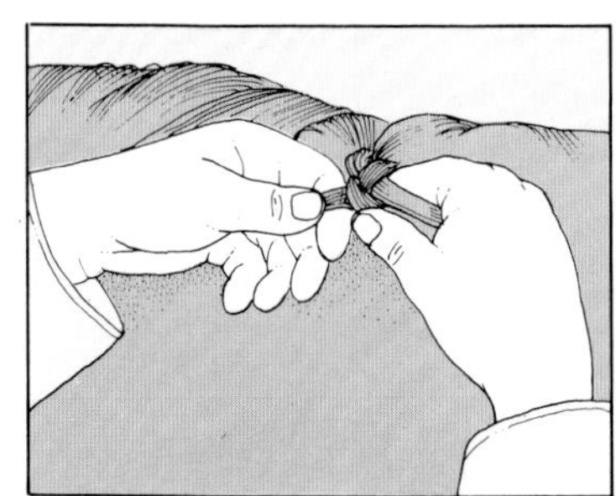

Comience a trenzar los pelos para que la trenza esté apretada contra la raíz de los cabellos.

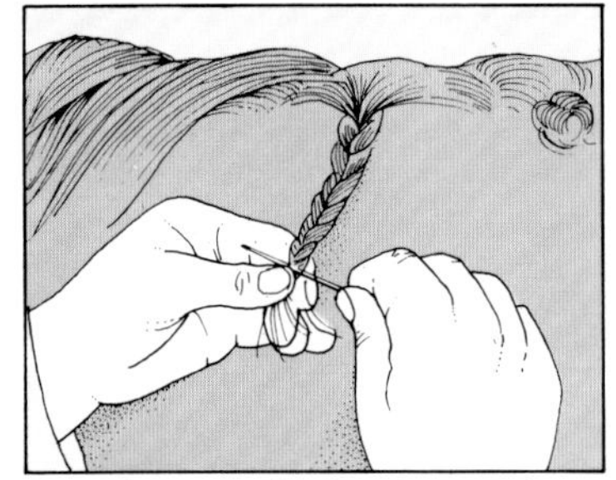

Amarre la trenza valiéndose de una aguja y de hilo y átela fuerte.

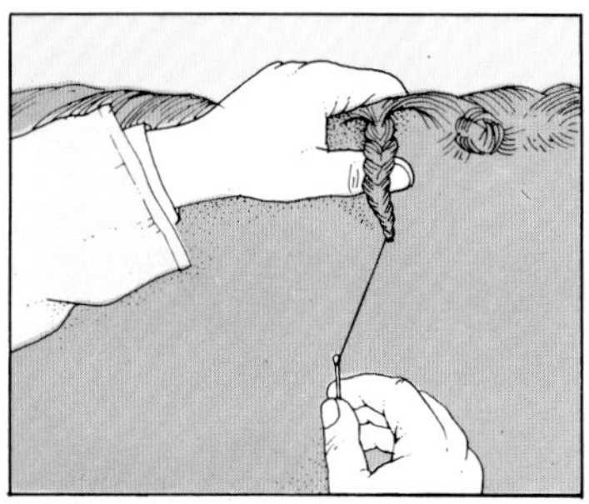

Coja los pelos sueltos de la punta y envuélvalos suavemente con el hilo y la aguja.

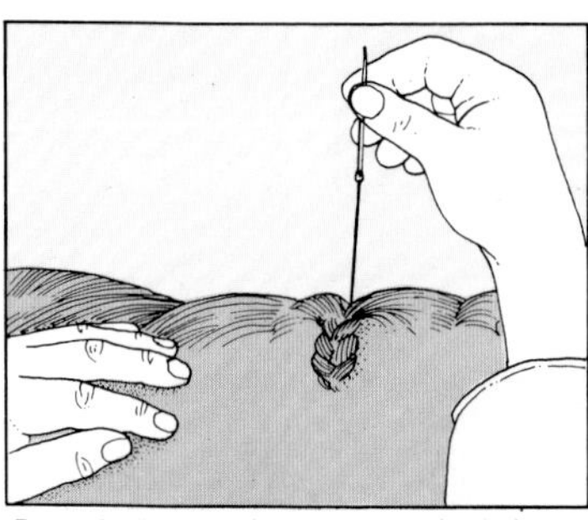

Después de pasar la aguja a través de la trenza, enrolle la trenza y cósala dejando al final la aguja a media altura.

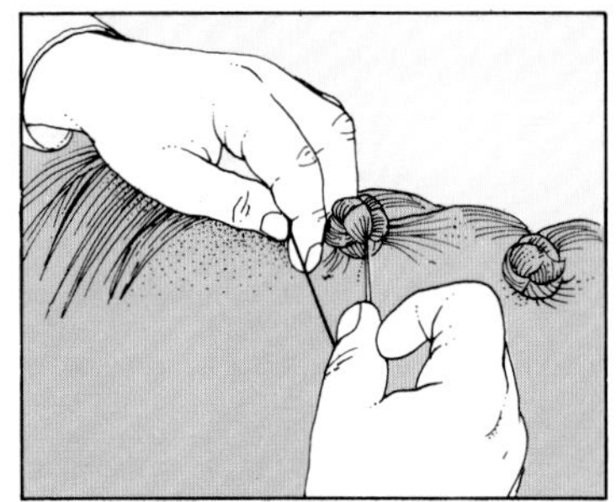

Se cierra el nudo del lazo por debajo de la trenza obteniendo de esta forma una pequeña protuberancia sobre la crin.

Luego mójela con abundante agua y enjabónela. Junte los pelos con sus dos manos y estrújelos con fuerza. Escurra sus manos a lo largo de la cola varias veces para eliminar la mayor cantidad posible de agua. Luego, manteniéndose junto a los cuartos traseros, sujete la cola por el maslo y hágala girar varias veces, como hacen los perros después de bañarse; esto ayudará a eliminar cualquier residuo de agua.

Cepille la cola usando para ello el cepillo del cuerpo y ponga una venda sobre la cola para que ésta permanezca limpia y lisa. Hay que quitar el vendaje antes de llevar el caballo a dormir pues de lo contrario éste podría impedir la circulación de la sangre por el maslo. Retire la venda al acostar al caballo y póngale otra por la mañana, antes del torneo, después de haber vuelto a peinar la cola.

Si el pelo del caballo está muy sucio, puede lavarlo todo, pero esto ha de hacerse sólo en casos de extrema necesidad. Lave únicamente el pelo de su caballo si es que el día es caluroso, seco y, en lo posible, soleado. Utilice el mismo jabón especificado más arriba con mucha agua caliente, y tras enjabonar el pelo, enjuáguelo en abundancia. Elimine la mayor cantidad de agua valiéndose de un raspador para el sudor y complete dicha labor con una esponja seca. Después de esto pase una toalla seca por todo el pelo del caballo y finalmente haga caminar al caballo hasta que su pelo esté completamente seco. Peine el pelo en la dirección adecuada valiéndose del cepillo del cuerpo.

Rutinas antes de un torneo

Si usted mantiene su caballo a la intemperie —pero montándolo y cuidándolo a diario— conviene llevarlo a la cuadra la noche anterior al torneo. Esto le permitirá asegurarse que permanezca relativamente limpio después de la limpieza y el aseo general. De esta manera también lo tendrá dispuesto a la mañana siguiente.

Si usted va a participar en algún tipo de torneo, demás está decir que tiene que haber montado y alimentado regularmente a su caballo durante las semanas anteriores. No cometa el error de darle una ración más grande que la habitual la noche antes de la competición. Esto podría tener efectos contrarios a los deseados a la hora de competir. Dele la misma cantidad de siempre la noche anterior y otra ración igualmente moderada por la mañana, lo suficientemente temprano para que pueda comer tranquilo y para poder prepararlo sin prisas.

Si desea que su caballo luzca al máximo, puede también hacer una trenza con su cola. Esto no es algo exclusivo de los caballos de exhibición; en mu-

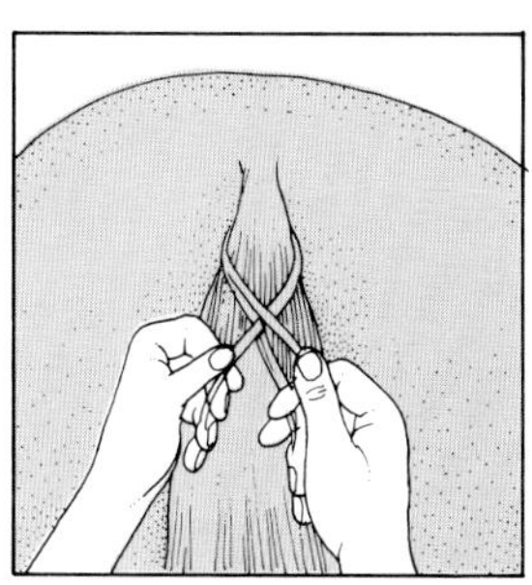

Trenza de la cola. Trence hacia abajo, utilizando para ello los pelos laterales. Una vez llegado a los dos tercios de la cola, comience con los pelos centrales.

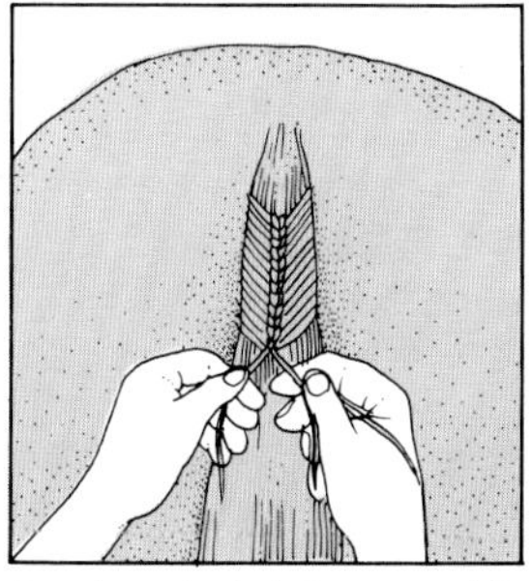

Cosa la punta de la trenza con hilo y con aguja y refuércela a media altura con otro nudo.

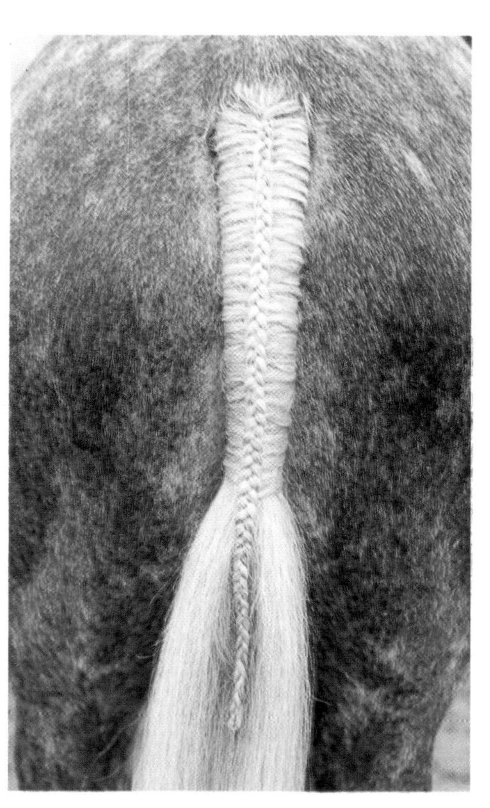

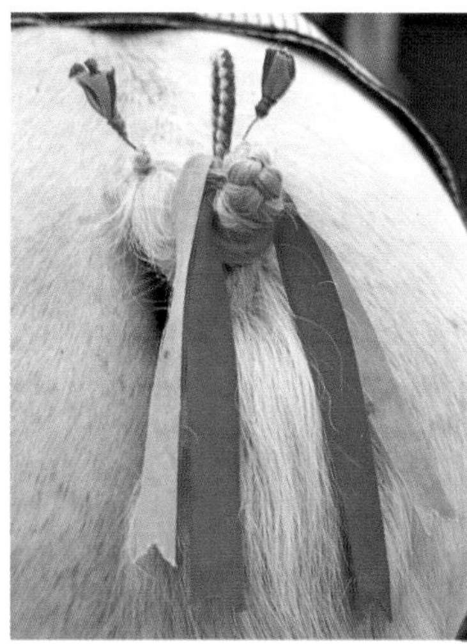

Los aspectos superficiales, que son muy importantes, pueden realizarse el día antes de la exhibición. Éstos comprenden el lavado del caballo, incluida la crin y la cola, el vendaje de las patas y el trenzado de la cola y de la crin. Esto último está siempre sujeto a criterios personales, y, aun cuando no constituye lo esencial de un torneo de exhibición, refuerza en el jinete una actitud de confianza y de orgullo respecto a su caballo y a sí mismo.

chas pruebas restantes, como las de salto o las de los *ponies*, los caballos aparecen con la cola trenzada. Esto favorece la apariencia del caballo e impresiona favorablemente a los jueces y espectadores, que de esta manera podrán deducir que usted ha dedicado mucho tiempo y energía a la preparacióin de su caballo para el torneo.

Si la competición tiene lugar en otoño, o incluso a comienzos de la primavera, y el día se anuncia frío, su caballo necesitará probablemente llevar puesta una manta encima al ser llevado en un *box*[1] o en un camión. Lo óptimo es ponerle una suave manta de día (véase pág. 160). En verano sólo se precisa una

(1) Véase pág. 92.

Equipo: Es de suma importancia tener preparados con antelación su horario de actuación, su equipo, su caballo, y su propia persona. Hacer una lista con todos estos puntos es una buena idea. **Izquierda:** (1) brida y correa; (2) Silla y almohadilla; (3) Heno; (4) Platillo para la comida; (5) Botiquín de cuadra; (6) Aceite para los cascos (muchas veces olvidado); (7) Botiquín de primeros auxilios; (8) Manta de día. **Abajo:** Un caballo preparado para el viaje y para la exhibición.

Arriba: Dirija su caballo hacia la rampa; un poco de paja por el suelo será de gran utilidad para evitar que resbale. Procure no excitar a su caballo gritándole o dándole palmadas con las manos. **Derecha:** introdúzcase con su caballo en el *box*, mirando hacia delante y átelo con una cuerda corta. **Izquierda:** Cierre la rampa apenas haya entrado el caballo. Déjele a su caballo un platillo con comida dentro del *box*.

ligera manta de algodón para proteger del polvo al caballo recién lavado. También ayuda para protegerlo contra la acción irritante de las moscas.

Generalmente conviene vendar también las patas del caballo antes de introducirlo en el *box*. Esto servirá para protegerlo de cualquier golpe eventual dentro del *box* y también para evitar que se ensucie. Un caballo de mucho valor puede ser provisto de rodilleras y calzados para los jarretes. Asimismo, conviene vendar la cola para evitar que se desgreñe contra las paredes del *box*. Puede agregársele, para mayor protección, un *tail guard*(2).

Para quitar los vendajes, desate las cintas de seguridad y retire la venda pasándola rápidamente de una mano a la otra. Quite el tejido protector y frote enérgicamente las patas para activar la circulación. No se ponga nunca de rodillas junto a las patas del caballo al efectuar esta operación (o al poner las vendas). Siempre debe estar en condiciones de saltar hacia atrás si fuese necesario hacerlo.

El traslado hacia el torneo

Si el torneo es en un lugar cercano, puede ir montado sobre el caballo, pero lo usual es llevar el animal en un *box* para caballos o en un camión. Una vez listo su caballo, reúna todo el equipo que sea necesario.

(2) Prenda para proteger la cola.

Tanto el camión como el *box* para caballos deben tener el suelo cubierto de paja para que el viaje resulte lo más cómodo posible para el animal. Ponga también un poco de heno para ayudarlo a sobrellevar el aburrimiento.

El caballo y el *box*

La mayoría de los caballos están acostumbrados a los *boxes* y se introducen en ellos sin problemas. Acerque el caballo a la rampa —un poco de paja será de gran utilidad para evitar que resbale— caminando de frente para que el caballo vea lo que tiene delante suyo. Suba usted mismo por la rampa e introdúzcase en el *box* sin mirar hacia atrás; lo más probable es que el caballo le siga. Átelo con una cuerda corta para evitar la posibilidad de que se enganche una pata. Es siempre muy útil recurrir a la ayuda de otra persona para que cierre la rampa apenas el caballo haya entrado en el *box*.

Si un caballo se resiste a subir al *box*, trátelo siempre con dulzura; no intente nunca subirlo por la fuerza, gritándole o dando palmadas. Lo único que conseguirá es ponerlo aún más tozudo. Un platillo con un poco de comida situado dentro del *box* puede ser un buen aliciente, como también, por ejemplo, alimentarlo a diario en el campo dentro del *box*. Mímelo cada vez que entra en el *box* y prémielo con un bocado.

Tal vez no haya nada tan excitante para un jinete —ya sea novato o profesional, joven o viejo— como competir en pruebas hípicas. Su actuación reflejará rápidamente el trabajo que usted ha venido realizando en los últimos meses, asimismo, cualquier fallo no sólo es imputable a su falta de destreza sino que puede deberse a que su caballo no ha sido bien cuidado y alimentado en el último tiempo. Procure antes que todo llegar puntual a las pruebas y no agote a su caballo obligándolo a moverse con usted encima todo el día. Si lo mantiene atado, déle algo de comer y de beber, pero nunca antes de competir. Déle buena compañía y sea cariñoso con él.

Es sumamente útil observar cómo se desenvuelven los demás jinetes para aprender, no solamente lo que hay que hacer, sino lo que no hay que hacer durante una competición. Antes de la actuación conviene hacer un recorrido de la pista fijándose en el tipo de vallas existentes, en la distancia que media entre cada una, y en el grado de dificultad que cada una encierra. Muchas veces observará cómo los jinetes miden el número de zancadas entre los obstáculos para planificar su futura actuación. Todas las curvas deben ser estudiadas con suma atención.

Se debe tener mucho cuidado a la hora de conducir e ir muy lentamente, puesto que el caballo va en una posición muy inestable dentro del *box* y le será difícil mantener el equilibrio si usted coge muy deprisa las curvas.

Descarga

Para sacar el caballo del *box*, baje en primer lugar la rampa, desate la correa frontal y, según el tipo de *box* que sea, tire suavemente del pescuezo del caballo para incitarlo a bajar. Por lo general, es siempre mejor dejar al caballo atado fuera del *box* (siempre que no sea un lugar demasiado soleado), mejor bajo la sombra de unos árboles, que obligarlo a permanecer apretado dentro del *box* o del camión. Eso sí, asegúrese antes que su caballo reacciona bien y no se pone nervioso con la presencia de otros caballos.

La competición

Es conveniente que usted prepare con antelación su participación en un torneo en vez de presentarse por las buenas en el momento en que éste comienza. Se puede encontrar con que los cupos para las pruebas en las que usted desea participar ya están cubiertos y que los organizadores no acepten más competidores.

Los torneos de caballos vienen usualmente anunciados en los periódicos locales, en las revistas de hípica o en afiches pegados en el lugar donde han de celebrarse. En ellos figurarán los nombres de los responsables de la organización, a los cuales podrá solicitar los horarios de la programación. De allí puede seleccionar el torneo en que desea participar (si es que hay dos o tres en un mismo día) y la categoría en que piensa competir. Envíe su solicitud con antelación para asegurar su participación en la categoría deseada o para disponer de tiempo para cambiar de categoría en el caso de que las plazas para la suya ya hayan sido cubiertas.

A la hora de escoger las categorías, asegúrese que no se inscribe en dos cuyos horarios coinciden en parte. Sucederá entonces que en el mismo momento en que usted está participando en las pruebas de salto, por ejemplo, su siguiente categoría sea llamada para entrar en pista, lo cual lo desilusionaría mucho e irritaría a los organizadores.

El día de la competición, llegue puntual para el inicio de las pruebas. En ningún caso puede pensarse que éstas van a atrasarse sólo por esperarlo a usted; lo que sí puede suceder es que se le niegue su participación en el torneo. En las competiciones de salto, lo usual es dirigirse a la pista de reunión antes de la prueba y señalar su número a uno de los organizadores. Él se encargará de anotarlo en una pizarra donde figurará el orden en que los competidores han de saltar. Si usted quiere ser de los primeros en saltar, adelántese también a la hora de ir a inscribir su número antes de la competición.

Cuidados durante la exhibición

Durante el día de la exhibición procure que su caballo esté en todo momento cómodo y a gusto. No se pasee a lomo del animal alrededor de la pista entre cada competición, ni permanezca sobre el caballo cuando conversa con sus amigos. Procure también no cansarlo obligándolo a efectuar pequeños saltos de entrenamiento indefinidamente. Si lo mantiene atado, asegúrese que esté a la sombra y déjele un poco de heno para comer. Dele siempre de beber después de una prueba, no sin antes sacarle la brida para que pueda hacerlo cómodamente; ahora bien, evite hacerlo si ha de participar en otra prueba inmediatamente después. Dele nuevamente de beber antes de llevarlo de vuelta a casa.

Cuando sus pruebas hayan concluido, lleve al caballo inmediatamente de vuelta a casa. Estará cansado y no querrá permanecer de pie dentro del *box* mientras usted asiste a las otras pruebas. Si está muy acalorado y sudado, hágalo caminar despacio para refrescarlo antes de subirlo al *box*. Una vez llegado a casa, llévelo a dormir a la cuadra inmediatamente o suéltelo en el campo, en vez de deshacerse en atenciones por él. Lo único que es preciso hacerle antes de soltarlo es limpiarle los cascos y deshacerle las trenzas. Una vez más, no piense en darle una mayor ración de comida como premio por su jornada de trabajo; dele su ración diaria. Cuando un caballo está cansado, su aparato digestivo no es tan eficiente como normalmente y una copiosa comida puede acabar fácilmente en un cólico. Déjelo descansar al día siguiente, pero examínelo cuidadosamente antes, para asegurarse que no tiene ningún tipo de herida, ya sea un pequeño corte, un golpe o una magulladura, que haya pasado inadvertida el día anterior o cualquier otro tipo de lesión.

Técnicas para competir

Los jinetes que compiten contrareloj, emplean una técnica totalmente diferente a la de aquéllos para quienes el tiempo es un factor secundario. Observe cómo y en qué lugar los competidores cortan las esquinas de manera que pueda ver en qué momento éstos consideran que se encuentran en una posición segura para acercarse a la valla con un ángulo cerrado. Tome también nota de los lugares donde se arriesgan menos e intentan aproximarse a la valla en línea recta.

Observe el temperamento de los diferentes jinetes; algunos sonríen e incluso tienen un gesto cariñoso hacia su caballo después de que éste haya dejado caer dos vallas, otros se ponen furiosos cuando esto ocurre. Ambas actitudes forman parte de la competición hípica, pero intente adoptar la primer, pues el público suele preferir a estos jinetes que suelen ser, además, casi siempre los vencedores.

Si le interesan los torneos de exhibición, también puede aprender mucho observando atentamente. En este caso, las técnicas empleadas por los jinetes son más sutiles y complejas. Fíjese, por ejemplo, si los competidores de máxima categoría gustan salir en primera fila o si, por el contrario, prefieren situarse en medio del grupo; en la técnica que emplean al pasar frente a los jueces: la manera en que se bajan de su montura— ya sea para que los jueces prueben el caballo o para exhibirlo sin jinete—, y así indefinidamente.

Recorriendo la pista

Apenas los jinetes inician su recorrido por la pista comience a observarlos. Las carreras de obstáculos sirven para medir la habilidad del jinete y la del caballo. Estos obstáculos consisten en vallas horizontales y en vallas verticales. Para saltar una valla vertical —que consiste esencialmente en un conjunto de barras montadas las unas sobre las otras y apoyadas en un muro o en una reja— se necesita mucha destreza y precisión en el momento de efectuar el salto. En cambio, las vallas verticales, que son igualmente anchas y altas, requieren un mayor impulso a la hora de acercarse a la valla. Los diseñadores de la pista pondrán en algunos casos las vallas verticales a dos zancadas de distancia de las horizontales para poner aún más a prueba la habilidad del jinete. También habrá probablemente un obstáculo de agua en el recorrido que requerirá un impulso mayor que el empleado para la valla horizontal.

Al caminar por la pista, el jinete se encarga de medir las zancadas que hay entre cada valla. Esto le indicará si ha de acortar o alargar las zancadas entre cada obstáculo para llegar correctamente a las vallas. Si una valla vertical está situada a ocho o nueve zancadas de un obstáculo de agua, el jinete tendrá que evaluar cuál es la mejor manera de controlar su caballo para que éste pueda superar sin problemas el obstáculo. El jinete tiene que tomar en cuenta todas las curvas del recorrido para poder determinar el ángulo con que ha de cogerlas para poder aproximarse en línea recta a los obstáculos.

Obsérvese de qué manera hacen su entrada los jinetes a la pista —sobre todo si permanecen junto al punto de partida o si utilizan toda la pista para precalentar sus caballos—. La mayoría de los jinetes permanecen cerca del punto de partida ya que tienen que iniciar la prueba dentro de un cierto límite de tiempo una vez que la campana haya sonado.

Profesiones vinculadas a la equitación

Existan numerosas profesiones para aquéllos que deseen consagrar su existencia a los caballos. Ahora bien, todas ellas tienen un punto en común y es que exigen una total entrega a los caballos y al empleo escogido. Este no es el tipo de trabajo que uno puede realizar de nueve a cinco, cinco días por semana en un lugar bien calefaccionado.

La instrucción

Para la mayoría de los postulantes, especialmente para aquéllos que no desean competir por su cuenta, el trabajo de instructor es ideal. Las cualidades requeridas son las mismas que para cualquier trabajo de enseñanza: un profundo conocimiento y comprensión del tema, unido a una capacidad para transmitírselo a los demás. Muchos expertos en determinados campos resultan absolutamente incapaces para enseñar sobre otras materias; ésta es una de las primeras consideraciones a tomar en cuenta a la hora de optar por el trabajo de instructor de equitación. Finalmente, todo aquél que desee entrenar jinetes debe él mismo ser uno de gran categoría y eficiencia.

Para ser nombrado instructor es preciso pasar ciertos exámenes oficiales, tales como los estipulados en el Reino Unido por la Sociedad de Equitación Inglesa (British Horse Society). Ningún establecimiento de equitación digno de ese nombre contratará a un instructor que carezca de la calificación necesaria. El Reino Unido proporciona cuatro títulos posibles —el de asistente de instructor, el de instructor medio, el de instructor y el de *Fellowship*[2]. La mayoría de las personas se contentan con el título de instructor.

Las escuelas de equitación aceptan alumnos que ingresen como trabajadores; éstos recibirán instrucción a cambio de trabajar en las cuadras. Este trabajo los prepara para el primer examen —el de asistente de instructor— en el cual tienen que responder satisfactoriamente a cuatro temas: equitación; mantenimiento de la cuadra; pequeñas indisposiciones del caballo, y técnicas de instrucción. Pese a que esta calificación ya permite enseñar en un pequeño es-

(2) Asistentes hípicos (por encima del instructor).

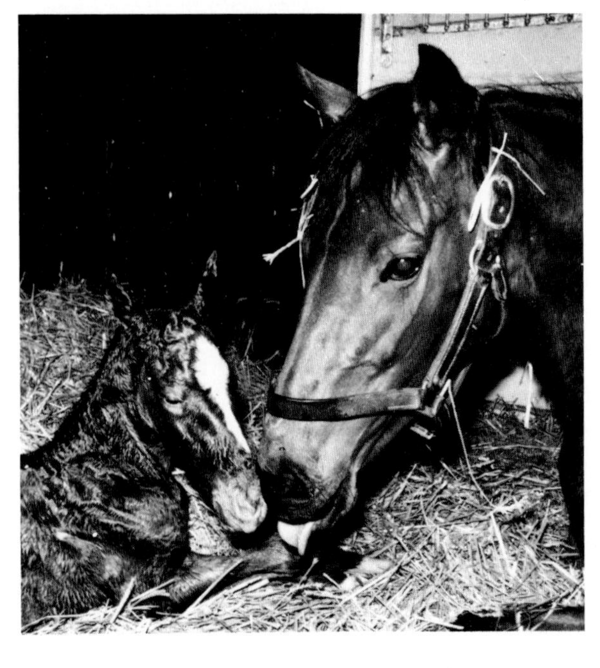

En tanto que amante de los caballos, usted no debe sentirse obligado a optar exclusivamente por la carrera de jinete; existen muchos campos en los cuales podrá entregarse con la misma devoción a estos animales. Hay naturalmente mucha demanda de herreros, así como de ayudantes de instructor. Los veterinarios son tan fundamentales para los animales como para nosotros lo son los médicos; esta profesión requiere mucha habilidad. La profesión de *jockey* es muy excitante pero se requiere para ella un temperamento y unas condiciones físicas especiales. Los *jockeys* comienzan muy jóvenes y se retiran muy pronto para dedicarse al cuidado y al entrenamiento de sus propios caballos. El trabajo de mozo y de mozo de cuadra puede ser muy gratificante puesto que de estos individuos depende, en definitiva, que el caballo crezca fuerte y sano.

2

tablecimiento, es conveniente seguir formándose hasta pasar con éxito las siguientes pruebas.

Administrador de la cuadra
Para todos aquéllos que no deseen enseñar, pero que poseen un sentido especial para manejar asuntos administrativos, el trabajo de administrador de la cuadra, sobre todo en un gran centro de equitación, puede resultar muy gratificante. El administrador de la cuadra es responsable del funcionamiento global de la empresa, incluido el bienestar de los caballos, la formación de los mozos de cuadra y la de los alumnos que allí trabajan. Su labor también incluye tareas de despacho y asuntos de negocios, como son encargar alimentos, realizar cuentas, etc. Se trata de un puesto de mucha exigencia y responsabilidad para el cual los centros de equitación suelen exigir un examen especial.

El mozo
Muchas personas consagran prácticamente toda su vida al cuidado de los caballos, atendiendo sus necesidades diarias y manteniéndolos en forma para los jinetes. Si se trata de caballos de competición, este puesto puede resultar muy interesante ya que el mozo juega un papel clave en el éxito del jinete y del caballo. Hace unos años este trabajo no requería ningún tipo de título oficial; la persona era contratada en función de su amor y dedicación a los caballos. Estos atributos siguen siendo necesarios pero es igualmente posible alcanzar el grado de calificación que proporcionan las numerosas sociedades de equitación nacionales.

El mozo de cuadra o administrador
El trabajo en la cuadra requiere una formación y experiencia aún mayores y constituye una actividad muy especializada en el campo de la equitación. Al igual que en el caso del mozo, es posible obtener un diploma para trabajar en la cuadra y conviene hacerlo si se desea acceder a ese empleo. Esto le dará la posibilidad de postularse a los puestos más gratificantes e interesantes con las mejores perspectivas de futuro. Este trabajo contempla tanto el cuidado de las yeguas y de los sementales en la cuadra, como todos los aspectos relativos al parto de los animales, incluyendo el cuidado de los potros recién nacidos.

El entrenador de caballos de carrera y el jockey
Los *jockeys* pueden reagruparse en dos categorías —los que participan en carreras con obstáculos y los que montan en carreras sin obstáculos—. Ambos mundos son muy diferentes entre sí, pero el camino para transformarse en un *jockey* es el mismo en ambos casos. La primera etapa consiste en familiarizarse con una cuadra de caballos de carrera, bajo la tutela de un instructor particular. De hecho este aprendizaje no desemboca necesariamente en la profesión de *jockey*. Algunos alumnos podrán sentir al cabo de cierto tiempo que prefieren permanecer en la cuadra trabajando como mozos y ascender hasta convertirse en mozos de cuadra, responsables del bienestar de los caballos. Otro trabajo clave es el de encargado de transporte, que consiste, como el nombre lo indica, en asegurar el correcto traslado de los caballos hasta el lugar de las carreras y su regreso a casa. Otra posibilidad que se le brinda al aprendiz es la de transformarse en instructor, aunque esto le tomará mucho tiempo y exigirán de su parte mucho talento y trabajo.

Aun cuando todos los aspectos relativos al trabajo en la cuadra han sido tradicionalmente desarrollados por hombres, en la actualidad son también realizados por mujeres. Una mujer puede ascender de grado hasta convertirse en mozo de cuadra o, incluso, en instructor. Sin embargo, no hay que olvidar que es un trabajo que ha sido tradicionalmente realizado por hombres, debido a su dureza y al esfuerzo que supone.

El veterinario y el enfermero de animales
Cualquiera que ha trabajado con caballos sabe hasta qué punto es importante la existencia de veterinarios. Sin embargo, antes de especializarse en enfermedades de caballos conviene obtener el título de veterinario general y trabar en prácticas como tal durante un cierto tiempo.

Si obtener el título de veterinario le parece fastidioso y difícil, puede aspirar al puesto de enfermero auxiliar de animales. En este caso, también, las prácticas han de llevarse a cabo sobre animales en general, y no sobre caballos en particular. La especialización viene posteriormente; ésta puede obtenerse con la ayuda de un veterinario, si es que éste lo incorpora como colaborador a su trabajo, o en un centro de investigación equina.

El herrero
Ésta es otra faceta del trabajo con caballos que ha sido ejercida tradicionalmente por los hombres, debido a la dureza del trabajo físico que implica. Se trata de un arte que está en vías de extinción y resulta cada día más difícil encontrar buenos herreros. Los herreros tienen en la actualidad mucho más trabajo que el que pueden realizar, de manera que si usted opta por esta tarea existen pocas probabilidades de que no sea admitido.

El arte de la herrería sólo puede aprenderse con la ayuda de un maestro herrero. El entrenamiento para el primer examen dura cuatro años. Durante ese tiempo los aprendices de herrero tendrán que asistir, por lo menos, a un curso anual sobre herrería. El título de herrero se obtiene a través de un examen.

Glosario

Acortar la crin y cola. Es el proceso de quitar espesor a crin y cola.

Agarre de emergencia. Es una posición utilizada por las amazonas cuando corren peligro de caer.

Aires por encima del suelo. Movimientos de alta escuela en los que en algún momento las cuatro patas del caballo están levantadas del suelo.

Alazán. Capa que en conjunto es pardoamarillenta, con la crin y cola posiblemente del mismo color.

Albarda. Pequeña almohadilla hecha de fieltro o piel de oveja, colocada bajo la parte anterior de la silla para proporcionar más protección. No es necesaria en una silla que se ajuste bien.

Alcance. Golpeteo de la parte interna de la pata delantera o trasera con su opuesta. Puede llegar a originar heridas y cojeras.

Alta escuela. Arte clásico de la equitación en el que se practican la tradicional escuela avanzada o figuras de doma.

Alzada. Es la perpendicular entre la zona a medir y la horizontal del suelo (alzada a la cruz, alzada a la grupa...) al referirnos a la altura de un caballo o pony.

Andaduras. Aires a los que el caballo se mueve. Normalmente son el paso, el trote, el medio galope y el galope.

Añojo. Potro entre uno y dos años de edad.

Apoyos. Movimiento de doma realizado en dos pistas en las que el caballo se mueve simultáneamente hacia adelante y hacia el lado.

Ayudas. Señales reconocidas por un jinete para transmitir instrucciones a su cabalgadura. Las *ayudas artificiales* incluyen látigos, espuelas y accesorios auxiliares de guarnición utilizados por el jinete para asistirse en dar las ayudas. Las *ayudas naturales* son las manos, piernas, cuerpo y voz del jinete. Las *ayudas diagonales* son ayudas en las que las manos y piernas opuestas se utilizan simultáneamente, por ejemplo, se utilizan la rienda derecha junto con la pierna izquierda. Las *ayudas laterales* corresponden al uso de las manos y piernas del mismo lado y de forma simultánea.

Baja venda. Algodón recubierto de gasa, utilizado bajo los vendajes de ejercicio o descanso (transporte) de las patas para proporcionar calor y protección.

Barraje. Término utilizado en los concursos de salto en los que se cronometra el último recorrido. Gana el competidor que tiene el menor número de puntos de penalización y el tiempo más rápido en este recorrido.

Bayo. Es un color de capa rojo muy degradado, casi amarillento, con la crin, cola y parte inferior de las patas de color negro.

Borrén delantero. Parte central anterior de una silla. En algunas sillas es especialmente pronunciado.

Borren trasero. Loma del extremo posterior de una silla de montar.

Bostezo. Acción de un caballo que constantemente abre la boca y estira la cabeza hacia afuera y hacia el suelo para intentar evadir la embocadura.

Box. Es un departamento de una cuadra.

Brida sin hierro. La que carece de embocadura. El control se consigue concentrando la presión sobre la nariz y surco de la barbada. Un hackamore es una brida sin embocadura muy simple; el término se refiere a la muserola, que es su componente principal. Es el tipo de brida sin embocadura más ampliamente conocido.

Caballo de silla. Caballo apropiado para la monta, que es lo opuesto a un caballo de tiro.

Caballo en pastizal. Caballo que se ha soltado para un período en un padock o campo.

Cabezada de cuerda. Puede referirse a una simple muserola adaptada a una brida o a una pieza más sofisticada del equipo que lleva un caballo cuando se le da cuerda. En este último caso a veces se llama *cabezón de dar cuerda*.

Cadenilla. Eslabón simple o doble, fijado en los alacranes del bocado, que va colocado sobre el surco de la barbada del caballo.

Callejón con obstáculos. Recorrido normalmente vallado a ambos lados en el que se colocan las series de saltos.

Camión. Vehículo móvil utilizado para el transporte de los caballos.

Capón. Caballo macho castrado.

Cargar. Introducir un caballo en un camión o remolque.

Cavalletti. Pequeños saltos de madera ajustables en altura, utilizados en el entrenamiento básico de un caballo o jinete para el salto.

Cepillar. Aseo superficial de los caballos estabulados antes de sacarlos para que hagan ejercicio.

Cincha suplementaria. Correa de cuero fijada en la parte posterior derecha de la silla de amazona, que pasa bajo el vientre del caballo y se abrocha en una correa de la parte delantera de la silla.

Cinchuelo. Es una correa ancha que pasa alrededor del dorso y zona esternal del caballo para mantener las mantas en su sitio.

Cob. Es un tipo de caballo caracterizado por su corta talla y fuerte complexión.

Collar o collarín. Es una simple tira de cuero que se coloca alrededor del cuello del caballo, y que se utiliza para añadir seguridad para los jinetes inexpertos. También se refiere a la correa de una martingala que se abrocha alrededor del cuello del caballo.

Concurso completo. Puede variar su duración entre uno y tres días, y combina pruebas de doma, campo a través y salto.

Contusión. Choque de las patas del caballo, frecuentemente debido a un trote rápido en la carretera, o a un trabajo duro en terreno áspero. Puede originar inflamación y cojera.

Corvejón. Articulación de la parte central de las patas posteriores del caballo. Son responsables de la mayor parte de la fuerza impulsora del caballo.

Cruz. Es el punto que se halla en la base del cuello del caballo y desde el que se mide la alzada más alta del mismo.

Cuerno. Pomo prominente que diferencia y caracteriza a la silla vaquera. El lazo se enrolla a su alrededor cuando se amarra a un novillo para ayudarse a sujetar al animal.

Cuerno de agarre. El más bajo de los dos pomos de una silla de amazona.

Cuerno de sujeción. Es la superior de las dos perillas en una silla de amazona. El cuerno está en posición fija y aguanta la pierna derecha de la amazona.

Cuidado del establo. Es el arte de cuidar uno o más caballos estabulados, teniendo en cuenta todos los aspectos del bienestar de los caballos.

Dar cuerda. Es el acto de preparar a un caballo dirigiéndolo alrededor de un círculo, cogido de un ronzal de dar cuerda. A los caballos de escuela se les puede dar cuerda como ejercicio o mientras se enseña a un jinete inexperto.

Desunido (medio galope). Medio galope en el que las patas del caballo no siguen la secuencia debida.

Detrás de la mano. Caballo que ha arqueado su cuello demasiado, de forma que su cabeza está demasiado cerca del pecho. Normalmente se debe a la excesiva presión que un jinete ejerce sobre las riendas, mientras que el caballo urge ir hacia adelante.

Diagonales (izquierda y derecha). Un jinete cabalga sobre la diagonal izquierda o derecha en el trote dependiendo de si se levanta cuando se mueve hacia adelante la mano izquierda o derecha del caballo. En un círculo el jinete siempre debe levantarse cuando la mano externa del caballo se mueve hacia adelante, por lo tanto cuando está levantada del suelo.

Diastema (barras de la boca). Zona carnosa que existe entre los dientes anteriores y posteriores de ambos lados de la boca del caballo.

Doble brida. Brida tradicional con dos embocaduras (filete y bocado), que dan al jinete un mayor control que la brida con una sola embocadura.

Doma. Es el arte de preparar a un caballo de forma que sea totalmente obediente y que responda a su jinete, al mismo tiempo que adquiere agilidad y ejecuta sus movimientos con soltura.

Domar. Entrenamiento y preparación de un caballo joven para aceptar y responder al jinete que lleva sobre sí.

Dos pistas. Movimientos de escuela en los que el tercio posterior sigue una pista separada a la de las del tercio anterior.

Embocadura. Pieza bucal frecuentemente de metal, caucho o ebonita (caucho endurecido) que se coloca en la boca del caballo y se mantiene en posición por la brida para que el jinete tenga un mejor control. Los bocados incluyen a cualquier embocadura cuyas piezas bucales varían en cuanto a diseño, pero que incluyen alacranes a cada lado en los que se fija una cadenilla o correa. Se coloca en el surco de la barbada del caballo y proporciona al bocado su característica acción de palanca. El filete elevador es una forma particularmente severa de embocadura. Puede elevarse en mayor o menor grado, ejerciendo de esta manera la agudeza del bocado. Un filete es cualquiera de los diseños de embocadura que actúen en los extremos de la diastema. Esta embocadura sólo coge un par de riendas.

Enmantar. Labor consistente en colocar la manta o mantas. Nos referimos a un caballo enmantado, cuando lleva mantas.

Equipo de aseo. Los varios cepillos, almohaza y demás instrumentos que se utilizan para la limpieza externa del caballo.

Equitación. Arte de montar y manejar bien al caballo.

Escuela de equitación. Escuela o zona delimitada para la enseñanza, el entrenamiento y la preparación de caballo y jinete.

Espalda adentro. Movimiento en dos pistas en el que el caballo se curva uniformemente en toda su longitud, contraria a la dirección del movimiento.

Espuela. Pequeño artefacto de metal (normalmente romo) que lleva el jinete en las botas y que se utiliza para reforzar la ayuda de la pierna del jinete.

Establo. Forma anticuada de estabular caballos, con varios establecimientos en un mismo edificio. Hoy en día los encontramos en grandes establecimientos como las caballerizas.

Estribos. Son accesorios de la guarnición, hechos de metal, unidos a la silla por una ación de estribo para sostener los pies del jinete.

Estropajo de heno. Es una cuerda de heno enrollada o entrelazada utilizada en el aseo del caballo para masajear la piel y musculatura y para mejorar la circulación.

Extensión. Es la longitud de la zancada del caballo en cada aire. No necesariamente significa un incremento de velocidad.

Extremos. Término utilizado para referirse a la cola, crin y parte inferior de las patas.

Filete. Cualquiera de las embocaduras que ejercen su acción sobre la diastema. Se le unen sólo un par de riendas.

Forraje. Alimento de volumen que se da a los caballos.

Galope en trocado. Movimiento de escuela en el que el caballo va a medio galope en círculo, con la mano externa por delante en vez de ser la interna como siempre.

Gancho limpiacascos. Instrumento pequeño de metal con un gancho puntiagudo en uno de sus extremos utilizado para eliminar la suciedad, piedras, etc., de las pezuñas.

Granza. Heno finamente cortado mezclado con maíz para proporcionar un alimento de volumen y evitar que el caballo engulla rápidamente el alimento.

Gris. Se refiere a la gama de capas que van desde la capa blanca hasta la gris oscura. Denominaciones más detalladas hablan de capas 'moteadas' (pequeños círculos de color gris metálico sobre un fondo más claro), capas 'salpicadas' (pequeños punteados grises sobre fondo blanco), etc.

Guadarnés. Es el lugar donde se guarda la guarnición.

Guarnición. Término que se entiende como guarnicionería.

Guarnicionería. Término que se refiere a todo el equipo que lleva el caballo.

Herrador o herrero. Persona especializada que hierra a los caballos.

Herradura de crecimiento. Herradura en forma de media luna que cubre únicamente la zona delantera de la cara inferior del casco y que se deja que se gaste durante un período de tiempo para evitar que el casco crezca con demasiada rapidez.

Herrar. Es el acto de colocar y asegurar las herraduras del pie del caballo; normalmente lo hace el herrador o herrero.

Hunter. Cualquier tipo de caballo considerado apropiado para realizar una cacería.

Impulso. Movimiento fuerte pero controlado del caballo hacia adelante.

Jaboncillo. Jabón especial para ser frotado al cuero de los guadarneses y contribuir a su mantenimiento.

Lado de fuera. Lateral derecho del caballo.

Lado interior. Lateral izquierdo del caballo.

«Leg up» (aupar). Método de subir al caballo en el que un asistente se coloca detrás del jinete y aguanta la parte inferior de su pierna izquierda mientras que salta del suelo.

Limpieza de cuadra. Trabajo diario de establo, que incluye la eliminación de la suciedad, limpieza de la cama y barrido del suelo antes de reponer la cama.

Limpieza superficial de la cuadra. Término utilizado en los establos para describir el acto de eliminar la suciedad de la cama y colocarla en cestos.

Mandil. Delantal de cuero que lleva el herrero como protección al herrar un caballo.

Mandil o falda. Equipo tradicional de monta utilizado por las amazonas.

Mano de rienda. Es el arte de girar al caballo utilizando la rienda indirecta o la opuesta a la dirección del giro.

Mano que manda. Pata delantera en el medio galope o galope que parece conducir la secuencia de las patas.

Mataduras. Llagas causadas por la silla o la cincha.

Martingala. Accesorio auxiliar de guarnición utilizado para ayudar a mantener la posición de la cabeza del caballo, lo cual proporciona al jinete un mayor control sobre el animal.

Media vuelta. Movimiento de doma en el que se pide al caballo que deje la pista y dé medio círculo de 6 metros de diámetro, tras lo cual retorna a la pista para continuar en la dirección opuesta.

Menudillo (articulación del). Es la

articulación más baja de la pata de los caballos.

Mozo. Persona que diariamente vigila la salud del caballo.

Mozo encargado. Persona que está encargada y responsabilizada sobre todo del bienestar y de los cuidados generales de los caballos.

Muralla del casco. Covertura externa del casco, dura e insensible.

Muserola alemana. Muserola que se abrocha debajo de la embocadura para evitar que el caballo abra la boca y pueda evitar la embocadura haciendo más fácil ignorar las órdenes del jinete.

Muserola doble. Muserola de doble correa fina que se abrocha por encima y debajo de la embocadura.

Obstáculo. Un *obstáculo combinado* es toda una serie de obstáculos (normalmente tres) que vemos en las pruebas de salto, colocadas de tal forma que sólo permitan una o dos zancadas entre cada salto. Un *doble obstáculo* se refiere a dos vallas que vemos en las pruebas de salto con idénticas exigencias que su combinación. Un *obstáculo con desnivel* es un obstáculo en el que la zona de toma de tierra está considerablemente más baja que la de despegue. Un *fondo* es el que su principal característica es la anchura más que la altura, mientras que una *vertical* está diseñada para probar la habilidad del caballo para saltar alturas.

Overo. Se refiere a la capa de un caballo con una coloración blanca y rojiza.

Paddock. Recinto vallado de hierba al que se sacan los caballos a pastar. Generalmente se refiere a zonas bastante pequeñas.

Palomino. Es un color de capa de los caballos. La capa puede variar en tonalidades doradas, con la crin y cola blancas.

Pardo. Generalmente se refiere a una capa 'amarillenta' con la crin, cola y patas negras y con raya de mulo.

Paso atrás. Hacer que el caballo se mueva hacia atrás. Para ejecutar el movimiento correctamente el caballo debe moverse hacia atrás moviendo al unísono las patas anterior y su diagonal posterior.

Pelham. Varios tipos de bocados con un único hierro al que pueden unírsele dos riendas. Pretende combinar las dos embocaduras de una doble brida, en una única.

Penco. Tipo de caballo caracterizado por su aspecto calmado, fina osamenta, buenos modales y una obediencia completa a su jinete.

Picadero. Establecimiento para la monta en el que un propietario puede guardar sus caballos a un pupilaje determinado.

Pierna o pata interior. Se refiere a la pierna del jinete o a las patas del caballo del interior del círculo que se describe.

Pío. Se refiere a una capa en la que hay grandes mezclas de distintos colores, formando manchas claramente definidas. Poseen una coloración básica y sobre ella hay manchas de distintos colores.

Pirueta. Es un movimiento de doma en el cual el caballo describe un círculo, y en el que el tercio posterior se mantiene en el mismo lugar, actuando como eje.

Pirueta inversa. Movimiento de escuela que se realiza con el caballo parado y en el que el tercio posterior describe un círculo alrededor del tercio anterior, actuando como eje una pata delantera.

Plastrón. Pañuelo especial que se lleva como parte de un equipo formal de monta y que normalmente suele formar parte de un buen equipo de caza.

Pony. Caballo que en su madurez no llega a alcanzar los 14,2 palmos.

Potra o potranca. Así se denominan las yeguas hasta que alcanzan los cuatro años de edad.

Potrillo. Caballo de cualquiera de los sexos hasta un año de edad. Los machos suelen llamarse potros y las hembras potras o potrancas.

Potro. Caballo macho entero, hasta los cuatro años de edad.

Protector de cola. Es una pieza del equipo hecha de cuero, yute o lana, diseñada para cubrir completamente el maslo de la cola y proteger esta zona de la misma. Se usa frecuentemente cuando se viaja.

Prueba de caballos de trabajo. Prueba de la monta vaquera en la que se ejecutan movimientos avanzados.

Puente de desveno. Parte elevada del centro de la pieza bucal de algunos bocados. Puede elevarse en mayor o menor grado, haciéndose así más o menos severo el bocado.

Pura sangre. Es una de las razas de caballos más conocida; también se le llama caballo inglés de carreras y se cría como velocista desde el siglo XVII.

Ranilla. Es la parte más blanda y en forma de 'V' del casco de los caballos y que actúa como sistema amortiguador de los golpes y para evitar los resbalones.

Raya de mulo. Línea oscurecida (normalmente negra) que recorre longitudinalmente el dorso del caballo.

Red de heno. Gran saco o red hecha de cuerda y diseñada para sostener el heno del caballo, generalmente cuando come en la cuadra.

Referencia. Mástil o similar, localizado delante de un obstáculo, para que caballo y jinete tengan una referencia para batir.

Rehúse. Se refiere a cuando un caballo salta a un lado habiéndose asustado por un fenómeno real o imaginario y se niega a saltar.

Remolque. Vehículo para el transporte de uno o dos caballos, que va unido a otro vehículo a motor.

Renvers o grupa al muro. Movimiento de doma en dos pistas, en el que el caballo se mueve por el lado más largo del picadero con el tercio posterior en la pista exterior y el tercio anterior en la pista interior.

Reunido. Caballo que mientras se mueve hacia adelante, indica que está listo para responder a su jinete; cuello arqueado, corvejones remetidos y andares vivos.

Ría. Es un obstáculo que normalmente comprende un pequeño seto, tras el cual hay una zona amplia con agua. Se ve en los concursos de salto.

Rienda guía. Rienda larga que se une a la embocadura, por medio de la cual puede conducirse al caballo. Normalmente se utiliza en las primeras etapas de enseñanza a la monta.

Rienda indirecta. La rienda opuesta a la dirección hacia la que gira el caballo. Cuando damos una ayuda con la rienda indirecta, la instrucción para girar se efectúa presionando la rienda opuesta contra el cuello del caballo.

Rienda larga. Riendas largas de lona unidas a la embocadura de la brida del caballo y usadas en el entrenamiento del animal.

Riendas alemanas. Forma severa de control que consta de una rienda fijada por un extremo a la cincha, y que pasa a través de los anillos de la embocadura y vuelve a las manos del jinete.

Riendas laterales. Riendas utilizadas cuando se entrena al caballo a mantener la posición de la cabeza. Se unen por una parte con la embocadura y por otra a la cincha, o al cinchuelo abrochados a la silla o al vientre.

Ronzal de dar cuerda. Es una rienda larga y de lona que se utiliza para dar cuerda.

Ruano. Es un color de capa de los caballos, que corresponde a una mezcla de pelos de color blanco, negro y rojo en diferentes proporciones, y con extremos negros.

Serpentina. Movimiento de escuela en el que un caballo, a cualquier aire, va hacia el centro de la escuela en una serie de bucles del mismo tamaño.

Sobrecincha. Es un cinturón de lona que pasa alrededor del dorso y zona esternal del caballo y que se utiliza para asegurar la manta. Los jinetes de salto y los jockeys utilizan a menudo la sobrecincha para asegurar la silla, como una precaución más ante la posible rotura de la cincha.

Steeplechase. Modalidad de carrera de caballos en la que corren por una pista determinada y distancia específica en la que hay varios obstáculos.

Sudadero. Almohadilla que se lleva bajo la silla, normalmente cortada con la forma de ésta. Puede estar hecha de fieltro, caucho o piel.

Tercio anterior. Parte delantera del caballo que incluye la cabeza, cuello, hombros y patas delanteras.

Transición. Es el acto de cambiar el aire o andadura. Del paso al trote y del trote al galope es lo que se denomina *transiciones ascendentes*; del galope al trote y del trote al paso, son las *transiciones descendentes.*

Travers o cabeza al muro. Es parecido al Renvers exceptuando que las patas delanteras se mantienen en la pista exterior y las posteriores se mueven en la pista interior.

Trote corto. Estilo occidental de monta que deriva del trote. En Europa es un estilo de monta que viene a ser lento y de alguna manera un trote acortado.

Trote levantado. Es la acción de un jinete que se levanta de la silla al unísono con el ritmo del trote del caballo.

Vicio. Cualquiera de los malos hábitos que un caballo puede aprender. A menos que se corrijan cuando es joven, serán muy difíciles de curar.

Viento roto. Es una incapacidad permanente del sistema respiratorio del caballo, que se manifiesta por una tos crónica, persistente y áspera.

Vuelta. Círculo de 6 metros como máximo, ejecutado en un punto dado del picadero.

Yegua. Es la hembra del caballo, mayor de cuatro años de edad.

Índice

OTROS LIBROS BLUME SOBRE EL TEMA

British Horse Society

Manual de hípica

320 págs. 11,5 × 18 cm • Más de 100 ilustr. a pulma • Rústica

Este manual de equitación nació en Inglaterra, país amante de los caballos por excelencia, de la necesidad de proporcionar a los miembros del Club de Pony las bases completas del arte ecuestre.

Colectivo

Enciclopedia del caballo

226 págs. 22 × 30,5 cm • 450 ilustr. en color • Rústica

La obra más completa sobre el apasionante mundo del caballo de montar y sus razas más importantes. Especialistas de todo el mundo han hecho posible la obra mediante la aportación de textos sobre la evolución del caballo, la amplia gama de los deportes hípicos, la doma delcaballo y una valiosísima información sobre su cuidado y manejo, con temas de tanta importancia como la salud, la cría y su mantenimiento en perfecta forma.

Monique y Hans D. Dossenbach

El caballo rey

1.ª edic., 450 págs., 24,5 × 33,5 cm • encuadernado en tela con más de 3.000 ilustraciones en color y negro

En este hermoso libro encontrará todo acerca del caballo, desde los orígenes y ancestros en las remotas épocas glaciales hasta su actual y relativamente reciente morfología. En un solo volumen se reúne todo el universo del caballo, desde los temas más generales hasta los detalles más pequeños, informando ampliamente sobre el caballo en los deportes, la crianza del caballo y el caballo y el hombre en la historia, y hoy.

Kidds

Enciclopedia Blume del caballo

246 págs. 21,5 × 29,5 cm • 200 ilustr. en color • Rústica

Los más de 20 autores, especialistas de ámbito internacional, que han intervenido en la confección de esta obra garantizan una exposición clara, actual y bien documentada de todos los temas que giran en torno a la vida del caballo. En estas páginas se le estudia de forma exhaustiva no sólo bajo el punto de vista de las razas, la anatomía, salud, cuidados, arneses y utensilios relacionados con la hípica, sino en el contexto de los acontecimientos hípicos internacionales, torneos en cualquier clase de disciplina, deportes hípicos en otros países y contienentes, etc.

Un libro eminentemente práctico que puede ser un precioso regalo para tantos entusiastas de este noble animal como existen en la actualidad.